O włos

KATARZYNA

BONDA

O włos

Warszawskie Wydawnictwo Literackie

Projekt okładki: *Tomasz Majewski*
Redaktor prowadzący: *Mariola Hajnus*
Redakcja: *Irma Iwaszko*
Redakcja techniczna: *Robert Fritzkowski*
Korekta: *Beata Kozieł, Monika Łobodzińska-Pietruś*

Fotografia na okładce:
© Alain Wong/Unsplash

ISBN 978-83-287-2011-4

Warszawskie Wydawnictwo Literackie
MUZA SA
Wydanie I
Warszawa 2022

Dla Szakiry,
która chciała wiedzieć,
jak to się kończy.

Możliwe, że każdy z nas ma w sobie jakąś utajoną sadzawkę, w której zło i szpetota lęgną się i rosną w siłę.

JOHN STEINBECK, *Na wschód od Edenu*,
przeł. Bronisław Zieliński

Jamais deux sans trois! – Nie ma dwóch bez trzech!

Przysłowie francuskie

Prolog

Dziś widziałem cię czterdziesty siódmy raz, odkąd się tutaj przeprowadziłaś, choć ty z pewnością nie liczysz naszych małych randek. Robię to za ciebie i dla siebie, by kiedy spytasz, zaskoczyć cię, jak wiele opowiedziałaś mi o sobie, choć nigdy nie rozmawialiśmy. Ale to się wkrótce zmieni, maleńka. Wtedy otworzysz usta ze zdziwienia, spojrzysz na mnie spod ciężkich powiek, chwycę cię za włosy i zrozumiesz, że zawsze byłem blisko. Dlatego nie gniewam się, że się nie zastanawiasz, dlaczego wciąż pojawiam się w parku, choć nigdy nie mam ze sobą psa.

Twoja suczka pasuje do ciebie doskonale. Drobi kroczki, szczeka strachliwie na każde większe stworzenie, czasami bez powodu, co mnie trochę drażni, ale wybaczam jej, bo wtedy bierzesz ją na ręce, tulisz jak małe dziecko, a kusa koszulka unosi się do góry i widzę twój płaski, opalony brzuch. Dziś tak właśnie było. Jak zwykle ubrałaś się niestosownie do pogody i pory dnia. Choć dopiero wstawał brzask, na nosie miałaś wielkie okulary przeciwsłoneczne, usta spierzchnięte i nabrzmiałe od pocałunków, a w dłoni kawę w papierowym kubku. Już z daleka czułem duszące perfumy, więc domyśliłem się, że nie wróciłaś do domu na noc i jesteś jeszcze pijana. Pewnie niesiona poczuciem winy wpadłaś nad ranem po swoją suczkę i pośpiesznie wyszłaś z nią na skwer. Jak to dobrze, że przed świtem obudziła mnie erekcja i postanowiłem się przejść. Miałem szczęście, bo to nie jest typowa pora waszych spacerów.

Najpierw minąłem cię bez słowa, ale potem się zatrzymałem. Wymieniliśmy spojrzenia i zdawało mi się, że jesteś trochę zła, bo przyłapałem cię, jak w gniewie mruczysz coś do słuchawki. Poprawiłaś bluzkę i odruchowo założyłaś ręce na ramiona, ale i tak zostałem nagrodzony. Nie włożyłaś biustonosza. Uwielbiam twoje pełne piersi, które tak nie pasują do twarzy zbolałego szczenięcia i kruchej sylwetki.

Często wyobrażam sobie, jak prezentujesz mi je martwa w tamtych krzakach, gdzie znika twój słodki piesek, by tarzać się w fekaliach bezdomnych. Nikt nas tam nie zobaczy, skarbie. Nie musisz się obawiać. Zadbam o wszystko. Czekam tylko na właściwą okazję. Na stosowną porę, kiedy park opustoszeje, z nieba będą się lały strugi deszczu, a może i zagrzmi groźnie, gdzieś w oddali dostrzeżesz błyskawicę, albo nocą, gdy księżyc zasuną chmury. Bo czasami wychodzisz ze swoją słodką Grace także wtedy. Tak się stanie, wkrótce się przekonasz. I będzie ci tak dobrze, jak nigdy dotąd. Uwolnię cię. Zaśniesz.

Jeśli szczerze, to wcale nie masz gustu do mężczyzn. Wybierasz źle. Nic dziwnego, że potem płaczesz. Ale dla nas to nawet lepiej, bo po tych wszystkich przejściach bardziej docenisz ciszę. Na razie mogę cię tylko zapewnić, że sen, który ci szykuję, spodoba ci się. Zanurzysz się, utoniesz w spokoju moich dłoni. Nie będziesz nic czuła. Stamtąd, skąd będziesz spoglądała, zobaczysz w moich oczach zachwyt, bo nikt nigdy nie wielbił cię tak jak ja. Wejdziemy w następny etap znajomości i już na zawsze będziesz moja. Żaden marny gach cię więcej nie skrzywdzi.

Dziś byłem bliski zaciągnięcia cię w te krzaki. Powstrzymałem się w ostatniej chwili, uwierz. Nie chodzi o czwartą nad ranem, twojego kaca ani nawet o to, że w parku nie było nikogo. Nie wątpię, że w głębi serca dobrze wiesz, co chcę zrobić. I zrobię.

Aż podskoczyłaś, kiedy się zbliżyłem, spojrzałaś na mnie ze wzgardą, bo dobrze słyszałem, że wcześniej przeklinałaś. On nie jest tego wart. Nie trzeba było się z nim kłaść. Który to już raz popełniłaś ten sam błąd? Może cię to zdziwi, ale wiem, jak on wygląda, gdzie pracuje i kim dla niego jesteś. W skrócie: nikim. Czasoumilaczem. Wiem też o wszystkich poprzednich. Znam ich adresy, numery telefonów i obiecuję, że zapłacą za to, że cię ranili. Zrobię im piekło, kiedy będą się o ciebie martwić.

Masz szczęście, że jestem obok. Mnie na tobie zależy naprawdę, a to, co nas łączy, jest rzadkie. Wystarczyłoby słowo, a dałbym mu popalić. Wyeliminowałbym go z twojego życia jednym ruchem. Jest ktoś, kto się go nie boi, a ja go znam. Problem w tym, że ty tego nie chcesz. Chcesz być przez niego krzywdzona, chodzisz jak ta twoja Grace na smyczy, tańczysz i łasisz się do niego, a potem klniesz i lejesz łzy. Zaczyna mnie to wkurzać, dlatego wymierzę mu karę. Będzie miał roboty po uszy. Zobaczysz. Obiecuję ci, że wezmę na siebie twoje cierpienie, bo mnie lekko będzie je dźwigać. A on zapłaci. Wasz romans się wyda. Ty zrozumiesz, że to ślepa ulica.

Uśmiechnąłem się na samą myśl o tym, co zamierzam, i pogłaskałem twojego pieska, a potem wziąłem go na ręce. Poczułem kruche kosteczki, gdy przycisnąłem go do piersi, aż zapiszczał. Sięgnąłem do kieszeni i podarowałem mu smakołyk.

– Ona nie bierze jedzenia od obcych – powiedziałaś, siląc się na wrogość, a ja, jak zwykle, nie odpowiedziałem.

Patrzyliśmy, z jaką ochotą ta zdrajczyni Grace pożera smaczek. Dłoń zacisnęłaś na kubku, aż spadła pokrywka. Widziałem w twoich oczach gniew, bezsilność i lęk – zadziałały jak afrodyzjak. Czyżbyś się spociła? Żałowałaś, że nie masz kabury z bronią? Ja byłem w niebie – w tej chwili poczułem, że moja erekcja osiąga pełnię.

Zauważyłaś, że Grace już na mnie nie szczeka? Założę się, że następnym razem podbiegnie z własnej woli, by być karmiona i pieszczona. Ty będziesz następna.

Potem odszedłem. Myślałaś, że znów jesteś w parku sama, i zaraz do niego zadzwoniłaś. Krzyczałaś, płakałaś i groziłaś mu jak jakaś suka w rui. Patrzyłem z oddali, jak pochylasz się w swoich obcisłych getrach, by pozbierać odchody Grace.

Twoje szerokie biodra, doskonale okrągłe pośladki wypinały się zachęcająco w moją stronę. Jestem gotów przysiąc, że majtek też nie zdążyłaś włożyć. Czy kiedykolwiek nosisz bieliznę? Wtedy pomyślałem, że nadchodzi nasz czas. I to będzie piękne. Przycisnę cię do gleby, wbiję twarz w trawę i wejdę gwałtownie. Zawyjesz z rozkoszy, więc zacisnę ci dłonie na szyi, żebyś milczała, bo ktoś mógłby przerwać nasze harce. Pociągnę cię w krzaki, bo to tam zaplanowałem właściwy spektakl. Pójdziesz ze mną jak wzorowa uległa. Grace cię nie obroni. Nie będzie szczekała. Ukręcę jej tę niepozorną główkę na twoich oczach, dlatego pozwolisz mi używać siebie w błogiej ciszy, bo uznasz, że to nasz pierwszy i ostatni raz.

Nie mylisz się, śliczna. Twoje ciało znieruchomieje.

Nie planuj zemsty. Nie licz, że mnie potem znajdziesz. Ani twoi koledzy.

Ułożę was obie w tym gąszczu jak śpiące królewny i odwiedzę jeszcze kilka razy, zanim was znajdą. Może sam ich zaprowadzę? Nie jest trudno zorganizować jakiegoś psa, który ruszy za tropem. Nic się nie martw. Będę cię wielbił, wspominał i bronił twojego dobrego imienia przed wszystkimi. A o inne nie musisz być zazdrosna: są jak egzaminy próbne. Zawsze będziesz tą jedyną. Pozostałe, które nadejdą po tobie, mają mi tylko przypominać, jakim byłem kiedyś amatorem.

Część 1

AURA

Siostry

sobota (8 maja)

Pierwsza dziewczyna leżała na wznak z rozłożonymi nogami i ramionami. Jeśli nie liczyć lustrzanych okularów w kształcie serduszek i sznurka plastikowych korali, była całkiem naga. Sprawca ułożył jej ciało na kocu, pod głowę wsunął poduszkę typu rogal. Był to popularny model tęczowej dżdżownicy z Tigera – taki, jaki zabiera się do samolotu albo na wycieczkę autokarową. Szyję zmarłej rozszarpano z jednej strony, jakby próbowało się w nią wgryźć dzikie zwierzę. Niewielka ilość krwi zakrzepła w sztywną skorupę. Oczy ofiary były wytrzeszczone, usta rozchylone i zastygłe w bolesnym grymasie. Obok ciała ustawiono torbę piknikową, po brzegi wypełnioną żywnością i świeżymi owocami w próżniowych pudełkach. Kiedy technicy rozpoczęli oględziny, herbata w termosie wciąż była ciepła.

Druga ofiara znajdowała się w pobliskich krzakach. Zauważono ją dopiero podczas zbierania śladów z pierwszego ciała. Dziewczyna miała rozdarty top do joggingu, getry zsunięto jej aż do kostek. Biodra i uda miała podrapane. Na lędźwiach widoczny był świeżo wytatuowany napis: „J. MÓJ PAN I WŁADCA". Folia, jaką zakłada się po zabiegu, leżała w pobliskich krzakach. Lewa pierś ofiary została częściowo odcięta. Twarz nie nadawała się do identyfikacji. Technicy przez kilka godzin szukali w krzakach kawałeczków jej kości i zębów. Wtedy też znaleźli pukle włosów związane zieloną wstążką. Nie należały do żadnej z ofiar, bo zamordowana maturzystka i jej siostra były brunetkami, a mocno skręcone loki miały jasny odcień bez śladu farby.

Sprawca pracowicie upozował ciała, ale ich nie przemieszczał. Polana widokowa im. Macieja Mielcarza, na której doszło do zbrodni, to urokliwe miejsce na ogniska i spotkania zakochanych. Z ulicy Mandarynki, przy której mieszkały Lea Sapiega i jej siostra Pola, trzeba do niej wędrować dobre czterdzieści minut. Założono, że dziewczęta dotarły na polanę piechotą lub zostały podwiezione samochodem. W pobliżu nie było rowerów ani żadnych innych porzuconych środków transportu. Żaden z wycieczkowiczów biesiadujących w ostatnich dniach na polanie nie rozpoznał ofiar. Nie udało się stworzyć portretu pamięciowego sprawcy, chociaż przesłuchano kilkudziesięciu świadków i zatrzymano do rozpytania czternastu podejrzanych. Pod kątem DNA zbadano wszystkich gwałcicieli i przestępców seksualnych, którzy znajdowali się w tym czasie na wolności w okolicach stolicy. Na podstawie obrażeń stwierdzono, że to młodsza siostra była bardziej waleczna albo została zaatakowana jako pierwsza. Druga ofiara musiała być zbyt przerażona, by przeciwstawić się sprawcy, i najprawdopodobniej zmarła błyskawicznie po podcięciu gardła bardzo cienkim ostrzem. Rany szarpane na szyi zadano pośmiertnie, podobnie jak większość pozostałych obrażeń. Policjanci dawno nie widzieli tak zbezczeszczonych zwłok. Jakiego narzędzia używał morderca – nie ustalono. Kiedy przez media przewalała się fala informacji na temat tej zbrodni, policjanci wciąż się nad tym głowili.

Początkowo zabójstwo sióstr Sapieg nie schodziło z czołówek gazet. Rodzice bali się wypuszczać córki z domów. Także starsze kobiety wychodziły po zmroku w asyście mężczyzn. Przez trzy tygodnie w Lesie Kabackim było bardzo niewielu biegaczy i spacerowiczów z psami.

Śledczy nie powiadomili prasy o bestialskim znęcaniu się nad ofiarami i pastwieniu się nad zwłokami, a jednak te dane wypłynęły do komunikatorów i ku zgrozie policji Kosiarz z Kabat stał się tematem żartów na TikToku.

Z czasem knieja zaczęła się zaludniać. Ogniska płonęły codziennie. Młodzież pod pretekstem wspominek o zamordowanych dziewczynach gromadnie spotykała się na polanie, która nieoczekiwanie zyskała sławę mrocznej imprezowni. I chociaż w okolicy gęsto było od patroli, dilerzy kursowali w to miejsce od środy do niedzieli. Był tam lepszy zbyt niż w klubach.

Matrix
piątek (28 maja)

Był to pierwszy piątek, odkąd otwarto restauracje, i tłum wystrojonych ludzi walił do knajp, by bawić się, jeść, pić oraz tańczyć do rana. Jakub Sobieski zatrzymał się na rogu Foksal i Kopernika. Wysiadł, by rozprostować kości, zrobił kilka skłonów i rozciągnął ramiona, a potem skręcił sobie papierosa z niewielką ilością marihuany i paląc, wpatrywał się w boczne wejście Gentleman's Matrix Club z naklejką zakazu wjazdu. Przyszło kolejne zlecenie, ale go nie potwierdził. Myślał o tym, jak szybko ludzie podnieśli się po pandemicznym marazmie – jakby czas zatrzymania świata nie zdarzył się wcale. Dziewczyny nosiły krótkie spódniczki i żadna nie zasłaniała maseczką uszminkowanych ust. Szły stadami do restauracji, kołysząc się na wysokich obcasach, a mężczyźni obcinali ich odsłonięte ciała wygłodniałymi spojrzeniami. W powietrzu unosił się zapach perfum, alkoholu i kwitnących wokół bzów.

Sobieski zgasił skręta w pustym pudełku po papierosach, a potem wsiadł z powrotem do miniaturowego auta, w którym spędzał ostatnio całe noce. Poprawił bejsbolówkę, by daszek skutecznie przysłaniał mu twarz, kangurkę zapiął pod brodą i nasunął kaptur. Spojrzał raz jeszcze na drzwi wejściowe do Matrixa, gdy telefon poinformował go, że przydzielono mu kolejne zlecenie. I tego nie potwierdził, choć ryzykował, że znajdzie się na samym końcu kolejki obciążony karą pieniężną, a wtedy mógł wracać do swojej przyczepy, w której, poza nieczynną lodówką wypełnioną ciepłym piwem, nic na niego nie czekało. W weekendy nie woził pudełek z żywnością „Jestem fit".

Włączył radio i kompulsywnie przełączał kanały, bo trwały akurat wiadomości. Mówiono o szczepionkach i polityce, jakby nic innego w tym kraju nie miało znaczenia. Kiedy poleciały *Autobusy* Ralpha Kaminskiego, Jakub poczuł gorąco w piersiach i na chwilę zabrakło mu tchu. Tańczył do tej piosenki z żoną, kiedy widzieli się ostatni raz. Co ona teraz robi? Kto trzyma ją w ramionach? Przymknął oczy i natychmiast pojawił się zarys jej bioder oraz wgłębienie na plecach w odcinku lędźwiowym. Ktoś krzyknął, jakiś pijany przechodzień uderzył w maskę jego samochodu. Sobieski obejrzał się na niego z przestrachem jak wybudzony ze snu. Mara Iwony zniknęła, ale w nozdrzach wciąż miał jej słoną, zawiesistą woń morza przed sztormem. Ten zapach dominował na jej ciele, jakichkolwiek perfum by żona używała. I była takim właśnie żywiołem: niezrozumiałym, niezgłębionym, dzikim i niebezpiecznym. Totalnie uzależniającym, bo od początku zdawała się silniejsza od niego. Potrafił zanurzać się w niej i całkiem znikać. Pierzchały natychmiast natrętne myśli i zostawała tylko cisza. Wiedział, że szybki ślub przed jej wyjazdem na misję jest aktem desperacji – próbą zatrzymania jej na siłę, i to nie miało prawa się udać – ale wtedy wierzył, że ratuje związek. Mówiono mu, że oboje są zbyt młodzi, ale on znał prawdę: Iwona nie jest kobietą, którą ktokolwiek może posiadać. I na tym też polegało jej nieszczęście. Chciała do kogoś przynależeć, poddać się całkowicie. Lecz nie jemu. Jakub nigdy nie pojął, dlaczego wciąż wracała. Wiedział, że miał szczęście być z nią przez krótką chwilę, i kiedy się pakowała, powiedział jej to, płacząc jak dzieciak. Nie płakał na oględzinach. Otrzymywał rozkazy, wykonywał je sumiennie i nawet głos mu nie zadrżał, gdy składał meldunek, który złamał mu karierę, nim jeszcze się zaczęła. Ale wtedy, tamtego dnia, kiedy Iwona zdecydowała się wyjechać, łzy płynęły mu po policzkach, a Sobieski się ich nie wstydził.

Pamiętał, jak podniosła głowę, roześmiała się niczym niesforna dziewczynka i podeszła z otwartymi ramionami, by go pocałować. Bez trudu ją podniósł, bo ważyła tyle co czternastolatka. Zaplotła nogi na jego biodrach i całowali się długo, namiętnie, aż znów dał się zwieść, że kocha go do szaleństwa. W trakcie jak zwykle mówiła, przyznawała mu rację i zapewniała kolejny raz, że to nie jego wina. A potem dodała, że jeśli jest w ciąży, wróci i będą już razem. Wcześniej denerwowało go, że zdaje się na los, ale w tamtym momencie dziękował jej za ten ochłap nadziei.

Dwa tygodnie później przysłała wiadomość, że dostała okres i „krwawi jak zarzynana świnia". Prosiła, by jej nie szukał. „To wszystko jest wystarczająco trudne". „Niech to, co było piękne, zostanie piękne. Nie psujmy tego". Odpisał: „OK", lecz nieustannie hipnotyzował telefon, czy napisze coś więcej, wyśle choć jedno zdjęcie. Nie odezwała się.

Jakiś czas później od jej kolegów z wojska dowiedział się, że już kiedy się pobierali, sypiała z kimś innym. Nie chcieli mu podać nazwiska. Ponoć to nie było nic poważnego. Nie uwierzył. Wtedy, w tej jednej chwili, pojął swoją głupotę i wszystko nabrało innego wymiaru. Był wściekły, szalał z gniewu, pragnął ją znienawidzić, ale nie potrafił przestać jej kochać. Przyszła depresja, załamanie i totalna niemoc. Chciał wyjaśnień, marzył, by usłyszeć od niej cokolwiek, uwierzyłby w każde kłamstwo, byle tylko zrozumieć, dlaczego go tak upokorzyła i po co za niego wyszła, ale zanim zdobył się na odwagę i napisał, zmieniła numer, a potem odkrył, że zablokowała go we wszystkich komunikatorach. Połączenia z anonimowych kart zrywała, a kiedy napastliwie wydzwaniał do sztabu, poinformowano go oschle, że przy jego dotychczasowych kłopotach oskarżenie o stalking to ostatnie, czego Sobieski potrzebuje, i to było jak cios ostateczny.

Potem był etap czarnej pasji: groził, szalał, upijał się do nieprzytomności i ćpał, bo nic nie mógł poradzić na tęsknotę za tą, która zabrała mu serce i zostawiła w piersi wypaloną dziurę. Był zły głównie na siebie, bo wolałby już utonąć w oceanie, niż zostać odrzucony. Przyrzekł sobie, że z żadną już nie zatańczy (bo przed Iwoną nie tańczył wcale), nie rozwiedzie się i nie ożeni. Nie będzie jej szukał, po prostu zapomni, ale to było tak cholernie trudne. Wszystko mu ją przypominało.

Zniecierpliwiony zabębnił palcami po kierownicy i wyciszył *Autobusy*, nim wybrzmiał ostatni refren, a wtedy zza zamkniętych szyb dobiegły go basy kakofonii z pobliskich knajp. W tym momencie komórka zawibrowała i odczytał wiadomość:

„Sorry, Kuba. Awanturujący się klient. 3 min max".

Po chwili wpadł kolejny esemes:

„Poczęstuj się. Na mój koszt. Nie hoduj wkurwa!"

By przegonić pokusę, Sobieski wypuścił powietrze ustami i rozparł się w miniaturowym fotelu clio. A chociaż głową dotykał dachu, nie zdjął czapki ani kaptura. Marzył, by znów jeździć własnym patrolem, ale wiedział, że to niemożliwe, dopóki się nie odkuje i nie odda długów.

Oziu, na którego zmuszony był teraz czekać, to jedna z niewielu osób, które wyciągnęły do niego pomocną dłoń, kiedy odszedł z policji i wszyscy widzieli w nim wyłącznie śmierdzący kłopot. A choć Jakub miał wątpliwości, sprawy szybko nabrały rumieńców i zanim się obejrzał, zostały mu tylko dwadzieścia trzy dni, które traktował jak wyjazd na misję. Wyglądało na to, że nie ma się czym denerwować. Wszystko z czasem zacznie się układać, pocieszał się.

Boczne drzwi klubowego wejścia nareszcie się uchyliły. Wyszedł z nich spasiony trzydziestolatek w niemodnej marynarce i dresowych spodniach. Głowę miał ogoloną na zero, na nogach kopie kultowych air jordanów z osiemdziesiątego czwartego roku. Buty były rozdeptane na bokach w typowy dla grubasów sposób.

Oziu pomachał Sobieskiemu radośnie, na co ten w odpowiedzi tylko niżej pochylił głowę. Włączył silnik i sięgnął do rękawa bluzy. Wymacał torebkę z towarem, strzelił spojrzeniem dokoła – skupiony, jakby siedział w okopie i miał karabin w dłoni.

Ludzie wędrowali ze szklankami, kwiatami, torebkami prezentowymi; jakaś grupa przy stolikach poderwała się i rozległo się gromkie: „Sto lat!", ale Oziu wciąż stał na krawężniku, rozglądał się w lewo, w prawo. Sobieskiemu wydawało się, że postanowił przepuścić wszystkie auta.

Wreszcie przewalił swoje cielsko przez jezdnię. Bura dwurzędówka poderwała się do góry, a jej poły rozchyliły się, ukazując imponujący bebzon. Nie do uwierzenia, że jeszcze trzy lata temu kapitan Tadeusz Orzechowski, na którego w cywilu nikt nie mówił inaczej niż Oziu, był sprężystym osiłkiem, który kilkoma ciosami kładł na macie większych od siebie. Jakub wpatrywał się w swojego byłego trenera, z trudem hamując irytację. W tym momencie do Ozia podbiegła chuda brunetka o ptasiej twarzy i fantastycznych nogach. Do dziwacznej sukienki bombki w kolorowe mazaje włożyła ramoneskę. Mimo niebotycznych obcasów sprawiała wrażenie nastolatki. Sobieski zatrzymał powietrze w przeponie, przyjrzał się jej torebce i coś go tknęło. Kiedy do niej sięgała, był pewien, że wyjmie blachę lub broń. Odruchowo chwycił kierownicę, zjechał z krawężnika, ale brunetka i Oziu wymienili tylko kilka słów. Dziewczyna krzyknęła coś w furii, gestykulując tak intensywnie, jakby była Włoszką. Sobieski spostrzegł, że w dłoni ma komórkę. Pokazywała coś na ekranie, bardzo się przy tym emocjonując. Oziu chwycił dziewczynę za ramiona, unieruchomił i znów był ekspertem krav magi, którego Jakub znał całe lata.

Brunetka szarpała się chwilę, aż wreszcie Oziu pozwolił jej się uwolnić, i ruszyła dalej, jakby do scysji nie doszło. Sobieski podążył za nią spojrzeniem. Widział, jak wspina się na gzyms i pochyla nad telefonem, pisząc w nim coś zawzięcie.

– Sorry, Kuba, kocioł straszny! – ryknął Oziu, zajmując miejsce na siedzeniu pasażera. – Nie spałem od poprzedniego piątku. Poszaleli!

Sobieski nie odpowiedział. Sięgnął do kieszeni po zwitek banknotów spięty recepturką i pakunek ciasno oklejony taśmą.

– Nie tutaj! – Oziu chwycił dłoń ucznia, ale Jakub był szybszy.

Wyswobodził się i zacisnął ramię grubasa, korzystając z jego masy.

Siedzieli chwilę spleceni jak w kleszczach. Oziu pierwszy poluzował chwyt. Sobieski otrzepał bluzę i ukrył towar w rękawie. Dłonie położył na kierownicy w przepisowej pozycji dziesiąta – druga. Oddychał miarowo, skanując otoczenie wokół wozu. Oziu rozcierał przegub, wydając ciche pomruki, jakby dostał ostry wycisk, choć obaj wiedzieli, że to tylko przygrywka. Niejeden raz ze sobą walczyli, z tym że kiedyś to Jakub przegrywał. Role się odwróciły, odkąd Oziu zamknął szkołę walki i utył jak wieprz. Żaden nie skomentował utarczki. Otaczał ich jedynie jazgot muzyki dobiegającej z klubów.

– Co tak mało? – Ciszę przerwał Oziu, udając, że nie zauważa marsowej miny Sobieskiego. – Gdzie dodatkowa partia piko?

– Kurier Mora dał mi to, co zamawiałeś. Chcesz więcej? Z nimi gadaj.

Oziu zaśmiał się nerwowo.

– Krzyczałeś coś, że masz mało czasu. Ruszaj!

Sobieski włączył się do ruchu. Kiedy przejeżdżał obok długonogiej brunetki w bombce, która pisała coś w komórce, zwolnił.

– Co to za niunia?

– Taka tam. – Oziu lekceważąco machnął ręką i umilkł, więc Jakub przyjrzał mu się wnikliwiej.

– Gadasz tak, jakbyśmy się nie znali.

– Co się tak pocisz, Kubuś? Zostały trzy tygodnie i będziesz *free*.

Sobieski chciał odpysknąć, że już teraz jest wolny i wcale nie musi robić tego, do czego zwerbował go Oziu, ale się powstrzymał. Potrzebował tej roboty.

– Taka tam co? – powtórzył pytanie. – Psiarnia wystawia małolaty na wabia. To wasza naganiaczka? Sorry, ale ta laska nie wygląda mi na narkomankę.

– A kto dziś wygląda? Zwłaszcza na początku – burknął Oziu. – Początkująca ćma, jak one wszystkie.

Sięgnął po komórkę, by pokazać jej Instagram, ale Sobieski nawet nie spojrzał.

– Kupuje u ciebie?

– Głównie zioło. Naraja mi klientelę i trochę pracujemy w branży towarzyskiej. Wystawiam jej kochanków celebrytów, a ona wrzuca to do netu. W pandemii miała raj: przychodzili się parzyć do klubu, robiłem im zdjęcia. Czasami pozwalałem autoryzować foty, bo nikt nikogo nie zmusza, a kto naprawdę chce, zachowa anonimowość. Zwykłe ustawki, ale ta mała wie, w czym robi, i dobrze zna cennik.

– Ile jej płacisz?

Oziu skrzywił się, jakby Jakub dał mu do wypicia szklankę mleka zamiast drinka.

– To jej ludzie mi płacą. Mam ryczałt w portalu, który ją zatrudnia. Chociaż nie wiem, czy ten dobrobyt lada dzień się nie skończy. Krzyczała, że przeze mnie jest na wylocie. Dowiedziała się, ile dostaję, i się wkurzyła. Słusznie, bo robi całą robotę, a ja dostaję większość hajsu. Nieważne, przegięli z jakąś aferą i ich zamykają.

Sobieski mu nie uwierzył.

– Dlatego tak na ciebie napadła?

Oziu uparcie milczał.

– Bzyknąłeś ją? – zgadywał Sobieski, a ponieważ Oziu nie zaprzeczył, spojrzał we wsteczne lusterko.

Dziewczyna siedziała w tym samym miejscu. Zdjęła tylko swoje obcasy i porzuciła je na chodniku. Nawet na chwilę nie podniosła głowy znad komórki.

– Nie jest w twoim typie – dorzucił Jakub. – Wygląda na studentkę, nie na kurwę.

– Coś tam studiuje. – Były trener zmarkotniał. – Właściwie to jej nie znam.

– Jasne – parsknął Sobieski i wjechał na opustoszały parking.

Rozejrzał się. Wokół nie było żywego ducha. Podał Oziowi towar oraz gotówkę, którą ten fachowo przeliczył. Z pliku banknotów odjął kilka setek, a po namyśle dołożył jeszcze trzy. Przekazał Jakubowi jego dolę. Resztę, wraz z pakunkiem owiniętym taśmą, schował do wewnętrznej kieszeni swojej okropnej marynarki. Gdyby nie jego brzuszysko, z pewnością zwracałby uwagę.

– Potrzebujesz jeszcze czegoś? – Sobieski obejrzał się za siebie. Nawet z tej odległości widział dziewczynę pochyloną nad telefonem. – Bo mam kilka zadań dzisiejszej nocy – skłamał.

– Nie próbuj jej zapinać, Kubuś – ostrzegł go nieoczekiwanie trener. – Nie twoja liga.

– Ty próbowałeś i nie poszło? – odparował Sobieski, na co Oziu odwrócił głowę do okna. Wyjął papierosa i włożył sobie do ust, ale ponieważ Jakub pokręcił głową, schował go z powrotem do paczki.

– Nie. I tobie też nie radzę – odparł z powagą. – Jej ojciec, młodszy inspektor Wiktor Kowalczyk, kiedyś znany w branży jako Kowal, całe lata był drugim komendantem na Pradze. Siorka Beci poszła w jego ślady i jest gliniarą. Spytaj ojczulka o koligacje rodzinne Kowalczyków.

Sobieski spojrzał na Ozia spode łba.

– Dobrze wiesz, co mi odpowie.

– Wciąż ma cię za chłoptasia, który nie dorósł? – Trener się zaśmiał. – Major Sobieski zna sekrety Kowala, bo dzięki nim załatwiał nam parę spraw w mieście rękoma inspektora. I powiem ci, że skutecznie. Moro, z tego, co wiem, był całkiem rad. Swoją drogą twój tatulek wciąż dużo może. Źle robisz, że się od niego odcinasz.

Sobieski zacisnął tylko szczęki. Nic nie odpowiedział.

– Miałeś nosa z tą psiarnią, choć nie wiem, jak to wyczułeś. Wygląda na to, że to jakaś mundurowa zaraza. – Oziu nagle stracił zainteresowanie wątkiem. – Ale z Beci to innego rodzaju ziółko.

– Mówiłeś, że jej nie znasz.

– W tym znaczeniu, o jakie pytałeś – podkreślił Oziu. – Laska lubi wsadzać nos w nie swoje sprawy. Nie zmienia to faktu, że to i owo o niej wiem, a wolałaby pewnie, żeby było odwrotnie.

– Powstał konflikt interesów? – Sobieski pierwszy raz się uśmiechnął. – Dlatego nie przepada za tobą? Czym ją szantażujesz?

– To ja za nią nie przepadam – podkreślił Oziu. – Nie lubię wścibskich dziuń. Koniec tematu.

Jakub wskazał wypukłość na piersi byłego trenera.

– Sprzedaj to dobrze, bo możliwe, że przez kilka dni mnie nie będzie.

Oziu skupił się.

– Dokąd niby się wybierasz? Na wakacje jeszcze nie uciułałeś. Przed wyrobieniem miesięcznej normy urlop nie przysługuje. Znów tchórzysz? – Zarechotał. – Teraz chcesz się wycofać? Kiedy odblokowali pandemię i ludzkość na gwałt potrzebuje radości?

Sobieski chciał rzec, że od tej radości Oziu waży dwa razy tyle niż przed laty i nie dałby rady w bójce nawet chudej Beacie Kowalczyk.

– Nudzi mnie użeranie się z pasażerami – wyjaśnił, siląc się na obojętność. – Prawie nie sypiam, a plecy bolą od tych uberów. Na jeden, maks dwa dni się urwę. Mój chrześniak kończy za kilka dni pięć lat. Podjadę do siostry w Kaliszu. Pojem domowego bigosu i śledzi. Odeśpię.

– Duplo możesz wysłać pocztą. – Oziu świdrował Sobieskiego spojrzeniem. – Wiem, co kombinujesz. Za trzy dni na Podkarpaciu rusza Kobra Dwadzieścia Jeden. Cykor posadził już swój rydwan i pojutrze ma oficjalne spotkanie w Centrum Weterana. „Polska Zbrojna" zapowiedziała je na stronie, a przyjaciel Facebook zaprasza i mnie. Nie potwierdziłem przybycia – podkreślił Oziu. – Ale wiem, że będą wszyscy nasi i chmara specjalsów. O udziale Nocnej Furii za to nie słyszałem. Może wiedzą, jak jesteśmy blisko, i nie chcieli mnie rozdrażniać? Chyba nie wybierasz się na manewry, Kubuś, żeby popsuć żonie imprezę? Czy Iwona zleci do kraju, czy nie – radziłbym ci skupić się na robocie i nie udawać złej wróżki na urodzinach Śpiącej Królewny. Mało krwi napsuła ci twoja ślubna? Jak pojedziesz, nie odbije ci się to czkawką. To będzie kataklizm! Ja cię proszę jak starszy brat, odpuść. A o Iwonie zapomnij – powtórzył.

Sobieski z trudem maskował irytację.

– Normę wyrobię, nie będziesz stratny. Mamy umowę – odrzekł, co uspokoiło przyjaciela. Sięgnął do zataśmowanej paczki.

– Mam tutaj coś na ból pleców. Nadstaw nos, a dotkliwości miną. Humor zaraz ci się poprawi.

Jakub powstrzymał go gestem.

– Będę chciał szybciej trumnę, sam ją sobie zrobię. Odkąd Iwona wyjechała, staram się być czysty.

– O Jezusie! – ryknął Oziu. – Czystość popieram, tylko po co ta martyrologia? Wywalili cię z firmy, masz wilczy bilet w administracji publicznej, a po tym, co wywinęła twoja niby-małżonka, ciesz się, że nie zdegradowali cię do szeregowego. Sam powiedz, na co ci była ta miłość? Gdybyś nie położył za Iwonę łba, przytuliłbyś odprawę, przesiedział rok w ciszy i nie musiał szorować na taksówce jak jaki Hindus. Prawda jest taka, że wszystko wyglądałoby inaczej, aspirancie Sobieski. Byłbyś dziś w całkiem innym miejscu i może wcale nie usuwaliby cię z psiarni? Ciesz się, że Nocna Furia dobrowolnie zeszła ci z oczu! Wystarczająco już kłopotów miałeś przez tę kurwę!

– Nie nazywaj jej tak. – Sobieski prychnął ze złością. – To wciąż moja żona i najlepszy pilot rydwanu specjalsów w tym kraju. Cykor może jej skoczyć.

– I skacze, chłopie. Wylizuje cipkę i rucha od tyłu. A ty masz przejebane. – Oziu chwycił się za głowę i wiercił się tak, jakby chciał ją sobie odkręcić. – Lepiej byś już wyszedł, żeniąc się ze mną. Nie gniewaj się, Kubuś, bo wiesz, że lubiłem Iwonę...

– Nieprawda.

– Fakt – przyznał skwapliwie Oziu. – Od pierwszego dnia, kiedy zobaczyłem tę kobietę, wiedziałem, że zdemoluje ci życie, ale starałem się milczeć, przyznasz? Kiedy byliście razem, słowa na nią nie powiedziałem. Siedziałem cicho, nawet kiedy poszła w długą z Cykorem, choć to też nie był mój przyjaciel...

– I zawsze będę miał o to do ciebie żal.

Oziu nabrał powietrza, wypuścił. Pogładził się po ogolonej na rekruta głowie i wypalił:

– Rzecz w tym, że nigdy nie pasowaliście do siebie. Nocna Furia jest totalną świruską, chodzącym kłopotem, tykającą bombą! Szuka w życiu czegoś innego niż ty i życzę jej, by znalazła tę swoją wymarzoną śmierć na spadochronie desantowym oraz definitywnie się od ciebie odpalantowała. Bo ciebie, Kubuś, lubię znacznie bardziej. Jesteś dla mnie jak brat, którego nigdy nie miałem.

Sobieski nie odpowiedział, choć najchętniej zapytałby kapitana Orzechowskiego, czego on sam szuka w półświatku.

– Dobra, rzucisz dilerkę i co dalej? – Oziu klepnął się po potężnych udach. Wskazał aplikację korporacji taksówkarskiej. – Z tego zamierzasz żyć? Czy z wożenia pudełek z żarciem nocami?

W tym momencie do Sobieskiego dotarło, że spadł na koniec kolejki i nic już dzisiaj nie zarobi. Kursy odblokują mu najwcześniej o świcie, a jeszcze będzie musiał zapłacić karę. Przeklął.

– Nie potrzebujesz nic więcej, wracaj do klubu. Klienci czekają – rzekł do Ozia pojednawczo. – Wygląda na to, że nie będę dziś już jeździł, więc jakbyś dogadał się z przydupasem Mora, mogę ewentualnie podskoczyć po piko.

Czekam do pierwszej. Potem robię browara i uderzam w kimono.

– Dam znać – zgodził się Oziu. – Jesteśmy w taczu.

– A następnym razem bądź punktualny – zastrzegł Jakub, klikając centralny zamek. – Jestem totalnym amatorem i spina mnie stanie z gorącym towarem pod okiem własnych kumpli.

– Nie odwieziesz mnie? – Oziu był zawiedziony. Kręcił głową, lecz nie wysiadał. – Coś źle z tobą, Kuba.

– Dobrze nie jest. Od roku wciąż tylko gorzej.

– Dzwoniłeś do majora Półtoraka? Miał zadziałać z lokalem na Niepodległości. Nie przetrwasz zimy w przyczepie na działkach, a ja cię nie przygarnę. Już to ćwiczyliśmy.

Sobieski powoli skinął głową.

– Przekształcenie jest możliwe dopiero pod koniec roku. Może wtedy zwolni się coś w AMW? Jeśli do tego czasu nie zgromadzę kasy, wymyślę coś innego.

– Przetrwasz. – Oziu z całej siły pacnął Jakuba po ramieniu. – Twardy jesteś, dasz radę. Z moją i bożą pomocą przetrwamy. Daliśmy radę na Ukrainie i w Afganistanie, to i ojczyzna nas nie rozjedzie.

– Nie – zaprotestował Sobieski. – Jeszcze tego brakuje, żeby zawinęli mnie za dragi. Jakby to wyszło, nigdy nie wrócę. Trzy tygodnie – podkreślił. – Potem spotykamy się tylko na chlanie i mecze.

Oziu się skrzywił.

– Ty się łudzisz, że wezmą cię z powrotem? Po tym, jak zasunąłeś Cykorowi dwie kulki w brzuch? Zatuszowali to, ale fama poszła. Wszyscy wiedzą, jak naprawdę było. Ciesz się, że Cykor wrócił za stery! Gdyby gwiazdor siódmej eskadry zszedł, nigdy nie wyjrzałbyś z pierdla. I wybacz mu co złe, bo gość zachował się honorowo. Wymyślił ten samostrzał i uratował cię od dyscyplinarki. Trzymaj się od nich obojga z daleka. Od niego i od twojej Nocnej Furii. Zapomnij, człowieku, że miałeś żonę. Tak naprawdę nigdy nie była twoja! Po prostu gumka myszka i szlus. Tego kwiatu pół światu!

Sobieski z trudem się hamował. Zacisnął dłonie na kierownicy, aż zbielały knykcie. Nic nie powiedział.

– Gdzie twój honor? – Oziu coraz bardziej podnosił głos. – Iwona puszczała się z Cykorem dla awansu i swój cel osiągnęła. Popełniłeś błąd, źle wybrałeś pannę i wszyscy poza tobą to wiedzieli! Chcesz znać moje zdanie?

– Nie – burknął Sobieski, ale Oziu go nie słuchał. Kontynuował:

– Zrobili z ciebie kozła ofiarnego – racja, ale to ty, na własne życzenie, już wtedy się zdegradowałeś. Cykor pije z inspektorem Sobolewskim, przyjmuje go w domu na obiadach. Ty myślisz, że twoje późniejsze zwolnienie to przypadek? Nikogo innego poza tobą nie posunęli po śmierci Rusaka, a wszyscy wiedzą, że to był diler. I wcale nie dlatego cię wyeliminowali, że dojebałeś Cykora, ale przez to, że stanąłeś za nią i poręczyłeś molestowanie. To Cykora zabolało najbardziej. Plama na honorze, ferment w mediach. Tego ci nie może ten ptaszek darować! Nikt, nawet ja w to nie wierzyłem, kiedy dostałeś zwolnienie! A wystarczyło nie grać rycerza, tylko porządnie Nocną Furię obić za zdradę. Chłopaki by cię wtedy zrozumieli. I ci z woja, i twoi.

– Coś jeszcze, wujku dobra rada?

– Mało ci? – Zrezygnowany Oziu westchnął. – Przyjmij do wiadomości, że nie znasz się na babach. Odwróć się od niej, zadbaj o siebie i jak najszybciej składaj kwity rozwodowe, zanim Iwona wniesie o alimenty albo narobi długów! Módl się, bracie, żeby Nocna Furia nie wróciła z wojny kaleka albo ciężarna, bo do końca życia będziesz robił na nią albo na jej bękarty.

– Masz rację. – Sobieski zawrócił na podwójnej ciągłej i przyśpieszył, na ile dawała szafa tego strucla, którego mu przydzielili. Milczał całą drogę, a potem zatrzymał się gwałtownie przed samym wejściem do klubu. – Nie znam się na kobietach i nie potrzebuję twoich porad. Wypierdalaj.

Oziu spojrzał na przyjaciela z politowaniem. Wysiadł bez słowa.

***

Choć noga sama wciskała gaz, Sobieski nie ruszył z piskiem i długo patrzył, aż kapitan Orzechowski schowa się w drzwiach. A potem zacisnął szczęki i znów zawrócił. Podjechał do studentki, zatrzymał się, opuścił szybę.

– Jestem wolny. Dokąd chcesz jechać? – krzyknął, choć ostatnie słowa Ozia o błędnych rycerzach wyły mu w głowie jak syrena alarmowa.

Dziewczyna krytycznie przyjrzała się jego kwadratowej szczęce i niedogolonej twarzy, a potem zaplątała paski butów na łydkach, ale zaraz zsunęły się w dół, więc podeszła do auta boso. Zerknęła czujnie na tylne siedzenie, jakby spodziewała się tam kogoś jeszcze. Wreszcie pewnym ruchem otworzyła drzwi. Zajęła miejsce dla pasażera z tyłu, by widzieć twarz kierowcy w lusterku wstecznym.

– Wystawisz mi paragon?

– Nie. – Kliknął centralny zamek. – Kurs stawia firma.

Zmarszczyła się.

– Za ładna jesteś na gwałt. Na imię masz Beata? Czy może wolisz Becia?

Milczała.

– Nie bój się. – Uśmiechnął się. – Nie jestem Kosiarzem z Kabat.

– Szkoda, bo moja siostra go szuka, a ja jej pomagam – oświadczyła z powagą.

Sobieski z trudem się powstrzymał, by nie parsknąć śmiechem. Dziewczyna zachowywała się jak przedszkolak, który ogłasza, że będzie kosmonautą, albo zbudował z kartonu prototyp reaktora jądrowego.

– Kosiarz nie zgwałcił sióstr Sapieg, tylko je pokroił. Wiesz, że noc wcześniej były po towar u twojego kumpla? – Patrzyła na Sobieskiego wyzywająco. – Zabrał je jakiś gość uberem. Takim jak twoje clio, nieoznakowanym. Następnego dnia leżały martwe na piknikowej polanie.

Tym razem to Sobieski zmilczał odpowiedź.

– Ich komórki znaleziono w Matrixie – kontynuowała. – Kelner odkrył je, dopiero jak ujawniono ciała. Twierdzi, że wcześniej nie sprzątał tej sali. Czy to prawda, nikt już nie dojdzie. Oziu nie chce zeznawać. Ciebie też nie pierwszy raz tutaj widzę. Robicie w tym samym – dodała, jakby prowadziła nielegalne śledztwo, ale zanim Jakub się roześmiał, już wyjęła swój telefon z torebki i odczytała: – Jesteś starszy aspirant Sobieski, ksywa Kubuś, Królik albo Mały.

– Oho, widzę, że bawisz się w detektywa.

– Jedyny skompromitowany policjant w sprawie niewyjaśnionej śmierci Tomasza Rusaka, w półświatku pseudo Baton. Nie zdążył nic zeznać na swoich, bo zmarł biedak w karetce. Komendant uznał, że z twojej winy. Posadzili cię na dwa miesiące bez wyroku i nigdy nie przeprosili.

– Sporo czytasz prasy – zakpił Sobieski, ale minę miał nietęgą.

Dziewczyna zorientowała się, że przeszarżowała.

– Wyguglałam cię, bo potrzebuję informacji – wyjaśniła przepraszającym tonem. – Chyba że wolisz wpierw poznać moją siostrę, ale na bank zrobią ci wtedy przeszukanie wózka.

– Jak na swoje osiemnaście lat, jesteś wyjątkowo sprytna, dziecino.

– Mam dwadzieścia cztery, a ty niewiele więcej, staruchu. Mój tato był policjantem. Ma swoje wtyki. – Zatrzymała się. – Nie rób takiej miny. Kowal nie chce się w to mieszać. Nic ci nie grozi.

– Fajnie, bo posrałem się ze strachu. – Sobieski śmiechem przykrył zdenerwowanie. To, co usłyszał, bardzo mu się nie spodobało. – A tobie wydaje się, że sama złapiesz Kosiarza?

– Chcę tylko pomóc – odparła buńczucznie. – Nie siostrze, matce Lei i Poli. Pani Sapiega jednego dnia straciła obie córki. Ma prawo wiedzieć, z jakiego powodu morderca je wybrał.

– Zabójca – sprostował Sobieski. – Z tego, co wiem, nikt nie został postawiony w stan oskarżenia. Dlaczego to cię interesuje?

– To moja wina, że Lea zaczęła ćpać.

Jakub odwrócił głowę. Przyjrzał się dziewczynie. Zastanawiał się, czego od niego chce. Czy scysja z Oziem była wyreżyserowana, żeby ją zauważył i zabrał do auta? A może to sprawka ludzi Mora? Zasadzka? – myślał szybko.

– Lea paliła ze mną swoje pierwsze zioło – ciągnęła Beata. – Wciągnęła w to bagno siostrę, ale na trawie się nie zatrzymały. Gliny sprawdziły ich telefony i wygląda na to, że w noc przed zabójstwem były tutaj, w Matrixie. Gdyby nie to, że przyjechały po towar, prawdopodobnie by żyły. Do tej pory nie mogę uwierzyć, że to, co się wydarzyło, jest prawdą.

– Skąd wiesz, że facet, który je wiózł, jest zabójcą?

– Jest ostatnim, który widział je żywe. – Beata wzruszyła ramionami i wybudziła telefon z uśpienia. – Wczoraj w nocy Lea wysłała mi wiadomość głosową. Policja już ją ma. Nie uważają tego za trop.

Dobiegło go chichotanie i piski.

„Hejka, Becia. Powiedz Piorunce, że i bez niej sobie radzimy. Kij jej w oko. No odezwij się, powiedz coś, przystojniaku! Baj, baj, stolico!".

Beata wyciszyła resztę nagrania.

– Wiele osób luźno powiązanych z branżą widziało tamtej nocy balujące siostry Sapiegi. Dziewczyny może i by chciały pomóc, bo boją się o siebie, ale nie będą sypać. Dostały zakaz od sutenerów. Gliny nic nie wskórają.

– Ty możesz zeznawać.

– Próbowałam! – zaperzyła się. – Nie zaprotokołowali ani słowa, bo nie byłam bezpośrednim świadkiem. Rozpuszczają za to na mieście ploty, że siostry Sapiegi się prostytuowały, chociaż nic takiego nie sugerowałam.

– A to nieprawda?

– Zapytaj Ozia. Wie więcej, niż zeznawał. Może nawet sprzedał je sprawcy…

– Sprzedał? Masz bujną wyobraźnię.

– No to wynajął. – Beata westchnęła, jakby była śmiertelnie zmęczona. – Na dzień, dwa, tydzień, miesiąc… Jeśli masz wystarczająco pieniędzy, możesz kupić każdą kobietę. Blondynka, brunetka, gabaryty, wiek… Poziom wykształcenia, obycia, języki – wybierasz akcesoria jak przy zakupie wozu. Płacisz i rób z nią, co chcesz. Moim zdaniem nie różni się to od wizyty w salonie samochodowym.

– Chyba raczej od jazdy próbnej. Auto kupujesz na własność.

– Nie zgrywaj świętoszka – żachnęła się. – Dziewczyny wiedzą, dla jakiego targetu pracują, a zazwyczaj nikt ich nie więzi. Nie zabiera się im paszportów, nie zmusza do perwersji, jeśli same nie oferują takich usług w pakiecie. Bądź pewien, że ostro negocjują honoraria.

– Z tego, co czytałem w mediach, jedna z sióstr była nieletnia.

– Wiem. – Beata pochyliła głowę. Zamilkła na dłuższą chwilę. – I to nie jest w porządku.

– Dobrze znasz środowisko – przerwał ciszę Sobieski i spojrzał jej w oczy w lusterku wstecznym.

Nie zawstydziła się. Podniosła tylko wyżej podbródek.

– Niestety.

Znów umilkła.

– Ten piknik, który morderca zainscenizował na polanie… – podjęła wątek. – Wiesz, że to nie była pierwsza tego typu historia? Jest w Warszawie klient, który ma fetysz, by uprawiać seks na łonie natury. Kocyk, lodóweczka, a w niej zmrożona wódka. Wynajmuje podobne do siebie laski, czasem prosi, by udawały siostry. Dziewczyny mówiły, że latem ubiegłego roku przychodził regularnie. O przynajmniej dwóch Ukrainkach słuch zaginął. Zniknęły. Podobno to nie jest odosobniony przypadek w ciągu lat.

– Opowiedz o tym siostrze. – Sobieski się zniecierpliwił. – Weźmie świadków za lustro fenickie, zrobią rysopis i znajdą gnoja. Nikt nie musi wiedzieć, że poszły na współpracę.

– To nie takie proste. Te, które go widziały i mogłyby rozpoznać, już nie pracują albo się ukryły. Jest też wiele dziewczyn zza wschodniej granicy. Nie mają tu rodziny, bliskich. Nikogo, kto by o nie walczył. Wiesz chyba, jaka jest rotacja w branży?

– Nie bardzo.

– Dziewczyny przychodzą, odchodzą. Niektóre zbierają na studia, inne wyjeżdżają na Zachód. Nie zostawiają kontaktu. Mało kto używa prawdziwych imion. Te dwie, które zniknęły, też posługiwały się pseudonimami. W tej robocie prawie każda to robi. Była Martą, teraz jest Roksaną. Jutro na Garsonierze będzie wisiała jako Jola, a na Odlotach – Abigail. Nie jest łatwo je znaleźć, jeśli tego nie chcą.

– Nie powiesz mi, że ludzie z branży ich nie rozpoznają.

Wzruszyła ramionami.

– Te dwie, które zniknęły, były po przejściach w niemieckim burdelu. Jakiś czas pracowały we Włoszech. Tym, którzy trzęsą rynkiem, wygodniej jest mówić, że pewnie tam wróciły. Nikt ich nie szuka, nikogo nie obchodzą. A policja nie wiąże tych spraw. Rozumiesz?

– Ryzyko zawodowe – oświadczył, ale widząc zacietrzewienie na twarzy dziewczyny, zmiękł. – A social media? Może to prostsze, niż myślisz?

– Pisałam do obydwóch. Do jednej z nich zadzwoniłam przez Viber. Osiągnęłam tyle, że zostałam zablokowana po zadaniu pierwszego pytania.

– Więc może nic im nie dolega? Nie chcą być znalezione.

– Nie sądzę.

Odwrócił się do niej.

– Skąd to wszystko wiesz?

– Po prostu wiem. – Zatrzymała się. – I w jakimś stopniu rozumiem, że dziewczyny zrzeszone w agencjach nie chcą być mieszane ze sprawą. Boją się.

– A co ja mam z tym wspólnego? Po co mi to mówisz?
Skrzywiła się.
– Zacząłeś pytać, odpowiadam!
– Czekałaś na mnie. Skoczyłaś przed maskę do Ozia, choć wiedziałaś, że nie będzie z tobą gadał.
– To ty mnie podrywałeś! – oburzyła się.
– Mów, o co ci chodzi, albo wysiadaj – rozkazał.
Siedziała w tym samym miejscu. Wahała się.
– Jesteś kumplem Ozia, a on ma z tym jakiś związek – oświadczyła z ociąganiem. – Wyglądasz na spoko gościa i byłeś gliną. Myślałam, że mi pomożesz.
– W czym?
– W śledztwie. – Przerwała. – Nie zaplanowałam tego. Serio.
Sobieski zaśmiał się w głos, ale Beata na niego nie zważała. Mówiła z zapałem:
– Jeśli znajdziemy dowody, przekonamy dziewczyny do mówienia, policja zacznie wreszcie coś robić. Tutaj chodzi o życie kobiet, które i tak żyją w piekle. Większość prostytuuje się od młodości. Nie mają wykształcenia, dorobku zawodowego. Niektóre mają dzieci… Nie potrafią inaczej ich utrzymać. A jak raz w to wejdziesz, nie ma już odwrotu. Stają się zakładniczkami sutenerów i ludzi, którzy żyją z ich ciał. Co taka dziewczyna ma wpisać do CV? Nawet nie przyjmą jej na kasę do McDonalda!
– Bzdury! Każda z nich jest dorosła i bierze odpowiedzialność za swoje życie. Może sprzątać, gotować albo jeździć na uberze jak ja.
– I przy okazji kolportować prochy? – Przekrzywiła głowę i przyjrzała mu się z naganą. – Nikt z nas nie jest bez skazy, aspirancie Sobieski. Każdy radzi sobie, jak umie.
– One wybrały – zakończył temat. – Jeśli uważasz inaczej, prowadź swoje śledztwo sama. Powodzenia!
Beata długo milczała. Kiedy ponownie się odezwała, głos miała chrapliwy, oczy jej się zaszkliły.

– Grożono mi. Kilka razy omal nie dostałam wpierdolu od alfonsów. Oziu też się na mnie wypiął, a wcześniej obiecywał, że popyta.

– Dlatego się pokłóciliście?

– Też. – Zacisnęła usta. – I o moją siostrę… No wiesz, gadała to samo, co wszyscy: „Znajdziesz trop, daj znać, zobaczę, co da się zrobić". Bla, bla, bla… Oziu miał do mnie żal, że mieszam do tego policję. To skomplikowane. – Nagle się poddała.

– Najwyraźniej bardzo skomplikowane. – Sobieski westchnął. – Chcesz, pomówię z Oziem. Ale nie wiem, czy to wiele wniesie. Skoro się zaparł milczeć, ma swoje powody. Tyle mogę jednak dla ciebie zrobić.

– Nie – zaprzeczyła wrogo. – Teraz mam tylko pewność, że kapitan Orzechowski macza w tym palce. Nic mu nie mów, że rozmawialiśmy.

– Skąd wiesz, że tego nie zrobię? Nie znasz mnie.

– To prawda – zgodziła się. – Ale tak czuję. Mam intuicję do ludzi.

Z twarzy Sobieskiego natychmiast zniknął uśmiech.

– Intuicję?

Skinęła głową i nabrała więcej powietrza.

– Ty jesteś dobry.

– W sensie mam na czole wypisane „Frajer"?

– Po prostu porządny z ciebie facet – ucięła. – Dziewczyny mówiły, że tamten klient płacił ekstra, jeśli godziły się leżeć nieruchomo, a wtedy on wycinał im kosmyk włosów aż do skóry. Z przodu, w tym miejscu. – Pokazała. – Jednej wygolił prawie pół głowy. Kiedy ostrzygła się na zero, odwołał wizytę. Najwyraźniej ma fetysz z długimi włosami.

Sobieski przyjrzał się fryzurze Beaty. Włosy miała częściowo podpięte klamrą. Nie był w stanie stwierdzić, czy kosmyk na czole jest wycięty.

– Ale nie zabija wszystkich, które oznaczył – zauważył.

– Oznaczył? – zdziwiła się. – Co masz na myśli?

– Te dziewczyny nie zniknęły. Wciąż pracują?

– Niektóre tak – potwierdziła Beata.

– Więc te kosmyki to nie jest pamiątka ani tym bardziej trofeum. Raczej katalog, rodzaj wirtualnej kolekcji. Jakbyś dodawała przedmioty w sklepie internetowym do koszyka. Odwiedza burdele i oznacza długowłose dziewczyny, którymi jest zainteresowany. Nie bardzo da się przysłonić wycięte z przodu gniazdo na głowie. Czy są przypadki zaginięć po wycięciu włosów?

– Podobno dwie Ukrainki, o których mówiłam, miały kontakt z tym klientem. Ale nie zaginęły zaraz po jego wizycie. Od czasu, kiedy zostały ostrzyżone, minęły miesiące. To dlatego nikt nie zna jego rysopisu.

– A jeśli dziewczyny nie zgadzały się na oddanie włosów?

– Zgadnij.

– Stawał się agresywny?

Pokręciła głową.

– Podwajał stawkę. Jedna z lasek dobiła do pięciu setek.

– Zapłacił?

Potwierdziła.

– Kręcisz się wciąż po mieście. Środowisko znasz. Widziałeś kogoś podejrzanego?

– Nie wiem. Może? Za mało informacji – odparł. – Nie wiem, kogo szukasz. Na kogo miałbym zwrócić uwagę... Wiesz, ilu frików szlaja się nocami po Warszawie?

– W sumie to nieduże miasto. Wiesz o tym lepiej niż ja.

– Pewne kręgi są ciasne, a narkotyki i świat dziwek, sutenerów się zazębia. Tutaj się zgodzę.

Przyglądała mu się teraz łaskawiej. Zdecydował się to wykorzystać.

– Podejrzewasz kogoś konkretnego, prawda?

Wpatrywała się w niego rozszerzonymi oczyma, jakby się wahała. Poza bystrością i zacietrzewieniem niczego z nich nie wyczytał. Wiedział, że podjęła to śledztwo z powodów osobistych, ale nie rozumiał, dlaczego nie chce ujawnić motywacji. Wendeta, poczucie winy, czy może brała udział w siostrzanej orgii? Był zaintrygowany, bo Beata nie wyglądała na prostytutkę. Skąd w takim razie ma te dane i dlaczego jest tak zaangażowana w sprawę?

– Wydaje mi się, że go spotkałam – powiedziała nagle. – Jechałam hotelową windą na urodzinowy obiad mojej mamy. Powiedział, że mam rzadki kolor włosów, i próbował ich dotknąć. Cholernie się przestraszyłam. Wiałam tak, że omal nie pogubiłam nóg.

– Kiedy to było?

– Trzy miesiące temu. Dziwne, bo pamiętam, jaki miał garnitur, kolor włosów i teczki, którą trzymał w ręku, ale nie jestem w stanie opisać jego twarzy. Na nosie miał żółte lustrzanki. Gdyby nie te okulary, pomyślałabym, że to zwykły menedżer z biura. Klon gości, którzy sprzedają ubezpieczenia, albo prawnik.

– Zgłosiłaś to?

– Tak jakby. – Pokręciła głową, a potem zacisnęła usta, jakby żałowała wyznania. – Znam wiele dziewczyn do towarzystwa. Służbowo – podkreśliła, jakby chciała się wybielić. – Powiedziałam o tym Oziowi, jak tylko znaleziono ciała sióstr Sapieg, ale on jest przeciwny, żebyśmy szli z tym na policję. Nie chciał też spotkać się z moją siostrą. Uważam, że zna faceta z windy. Dostałam kilka ostrzeżeń… – Urwała. – Niektóre osoby z branży towarzyskiej mają kłopot z tym, że staram się go znaleźć.

Sobieski wzmógł czujność.

– Kto na przykład? – zapytał.

Beata wzruszyła tylko ramionami.

– Wpływowe – mruknęła. – Dlatego szukam niezależnego sojusznika. Kogoś, kto nie będzie zależny od tego biznesu i potrafi zadawać pytania.

– Jaki to był hotel?

– Cosmos. Wbił szóste piętro, ale nie wysiadł. Nie widziałam go w restauracji cały wieczór, chociaż siedziałam jak na szpilkach. Do tej pory mam ciary, kiedy przypominam sobie, jak na mnie patrzył.

Sobieski wahał się. Wreszcie dodał gazu i rzekł:

– Wiesz, kim on może być.

Nie odpowiedziała, co upewniło go, że ma rację.

– To dlatego się boisz – dorzucił. – Bo ten człowiek zna ciebie.

Powoli skinęła głową.

– Nie znam jego nazwiska, ale wiem, że tego dnia był umówiony z czarnoskórą modelką, która pracuje dla mojej matki. Abioli naprawdę studiuje na Sorbonie i ma równie piękną siostrę bliźniaczkę. Kiti jest stewardesą. Przedstawiają się jako księżniczki, ale urodziły się na Madalińskiego pod panieńskim nazwiskiem swojej matki – Rosołowska. Ich ojciec pochodzi z Senegalu. Abioli i Kiti nigdy go nie widziały. Często biorą zlecenia wyjazdowe i nie schodzą poniżej tysiąca euro za dzień.

Sobieski zdecydował w jednej chwili. Wcisnął gaz.

– Znam jedno miejsce, gdzie możemy spokojnie pogadać.

– Stój! – rzuciła nagle Beata i podniosła głos. – To właśnie one.

Sobieski zatrzymał się, wrzucił awaryjne. Podążył za jej spojrzeniem.

W tłumie, przed jedną z kamienic, dostrzegł Ozia. Obejmował dwie Mulatki, które wyglądały, jakby wycięto je z tego samego szablonu. Mizdrzyły się do niskiego mężczyzny wystrojonego jak na oskarową galę. Jego smokingowy garnitur i koniakowe buty kosztowały więcej niż auto Sobieskiego już po zatankowaniu. Czarne włosy miał precyzyjnie ułożone, a na nosie, mimo późnej pory, nosił lustrzanki w żółtym kolorze. Cała czwórka zmierzała do bramy eleganckiej kamienicy. Nim dotarli do wejścia, Oziu przekazał czarnoskóre piękności w ramiona gogusia.

– To ten facet? – zapytał Sobieski, ale Beata nie odpowiadała. W pośpiechu wiązała swoje sznurowane buty i zapinała torebkę.

– Poznajesz go? To człowiek z windy? – dopytywał.

– Może? Wypuść mnie! – krzyknęła rozpaczliwie i wyskoczyła niemal w biegu, jak tylko Sobieski zwolnił blokadę drzwi.

Sięgnął po telefon. Zrobił kilka zdjęć oddalających się postaci na maksymalnym zbliżeniu, choć wiedział, że to nie ma sensu – za mało światła i zaparkował w zbyt dużej odległości. Patrzył, jak dziewczyna znika w bramie, a potem ruszył jej śladem. Przeszukał patio, zadzwonił domofonem do niemal wszystkich lokali i sprawdził każdy wyłom na klatce schodowej. Próbował połączyć się z Oziem. Bez skutku.

„Nocnej Furii nie będzie na Kobrze – napisał przyjaciel. – Jutro nwm. Nara. Wolka dziś".

Zmęczony, z poczuciem porażki, Sobieski wrócił wreszcie do swojej przyczepy na działkach i wydoił całe piwo z zepsutej lodówki, by zasnąć bez snów. Udało mu się to, dopiero kiedy włączył *If You're On The Water* i wysłuchał trzeci raz całej płyty The Saxophones, a w nozdrzach poczuł zapach żony. Dopiero wtedy w pełni pojął absurd tej sytuacji. O mały włos nie wpakował się w kłopoty z powodu dziewczyny, której nawet nie znał. Błędny rycerz. Nieudacznik. Frajer. Oziu miał rację.

Sobieski postanowił sobie, że to naprawdę ostatni raz.

Ada
sobota (29 maja)

Obudziło go pianie koguta. Przez chwilę podtrzymywał złudzenie, że wrócił do dzieciństwa i jest na letnisku u babci, bo na działkach nikt nie hodował kurczaków. Myślał o racuchach z jabłkami, świeżym mleku prosto od krowy, ale czuł tylko drapanie w gardle i drapieżne pragnienie po przepiciu. Sięgnął pod pryczę, wydobył bukłak z wodą. Pił dotąd, aż opróżnił go do dna. Podejrzewał, że wciąż jest jeszcze pijany i przez kilka godzin nie powinien wsiadać za kółko, ale musiał to zrobić. W samych bokserkach wyszedł na zewnątrz, by wypocić przetrawiony alkohol. Nie było tak źle, jak się spodziewał. Głowa tylko lekko ćmiła. Ułożył się na ławeczce, którą sam zespawał, i pracował z ciężarkami dobre pół godziny. Dalej pompki, zwisy i krótki bieg wzdłuż ogrodzenia. O tej godzinie w ogródkach działkowych nie było jeszcze letników, emerytów ani miłośników podwiązywania pomidorów. Wiedział, że najciężej będzie w wakacje. Próbkę wytrzymałości psychicznej zaliczył w ostatni długi weekend: rozwrzeszczane dzieciaki dawały koncert od świtu do zmierzchu, a hantle musiał chować do przyczepy, żeby małolaty nie pomiażdżyły sobie kończyn. Po treningu odpalił kuchenkę, zrobił jajecznicę na boczku i zalał czystek wodą o temperaturze dziewięćdziesięciu stopni. Kiedy ziółka stygły, obmył się w misce i wyszorował zęby. Dopiero kiedy się pożywił, zafundował sobie kawę z proszku. Pił ją, wystawiając twarz do słońca i przygotowując się psychicznie na kolejny nudny dzień na taryfie. Wiedział, że jeśli za godzinę nie wyjedzie do pracy, będzie miał w plecy kolejną dniówkę i nawet jeśli zaprzyjaźniony major załatwi mu wymarzony lokal na wojskowym osiedlu, Sobieski nie będzie w stanie go wykupić. Ta myśl zmotywowała go na tyle, by ponownie wleźć do rozgrzanej, śmierdzącej starym potem przyczepy i się ubrać.

Szukał właśnie czystej bielizny, kiedy ktoś zastukał do drzwi. Odwrócił się zdziwiony, spojrzał na zegarek. Było kilka minut po szóstej.

Ustawił się przy ścianie, pośpiesznie wciągnął wczorajsze ciuchy i uchylił zasłonkę. Przed wejściem stała kobieta w neonowej bokserce i za dużych dżinsach, które wisiały jej w kroku. Tuż za nią prężyło się dwóch osiłków.

Szybko ocenił zagrożenie. Oba wyjścia z działek obstawiono zdezelowanymi passatami. Za jednym z nich ukrywał się mężczyzna z pistoletem wymierzonym w jego kierunku. Mimo że strzelec nie miał szans trafić go z tej odległości, Sobieski odsunął się od okna. Sięgnął po plecak, wysypał resztkę trawy do zlewu, spuścił z kranu trochę wody, a potem kucnął i wydobył spod łóżka starego walthera. Obie kieszenie wypełnił amunicją. Bał się tej chwili, odkąd podbierał Oziowi towar. Jeśli kamrat z wojska zbratał się z Morem i chce wyeliminować pośrednika, to pozamiatane – myślał, ale zaraz zganił się, że wpada w paranoję.

– Policja, otwierać – padło zza drzwi. – Ręce na głowę.

Potem odezwała się kobieta.

– Aspirant Adrianna Kowalczyk. KRP Cztery.

Głos miała nosowy, niski. Zaszwargotała coś rozkazująco do swoich kompanów, a potem zwróciła się do niego:

– Nie wygłupiaj się! Wiemy, że tam jesteś. Chcemy tylko pogadać.

Nie uwierzył jej. Skoro przyszli po niego w cywilu, operacja była tajna. Przeładował broń. Sprawdził raz jeszcze, czy w plecaku ma dokumenty i portfel. Był gotów do ucieczki.

– Pozwoliłam ci zjeść śniadanie. – Policjantka nie kryła już irytacji. – Otwórz, bo wyważymy drzwi i będziesz miał koszty. Moi kumple nie są tak cierpliwi jak ja.

Sobieski przywarł do futryny, ponownie zajrzał przez szparę. Policzył napastników i wiedział, że dałby sobie z nimi radę. Stali rozkojarzeni, zbyt pewni siebie, by nie dać się zaskoczyć. Broń trzymali w kaburach. Kobieta udawała twardą, ale nie miała trzydziestki. Był pewien, że nigdy nie strzelała do człowieka. Pochylił się, schował pistolet z powrotem do pudełka po butach. Wsunął je daleko pod łóżko i zastawił pakunkami. Dopiero wtedy nacisnął klamkę. Mężczyźni skoczyli do niego z takim impetem, że policjantka cudem nie zaliczyła upadku z trapu. Sobieski zareagował odruchowo. Większego napastnika uderzył grzbietem dłoni w nasadę nosa, aż buchnęła krew. Drugiemu sprzedał kopniaka w krocze. Odsadził ich na długość ramion i wypadł z przyczepy. Zatrzasnął drzwi. Przystawił klamkę łomem stojącym przy wejściu na taką właśnie okoliczność i długim susem przeskoczył schodki, a potem płotek sąsiedniej działki. Wtedy na plecach poczuł ciężar przeszło sześćdziesięciu kilogramów, a jego uszy sparaliżował obezwładniający pisk. Policjantka okładała go pięściami po głowie, nieudolnie próbując poddusić. Pozwolił, by powaliła go na ziemię, usiadła na nim okrakiem i założyła kajdanki.

– Chciałeś spierdolić, skurwysynu? – Dyszała, mrużąc błękitne oczy w złości, a Sobieskiemu nie wiadomo dlaczego zachciało się nagle śmiać.

Bez trudu wyobraził sobie, że uprawiają seks. Leżał grzecznie pod nią, skupiając się wyłącznie na tym, by nie spostrzegła jego nieoczekiwanego wzwodu, i bez skrępowania wpatrywał się w jej trzęsące się obfite piersi oraz czerwoną od wysiłku twarz. Włosy, dotąd spięte gumką, rozsypały się na plecach. Były naturalnie wypłowiałe od słońca i seksownie pokarbowane.

– Ada, uspokój się! – Odciągnęli ją wreszcie. Uwolnili mu ręce. – Nie mamy nakazu.

Sobieski wstał, przyjrzał się ekipie.

– Z jakiej okazji ta obława? – spytał, nie siląc się na zimny ton. Samo wyszło. – Bo jak nie macie kwita, to wypierdalać z mojego domu.

– Ten kawałek blachy wraz ze spłachetkiem ziemi, na której stoi, nie należy do ciebie, lecz do niejakiej Iwony Sobieskiej, z domu Prącik. – Policjantka podeszła do Jakuba i podniosła wyzywająco głowę. Związała już włosy i przykryła je bejsbolówką. – A formalnie jest własnością twojego teścia. Jeśli chcesz wiedzieć, stary Prącik już tu jedzie. I powiem ci, że jest ostro nagrzany. Sądził, że jesteś na misji. Z żoną. Nie miał pojęcia, że nielegalnie zadekowałeś się na jego ruchomości.

Sobieski poczuł, że oblewa go zimno gniewu.

– Czego chcecie? – wysyczał przez zaciśnięte usta. – I dzięki za donos.

Kobieta podparła się pod boki, a potem zrobiła półobrót i pokazała mu jego własne zdjęcie w mundurze, wydobyte z akt nagrodzonych medalem za wybitną służbę.

– Starszy aspirant Jakub Sobieski zwolniony dla dobra służby za niedopełnienie obowiązków służbowych oraz narażenie na bezpośrednie niebezpieczeństwo utraty życia świadka, czyli z paragrafu dwieście trzydzieści jeden kk. To nie wszystko. Podczas pracy na misji zdegradowano cię za liczne zaniedbania. Odmowa wykonania rozkazu, dezercja, kradzież kilku sztuk broni, podburzanie ludzi z wydziału... Mam kontynuować? Karnie odmówiono ci wypłaty odprawy. Pierwszy raz słyszę o takim przypadku – podkreśliła, co wzbudziło u Jakuba krzywy uśmieszek.

Nie rozumiał, przed kim popisuje się ta lalunia.

– Jesteśmy na ty, pani posterunkowa?

Łyknęła kpinę bez jednej zmarszczki na twarzy, ale dorzuciła z satysfakcją:

– Twój kumpel cię wystawił.

Sobieski zdecydował, że nie da się sprowokować. W cokolwiek go wrabiają. Poza wożeniem koksu i piko dla Ozia nie miał na sumieniu niczego, za co mogliby go zabrać. W przyczepie towaru nie trzymał, a na tych działkach wegetował już dobre pół roku. Jedyne przestępstwo, jakie mógł popełnić, to jazda na czerwonym albo burczenie do pasażerów taksówki, która zresztą stała prawidłowo zaparkowana przy dworcu kolejowym. I miała ważne wszystkie papiery.

– W sprawie?

– Uprowadzenia mojej siostry Beaty Kowalczyk. – Policjantka zamrugała nerwowo.

Sobieski policzył w myślach godziny od spotkania z Becią i pojął, że wściekłość młodej kobiety jest maską dla pierwotnego lęku i troski.

– Co się stało?

Pochylił się w kierunku młodej kobiety, by złapać ją za ramię i dodać otuchy, ale jeden z jej towarzyszy stanął między nimi. Drugi gliniarz wyszedł już z przyczepy, kręcąc głową. W dłoni miał pudełko z pistoletem Sobieskiego. Po minie kobiety domyślił się, że bardziej liczyła, że wewnątrz znajdą zaspaną i niedoubraną siostrę.

– Ty mi powiedz, co z nią zrobiłeś. Wygląda na to, że jesteś ostatnią osobą, która ją widziała.

– Żywą? – zapytał Sobieski, choć wiedział, że tym pytaniem sprawi ładnej policjantce ból, ale ta scena nagle przestała mu się podobać. – Walcie się.

⁂

Nie były do siebie podobne.

Zaginiona Beata miała czarne włosy, smukłą figurę i ostre rysy twarzy. Kobieta, która siedziała teraz przed nim, była apetycznie pełna w biuście i biodrach. Burza kręconych miedzianych loków, które związywała ciasno na czubku głowy, zadarty nos, dołeczki w policzkach i chabrowe oczy przydawały jej dodatkowo seksapilu. Nie ujmowały go ani mała blizna nad górną wargą, ani ucięty lewy płatek ucha. Chociaż Ada starała się odwrócić uwagę patrzących podkutymi butami, nieforemnymi dżinsami czy za dużą zamszową kurtką, którą w końcu zdjęła, bo w komendzie panował niemiłosierny zaduch – niewiele to pomagało. Gdyby organizowano konkurs na miss mokrego podkoszulka albo króliczka policji, zdobyłaby pierwsze miejsce w przedbiegach. Sobieski w każdym razie uhonorowałby ją bez namysłu. Wciąż nie dowierzał, że z surową, długokościstą Becią są biologicznymi siostrami.

– Mamy nagranie – powtórzyła. – Jak rozmawiasz z Beatą, namawiasz ją na kurs. Wsiadła do ciebie i tyle ją widzieli.

Nie odpowiedział.

– Znaliście się wcześniej? – Ada odchyliła się na krześle.

– Wczoraj widziałem ją pierwszy i ostatni raz – odezwał się zniechęcony. – Przejrzałaś monitoring, więc wiesz, że wyskoczyła w biegu i zniknęła w bramie na Tamce.

– Pobiegłeś za nią.

– Tak.

– I?

– I jej nie znalazłem. – Westchnął ciężko. – Wróciłem do samochodu. Odjechałem. Tego już nie masz nagranego?

Pokręciła głową. Milczeli długą chwilę.

– Chcę ci wierzyć – zaczęła. – Ale to trudne. Sam rozumiesz, że nie mam innego tropu…

– Dlatego się mnie uczepiłaś? Szukasz kozła ofiarnego?

– Chcę tylko odnaleźć siostrę.

Wstała, dała znak koledze w mundurze, by zostawił ich samych.

– Trzymasz mnie tutaj nielegalnie? – Zwietrzył podstęp. Wskazał plik czystych kartek, które wyjęła chyba z drukarki i ułożyła w nowiutkiej teczce, na której figurował przypadkowy numer bez jego nazwiska. – Nie zaproponowałaś mi konsultacji z adwokatem. Do tej chwili nie widziałem prokuratora. Ci dwaj frajerzy, którzy mnie konwojowali, to twoi kumple z pracy, ale nie przyjaciele. Pewnie tylko oni mieli wolną sobotę, więc dogadałaś się z nimi na działkową hucpę. Może i Prącik nic nie wie. Blefowałaś.

– Nie rozpędzaj się.

– Komenda jest weekendowo pusta i to nie jest twój wydział – kontynuował spokojnie, całkiem już pewny. – Po co to wszystko? Ryzykujesz stanowisko, bo jeśli złożę zażalenie, tamci dwaj nie położą za ciebie głowy.

Spojrzała na niego wpierw oburzona, a potem cofnęła się z krzesłem, aż zatrzeszczało.

– Nie zrobisz tego.

– Bo? – Zaśmiał się kpiąco.

– Bo zatrzymam cię za posiadanie. Byliśmy w twojej przyczepie i przypadkowo zauważyliśmy trochę towaru.

Skrzywił się.

– W przyczepie starego Prącika nie trzymam niczego cennego. Drzwi się nie zamykają. Każdy może tam wejść. Dobrze o tym wiesz.

– Za to nadkole twojej taksówki jest wystarczająco szczelne.

Przechyliła głowę i sięgnęła za pazuchę. Wyjęła małą torebkę na zapięcie strunowe wypełnioną białym proszkiem. Wiedział, że to nie jego koks, więc roześmiał się kpiąco.

– Masz tupet.

– Liczyłam, że odpowiesz, że to na własne potrzeby.

– Ostatnio z odurzających substancji biorę tylko browara. Oralnie. Czasami też czystą, choć raczej rzadko, bo chwytam każdy kurs. Wiesz, jeśli nie masz więcej pytań, będę leciał. Robota pali mi się w rękach. Nie powiem, że było miło, bo nie było, ale szczerze współczuję ci z powodu zaginięcia siostry.

Wstał, otrzepał spodnie. Pogładził się po ogolonej na rekruta głowie, gotów do wyjścia.

– To ty masz kłopot, Kubuś – weszła mu w słowo. – Oziu twierdzi, że kupił to od ciebie. – Przerwała. – I że od pół roku woziłeś mu zioło oraz cały zestaw. Uważamy, że to się klei. Ludzi z siatki Mora obserwujemy już jakiś czas. Teraz chcemy dopaść jego samego.

– Nie wiem, o kim mówisz. – Sobieski zaprotestował niemrawo. – Nie znam człowieka.

Przesunęła po stole wydruk z wykazem dat i godzin.

– Odbierałeś jego towar głównie w środy i piątki. Nie myślałeś, że ta regularność może cię zgubić?

Nie odpowiedział. Nie chciało mu się tracić energii. Myślał szybko, czy faktycznie Oziu go sprzedał. Najpierw żona, a teraz najlepszy przyjaciel. Starał się zachować spokój, ale wewnątrz aż gotował się ze złości.

– Mamy wystarczająco, by posadzić cię do rozpytania. Nie musisz potwierdzać – podkreśliła. – Mogłam zgarnąć cię wczoraj, tydzień temu albo i przed miesiącem. We właściwym momencie doszłoby posiadanie. Bywało, że woziłeś całkiem spore ilości. Gdzie jest fabryka? – zaatakowała.

Uśmiechnął się krzywo.

– Trzeba było zgarniać.

– Oziu pracuje dla nas – oświadczyła. – Jako jeden z warunków współpracy prosił o ochronę dla ciebie. Doceń to. Ustawiamy razem dużą akcję i tylko dlatego byłeś bezpieczny. Wiemy, że za dwadzieścia trzy dni się wycofujesz, a wtedy którymś brzaskiem Mora odwiedzą czarni. Ale moja siostra zniknęła i wszystko się zmieniło.

– Chcesz, zatrzymaj mnie i puszczaj w obieg swoją bajeczkę o narko. Zobaczymy, co na to sąd. – Sobieski nagle się wzburzył. – Billingi, zeznania Ozia czy innych doraźnych kurierów są bez znaczenia! Oboje wiemy, że dowodowo to psu na budę. Nikt w tym mieście nie wie, jak Moro wygląda ani jak się nazywa. Taki prosty chłopak jak ja nie przyda ci się na nic, bo nie wiem, gdzie jest jego fabryka, i mówię ci teraz najszczerszą prawdę. A klamka jest legalna. Papiery walthera są na mojego wuja. Nie chcesz mnie zgarniać – wypuść. Jestem tylko płotką. Tak samo jak ty.

Przyjrzał się jej. Teraz widział, że jest totalnie rozbita.

– Dlaczego za nią pobiegłeś? – spytała. – Skoro jej nie znałeś, nie byliście razem i nie masz z nią nic wspólnego... Dlaczego za nią poleciałeś jak jakiś bodyguard?

– Bo gadała rzeczy, które mnie zaniepokoiły. – Prychnął, zawahał się, a jednak kontynuował: – Od roku z nikim nie spałem, a mam słabość do ładnych kobiet, które pakują się w kłopoty. Masz moje akta. Wiesz, dlaczego wypadłem z firmy. Nie będę się wybielał. Nieważne... Dlaczego za nią pobiegłem? To był odruch. Nudzę się na taryfie i włączył mi się syndrom Don Kichota. – Urwał. – Nie rozumiem, po co mnie tu trzymasz. Kawa na ławę albo spadam.

– Co Becia ci powiedziała? – Ada podniosła głowę. W jej spojrzeniu dostrzegł prośbę. I lęk. – Co cię tak zaniepokoiło, żeby za nią biec?

– Plotła, że szuka Kosiarza z Kabat. Opowiadała o prostytutkach, które zaginęły. Mówiła o wycinaniu kosmyków, facetach w windach, którzy są dziwni, i piknikach pod wiszącą skałą. Tfu, seksie na łonie natury za opłatą. Niewiele zrozumiałem, bo siedziała w moim aucie mniej niż dziesięć minut. – Umilkł na chwilę. – Czy ona też się sprzedawała? O co tutaj chodzi? Znasz w ogóle swoją siostrę?

Policjantka długo milczała.

– Nie widziałam Beci od dwóch lat – wyznała nagle. – Odkąd zaczęła studia, nie rozmawiamy. Skontaktowała się ze mną dwa tygodnie temu. Chciała pomówić o zabójcy z Kabat. Wiedziała, że operacyjnie pracuję przy sprawie Mora, a nie nad zabójstwami, ale słuchałam, bo strasznie jej zależało, żebym się temu przyjrzała. Wczoraj, zanim zniknęła, pisała do mnie. Nie odebrałam tych wiadomości. Tak mnie wkurzyła, że zablokowałam jej numer. Technicy pracują, żeby odzyskać te esemesy od operatora, bo Oziu dał mi cynk, że Becia dymi, i chciał, żebym ją spacyfikowała. Inaczej nici z naszej umowy.

– Oziu mnie wystawił? – upewnił się Sobieski. – Powiedział, że ją zabrałem? I że za moją sprawą zniknęła? Przeszukałaś miasto, sprawdziłaś tropy i zgarnęłaś swoich kolesi, żeby mnie zabrać?

Kobieta skinęła głową. Była skupiona, spięta.

– Od początku ci tłumaczę, że cynk pochodził od twojego kumpla.

Sobieski chwilę rozważał jej słowa. Przyjrzał się jej podkrążonym oczom, zaczerwienionym z niewyspania białkom. Bała się. Czego? Czy wie, co kombinuje jej siostra? O co tak naprawdę podejrzewa Beatę?

– Dlaczego mówisz mi to wszystko?

Policjantka długo nie odpowiadała. Kiedy zaczęła mówić, wydawało mu się, że pierwszy raz jest wobec niego szczera.

– Podejrzewamy, że uwikłała się w coś niebezpiecznego. Chcę, żebyś pomógł mi ją namierzyć. I masz rację, czytałam twoje akta. Wiem, że mimo kompromitującego zwolnienia zostałeś odznaczony za wzorową służbę. Skoro w ledwie dwa lata dochrapałeś się starszego aspiranta, musiałeś być niezły.

– Byłem bardzo niezły.

– No właśnie. Degradacja musi boleć kogoś tak ambitnego jak ty.

Sobieski wstał, rozciągnął ramiona. Nie spuszczała z niego spojrzenia, ale nie protestowała, kiedy obszedł dookoła stół i stanął twarzą do okna, a plecami do niej. Pamiętał swoje wczorajsze postanowienie, by już nigdy nie ratować kobiet w potrzebie. Koniec z byciem rycerzem. Czas na bycie skurwysynem. Odwrócił się i spojrzał na plastikowy zegar wiszący nad drzwiami. Gdyby wyszedł stąd w ciągu godziny, zdołałby odrobić straty na taryfie. A jednak się nie ruszył. Nie podszedł do drzwi, choć wiedział, że by go nie zatrzymywała.

– To rodzaj werbunku?

– Luźna propozycja.

– Płacisz coś?

Wzruszyła ramionami.

– Więc jaką konkretnie masz dla mnie ofertę? – Zdecydował się położyć wszystkie karty na stół. – Mieszkam na działkach, noce spędzam na taryfie. Nie stać mnie na wolontariat, sorry.

Odetchnęła głęboko. Mówiła szybko, jakby obawiała się, że za chwilę zbraknie jej odwagi.

– Mój ojciec zna się z majorem Półtorakiem. Przyśpieszy sprawę przekształcenia lokalu na Niepodległości, o który się starasz. Doprowadzą do eksmisji wnuka żołnierza, który jest tam zameldowany, bo to on blokuje sprawę. To pijak, od kilku lat nie reguluje czynszu. Nie będzie problemu, jeśli dostanie coś zastępczego w gorszej lokalizacji. Wstępnie rozmawiałam o tym z rodzicami. Na tym ci teraz zależy, prawda? Staniesz na nogi, będziesz miał swój kąt.

Sobieski podrapał się po głowie. Nie podobało mu się, że tak dużo o nim wiedzą.

– Bez łaski.

– Twój teść nie wpuści cię już do przyczepy. Nie masz dokąd wracać. Możesz to potraktować jako zadośćuczynienie. A jeśli uda ci się znaleźć Beatę, za miesiąc wykupisz te czterdzieści metrów wojskowej kwatery.

– Za co? – Skrzywił się. – Nawet gdybym dzień i noc napierdalał na uberach, nie starczy mi oszczędności.

– To będziesz napierdalał jak do tej pory. Nawet lepiej. Oziu i reszta dilerów nie nabiorą podejrzeń. Drugi warunek układu jest taki, żebyś ustalił tożsamość Mora i wystawił nam go na tacy.

Odpowiedział jej głośnym rżeniem.

– Dobre! – Klepnął się po udach i spojrzał na nią z politowaniem. – A już prawie, prawie ci ufałem…

Wstał. Sięgnął po swoje pudełko z waltherem. Nie poruszyła się, więc schował je do plecaka.

– Doceniam, ale dzięki za ofertę – dodał. – I powodzenia w szukaniu siostry.

– To moja przyrodnia siostra. Z innej matki – wyznała nagle. – Rozmawiałam z nią w życiu może kilka razy. Ostatnie wiadomości są najdłuższymi, jakie mi przysłała.

Spojrzał na nią podejrzliwie.

– Nie znasz ich treści.

Wzruszyła ramionami i mówiła dalej:

– O istnieniu Beaty dowiedziałam się w dniu, kiedy wstąpiłam do policji. Wcześniej żyłam w przekonaniu, że jestem jedynaczką, aż tu nagle ujawniło się, że nasz ojciec przez lata prowadził dwa domy. Mój naczelnik się przypucował. Wszyscy od dawna o tym wiedzieli, włącznie z moją mamą. To była otwarta tajemnica. Byłam jedyną osobą, która nie dostąpiła poznania tego sekretu. Trudno oddać, co czułam, uwierz.

– Chcesz mnie zmiękczyć? – warknął.

– Szczerze? Liczę na to – przyznała.

Nie odpowiedział, ale też nie wychodził.

– W pierwszej chwili chciałam odciąć się od ojca – ciągnęła. – Nie wiem, czy kiedykolwiek mu wybaczę. Zrobiłam też awanturę mamie, ale w odpowiedzi dostałam opowieść zgorzkniałej żony, która nie potrafiła odejść. Resztę informacji zdobyłam sama. – Zatrzymała się. Nabrała powietrza. – Matka Beci, czyli kochanka mojego ojca, w latach dziewięćdziesiątych założyła pierwszy luksusowy klub z tancami na rurce i lożą dla VIP-ów. Dziś to miejsce nazywa się Matrix i formalnie nie należy już do niej. Ale Edyta Piorun wciąż wiele może na tym rynku, choć oficjalnie prowadzi tylko agencję hostess i sobowtórów. Wysyła dziewczyny na sesje, obsługuje konferencje i duże eventy. Tak naprawdę jednak to stołeczna królowa seksbiznesu. Niektórzy twierdzą, że mój tato partycypuje w jej interesach. Dowodów nie mam, on sam zaprzecza, a odkąd sprawa wyszła na jaw, moje stosunki z rodzicami są, delikatnie mówiąc, chłodne.

– Skoro nie znasz Beaty i wcale ci na niej nie zależy, dlaczego jej szukasz? Na dodatek w swoim wolnym czasie.

Wykonała nieokreślony gest ręką.

– Tato zakazał mi się mieszać, odkąd Becia zaczęła chodzić po mieście i głosić rewelacje o Kosiarzu. Dowodziła, że w tej sprawie jest ścisłe połączenie ze światem kurew i alfonsów.

Sobieski podniósł brew w niedowierzaniu.

– Na złość ojcu? – upewnił się. – Niezły syf.

– Witam w mojej rodzinie. – Ada uśmiechnęła się kwaśno. – Bo widzisz, moja mama polubiła Becię. Lanczują, spotykają się w kinie i robią razem zakupy. Czasami sobie myślę, że wolałaby mieć taką córkę jak ona: konkretną, zdyscyplinowaną, nieustępliwą.

– Ty taka nie jesteś?

Wzruszyła ramionami.

– Staram się, ale nic nie poradzę. Jestem inna. Zresztą, mówiłeś z Becią. Gdyby urodziła się chłopcem, zaciągnęłaby się do armii. Choć nie wiem, czy słuchałaby rozkazów…

Udało jej się go rozśmieszyć.

– Faktycznie jest trochę kolczasta, ale też cię podziwia – oświadczył. – Połowa naszej rozmowy była poświęcona tobie.

Ada nie skomentowała. Na jej twarz wypłynął jednak delikatny rumieniec.

– Rozumiesz teraz, dlaczego nie mogę zdobyć informacji o siostrze tradycyjnymi kanałami? Do tego dochodzi niejasna rola mojego ojca w tym wszystkim…

– Uważasz, że on jest zamieszany?

Ada wzdrygnęła się.

– Mam nadzieję, że nie – przyznała cicho. – Potrzebuję kogoś takiego jak ty.

– Człowieka znikąd?

– Kogoś, kto ma dostęp do ekipy Mora, bo ten facet ma radar na psiarnię. Kilku przykrywkowców już się na nim sparzyło. Możemy sobie nawzajem pomóc. Moim zdaniem to uczciwa propozycja.

– Raczej zaproszenie do bagna.

– Czyli coś w sam raz dla ciebie.

– Na gębę w to nie wejdę.

Policjantka spodziewała się takiej reakcji, bo wyjęła komórkę i wykręciła numer.

– Mamo, aspirant Sobieski chce zamienić z tobą słowo.

⁂

Strzelił korek od szampana i dopiero to wybiło Edytę Piorun z ciężkich myśli. Poprawiła paterę ostryg, przesunęła w kierunku kelnerki tacę z kryształowymi kieliszkami. Zwykle lubiła przed podaniem sprawdzić, czy poczęstunek godny jest znakomitych gości, lecz dziś gardło miała zaciśnięte z nerwów. Z trudem zmusiła się do wypicia porannej kawy. Poza tym chciała być trzeźwa. W każdej chwili mogła przyjść wiadomość i powinna być gotowa, by jechać swoim białym porsche choćby za równik, byle odzyskać córkę. Niestety, telefon leżał na blacie jak nieżywy. Do Wiktora nie było sensu dzwonić. Rozmawiali od wczoraj tyle razy, że miał jej dość. Znała go dobrze i wiedziała, że robi wszystko, co w jego mocy, by zdobyć jak najwięcej danych, ale rozdrażniony bywał nie do wytrzymania. Rzucał się, awanturował, zamykał w domu z żoną. Nie odbierał wiadomości i otwarcie jej unikał. A na to Piorunka nie mogła sobie pozwolić. Potrzebowała go teraz najbardziej w życiu.

Wybaczyła mu samotny poród, komunię Beaty, wszystkie akademie i święta. Nawet to, że wciąż nie wpisał córki do testamentu. Trudno, Piorunka uciułała tyle, że uposaży Becię na długie lata. Gdyby chcieli okup, sprzeda agencje, nieruchomości i biżuterię. Była na to gotowa od pierwszej chwili, gdy dowiedziała się o uprowadzeniu jedynego dziecka. Pieniądze nie miały dla niej żadnego znaczenia.

Nie wybrała Wiktora na ojca, choć go kochała, a on twierdził, że uczucie odwzajemnia. To była wpadka. Zdecydowała się urodzić, choć miała świadomość, że inspektor policji nie zostawi żony dla prostytutki, choćby i luksusowej. Nie chodziło wyłącznie o zawód Edyty, bo przecież na czole nie miała wypisane, że jest dziewczyną do towarzystwa, a potem burdelmenedżerką. Wiktor był człowiekiem rodzinnym. To była dla niego świętość. Oświadczył kochance z powagą, że muszą poczekać, aż jego druga córka – Ada – dorośnie i skończy studia. Zaskoczył ją tą obietnicą. Wcale się jej nie spodziewała, bo była jak dar od losu.

Uzbroiła się więc w cierpliwość i czekała, choć wszyscy przekonywali ją, że to gra na zwłokę, by nie windowała roszczeń. Ona była wtedy młoda, zakochana i w głębi serca głupio wierzyła, że kiedy dziecko inspektora dorośnie, ustatkuje się, a on sam odejdzie na emeryturę – na stare lata zamieszka z nią i Becią. Tym sposobem przeszło dwadzieścia lat Kowal żył na dwa domy. W apartamencie Piorunki na Złotej z widokiem na wieżowce i Pałac Kultury miał swój gabinet, a w garderobie zawsze było miejsce na jego garnitury i mundur. Nie płacił alimentów na córkę, ale dał Beci nazwisko i wspierał jej matkę w biznesie. Gdyby nie jego ochrona, Piorunka nie wypłaciłaby się na haracze. A potem, kiedy wszystko przeniosło się do internetu, pomógł jej kupić kilka wiodących portali i zapobiec, by najlepsze dziewczyny nie odeszły do konkurencji. Dzięki niemu nawiązała kontakty z arabskim księciem i najbogatszymi klientami. Z czasem jej agencja Nana zyskała renomę prestiżowej, ale na rynku usług seksualnych miało znaczenie, że wysoko postawiony inspektor policji firmuje interes własnym nazwiskiem.

Becia zawsze sprawiała kłopoty. Była narowista i niesubordynowana, a jej zażyłość z siostrami Sapiegami od początku się matce nie podobała. Nie pochwalała też wyboru kierunku studiów córki, bo wiedziała, że psychologia kryminalna niebezpiecznie zbliża ją do zawodu ojca i przyrodniej siostry. Kiedy Becia zdawała egzaminy, Piorunka zamówiła w kościele mszę i żarliwie się modliła, by coś poszło nie tak. Bóg jej wysłuchał – Becia wylądowała na resocjalizacji, ale coraz częściej mówiła o Wyższej Szkole Policji w Szczytnie. Piorunka podejrzewała, że to sposób córki na nawiązanie kontaktu z siostrą. No i rozpaczliwie pragnęła wykazać się przed ojcem.

Dlatego odetchnęła z ulgą, kiedy Beata podjęła pracę w portalu, gdzie zajmowała się gwiazdami i chadzała na przyjęcia. Właśnie takiego życia dla niej chciała. A może raczej dla siebie wiele lat temu? Teraz obwiniała się za złe intencje wobec jedynego dziecka. Nie mogła sobie darować, że nie wspierała Beaty wystarczająco. Wczorajszej nocy błagała Najwyższego, by zniknięcie Beci okazało się jednym z jej ostrych melanży, choćby córka zaćpała. Wybaczy jej wszystko, postanowiła. Absolutnie wszystko! Niech tylko stanie w drzwiach. Śmiałaby się z jej pokrzykiwań do rozpuku... Wprost marzyła o tej chwili.

Całe życie starała się izolować Becię od swojego świata. W tym celu założyła agencję hostess i sobowtórów, a pozostałe biznesy przepisała na zaufane pracownice. Beata okazała się jednak błyskotliwa i rzutka jak ojciec. Bez trudu rozwiązała zagadkę, skąd pochodzi majątek matki. Samodzielnie doprowadziła do spotkania z żoną Wiktora i regularnie bywała u nich na obiadach. Co zadziwiające, w żadnym z tych spotkań nie uczestniczyła Ada. Piorunka podejrzewała, że Wiktor tak manipuluje kobietami swojego życia, by przyrodnie siostry nie spotkały się w rodzinnym domu. Nie powiedziała o tym Beci, jednak czuła się zdradzona podwójnie. To, że kochanek wstydzi się jej – rozumiała, ale że gorzej traktuje jej córkę – raniło jej serce. Dziś była przekonana, że to wtedy nastąpił początek końca jej relacji z Becią. Żona Wiktora nabuntowała jej córkę, by przyjrzała się interesom matki i zadbała o prawa kobiet, które Piorunka zatrudnia.

A przecież dziewczyny, które były pod jej opieką, to była elita. W swojej stajni miała same Polki i tylko sześć Ukrainek, jedną Białorusinkę, dwie Hinduski oraz dumę agencji – Abioli, która studiowała na Sorbonie i wcale nie musiała się sprzedawać, po prostu lubiła luksus, a także jej siostrę – Kiti. Piorunka wiedziała, że jej czarnoskóre księżniczki, jak je reklamowała, za kilka lat znajdą sobie bogate partie i odejdą. Będą jednak odwiedzały mentorkę, przywoziły jej prezenty i wpadały na świąteczne plotki. A jeśli mężowie okażą się tolerancyjni, Abioli i Kiti nie odmówią zlecenia za kilka tysięcy euro albo i popracują w terenie dla rozrywki na dyplomatycznych rautach, nowobogackich jachtach czy malowniczych wyspach na końcu świata. Zdają sobie przecież sprawę, że u Piorunki dyskrecja jest pełna.

Nie była już w stanie zliczyć podopiecznych, które ustawiła na całe życie. Nierzadko czuła się jak królowa polska Ludwika Maria Gonzaga, której dwórki zawsze wychodziły dobrze za mąż, w tym Marysieńka, ukochana Jana Sobieskiego, późniejszego króla Polski. Tak lubiła o sobie myśleć, nie jak o podstarzałej kurtyzanie, a tym bardziej dziwce. Gdyby nie była mądra, zmarnowałaby młodość przy drodze albo skończyła, jak wiele jej koleżanek, w anonimowym grobie. Normą przecież jest, że gadatliwe prostytutki znikają bez śladu. I choć uważała swoje życie za udane, żałowała, że za młodu nie spotkała mentorki, jaką była dla swoich dziewczyn. Może wszystko potoczyłoby się inaczej?

Usiadła na białej sofie i zapatrzyła się na wielki obraz Filipa Kalkowskiego, który przedstawiał scenę kuszenia w raju. Mężczyzna podawał nadgryzione jabłko wężowi, a kobieta przyglądała się temu z chytrym uśmiechem. Edyta uwielbiała to dzieło utrzymane w smakowitych, jesiennych barwach. Miała w domu jeszcze kilka aktów tego artysty i wciąż kupowała kolejne. Nikt, żadna osoba, która przychodziła do jej salonu, nie miała poczucia, że znajduje się w burdelu. Nowoczesny design przetykany secesją, wyrafinowane rozwiązania architektoniczne. Marmury, kryształowe lustra i zabytkowe meble. Dość powiedzieć, że Nana była jej dumą. Lubiła słuchać komplementów polityków, przedsiębiorców i lobbystów, którzy regularnie tu bywali. Nawet dziś, choć nie minęła trzynasta, wszystkie dziewczyny były już zajęte. Mężczyźni przychodzili w czasie lanczu, po spotkaniach biznesowych albo wynajmowali lokal na popijawy. Wierzyli, że mogą się tutaj czuć bezpiecznie. Nie będą nagrywani, podsłuchiwani, bo Piorunka jest na rynku tyle lat, że jej się to nie opłaca. Nie było to prawdą. Robiła sobie tyły na czarną godzinę, ale nigdy nie wyjęła z sejfu kompromitujących materiałów Nany, a przez lata nazbierało się tego sporo. Niektóre filmy warte byłyby dziś nie jedną, ale kilka fortun. Dwaj jej najwierniejsi klienci dzierżyli obecnie w rękach władzę. I nadal przychodzili... Miała też filmy z mniej ważnymi oficjelami. To była jej polisa emerytalna. Ale jeśli Wiktor zawiedzie, a jego córka Ada nie znajdzie tropu, Piorunka była gotowa wyciągnąć najcięższy oręż choćby w tej chwili. Wiedziała, że to oznacza poświęcenie renomy Nany, lecz córka była najważniejsza. Kiedy rodziła Becię, nie sądziła, że tak pokocha to małe diablę. Jak to dobrze, że ten jeden jedyny raz nie zrobiła skrobanki, myślała, spoglądając tęsknie na szlachetną twarz jedynaczki.

Aż podskoczyła, bo telefon leżący na barze rozwibrował się i prawie spadł z blatu. Rzuciła się po niego gwałtownie, omal nie złamała obcasa, ale okazało się, że to tylko potwierdzenie jutrzejszej operacji przycięcia powiek. Myślała chwilę i zdecydowała się odwołać zabieg. Nie mogła sobie pozwolić na tydzień niedyspozycji wzrokowej. Pisała wiadomość, gdy zadzwonił dzwonek do drzwi, a służąca bezszelestnie przemierzyła hol.

Piorunka zamarła w oczekiwaniu. To nie mógł być klient. Wszyscy panowie już dotarli i zabawiali się z zamówionymi dziewczynami. Do dziewiętnastej będzie komplet.

– Pan Oziu do pani – zaanonsowała Danusia, która poza usługiwaniem w Nanie robiła też rachunki wszystkich agencji osiedlowych oraz rozliczała płatności w Garsonierze i na Odlotach. Kilka firm córek Piorunki było formalnie zapisanych na nią. Piorunka jej ufała.

Danusia jako prostytutka odsłużyła swoje wiele lat temu. Była jedyną kobietą zatrudnioną przez Piorunkę, która nie świadczyła obecnie usług seksualnych. Ale choć była de facto prawą ręką pryncypałki, przy gościach przyjmowała uniżony ton służki. Wiedziała, że szefowa bardzo to lubi.

– Przeprasza, że przyszedł osobiście, ale sprawa jest pilna. Powiedzieć, że pani zajęta, i wpisać w kalendarz?

– Wydzwoń wcześniej Ines i trzymajcie rękę na pulsie. Wrócę za kilka godzin.

Piorunka ruszyła do drzwi, po drodze chwytając torebkę.

– Te ostrygi mogę już podawać?

– Trochę wcześnie na aperitif, ale nie powinny dłużej leżeć na lodzie. Jeśli minister zacznie narzekać na rocznik szampana, powiedz, że ma ode mnie godzinę gratis. I obiecaj, że jak z Paryża przyleci księżniczka Abioli, zapiszę go jako pierwszego.

– *Oui, madame*. – Danusia dygnęła i z gracją sięgnęła po paterę. – To Abioli nie ma w stolicy? – dopytała z niewinną miną.

– Pod żadnym pozorem go o tym nie informuj!

***

– Znalazłeś ją? – wyszeptała na klatce schodowej, ale już kiedy to mówiła, wiedziała, że Oziu przynosi złe wieści. Były żołnierz nigdy jeszcze nie pogwałcił ich dotychczasowej zasady braku kontaktu bezpośredniego. Becia nie żyje, przeraziła się, bo milczał całą drogę. Czy przyszedł tylko dlatego, by zawiadomić ją o śmierci córki? – panikowała.

Na miękkich nogach ruszyła do wyjścia z budynku.

– Jest problem – rzekł cicho, kiedy stali już na gwarnej ulicy. – Wszystkie kurwy golą głowy. Boją się Kosiarza.

Piorunka szczerze się zaśmiała. Odetchnęła z ulgą: wciąż mogła mieć nadzieję.

– To nie jest problem. Kupimy więcej peruk.

Zauważyła mandat za wycieraczką. Wyjęła go i ze złością zmięła w kulę, a potem wcisnęła do kieszeni. Spojrzała na swojego najemnika.

– Mów lepiej, co z Becią.

Wzruszył ramionami.

– Brak wiadomości to nadal dobra wiadomość.

– Nie pierdol – fuknęła. – Mocniej potrząśnij wszystkimi. Ktoś musiał ją widzieć. Z kim się spotykała?

– Dziś rano zgarnęli gostka, którego typowałem. Becia wczoraj była widziana w jego wozie. Długo rozmawiali.

– Ten Kubuś, twój nowy kurier?

Skinął głową.

– Nie zdążyłem z nim zagadać.

– Załatwię z Wiktorem zwolnienie z aresztu twojego człowieka. – Zniżyła głos i objęła Ozia szczupłym ramieniem.

Wyglądała obiektywnie dobrze, choć złudnie wierzyła, że nie ma wieku. Mówiono jej to z grzeczności i zawsze jej to schlebiało. Nie dziś, choć w oczach Ozia jak zwykle dostrzegła zachwyt, a mężczyzna był od niej młodszy o dwadzieścia pięć lat.

– Może nie będzie tak źle – odparł. – W grupie operacyjnej była córka Wiktora – Ada.

Piorunka spojrzała na niego zadziwiona.

– Chodź, przejedziemy się. Udało ci się wejść w chmurę i odzyskać dane Beci?

Wykonał nieokreślony ruch głową.

– Niestety – rzekł. – Naprawdę nie mam żadnych nowych wiadomości. Przyszedłem cię tylko ostrzec.

– Przed czym?

– Trzeba się spodziewać wizyty nie naszych smerfów. Młodych, na których Kowal jest już za krótki. Możliwe, że to Moro ich opłaca.

– Znów ten Moro. – Parsknęła. – Przecież on nie istnieje. Sam nie masz pojęcia, jaką drogę przebywa twój towar. Wiemy, że nie ma żadnej tak potężnej fabryki piko w Warszawie. A wszyscy chemicy z Dolnego Śląska i Pomorza pracują dla nas. Założę się, że ktoś rozpuszcza ploty, żeby podgrzać legendę nieistniejącego Mora. Na twoim miejscu śmiałabym się z tego ducha w głos.

– No nie wiem. – Oziu pochylił głowę. – Wygląda na to, że Becia skontaktowała się z córką Wiktora właśnie w tym celu.

– Niby jakim?

– Szukała kontaktu z Morem.

– A co to ma do rzeczy? – zaoponowała Piorunka. – Becię chorobliwie interesował Kosiarz.

– Może uważała, że te sprawy się łączą? – Oziu się zawahał. – Powiedziała siostrze o małolatach z Kabat.

– Co moja córka wiedziała o zamordowanych siostrach?

– No, że bywały u nas. W Tęczowym Zakątku – wypalił Oziu i umilkł. – Kazałem usunąć zdjęcia Lei i Poli z Odlotów, zanim ktoś je wyczai. Przepraszam, sam zadecydowałem, ale informatyk mówi, że ślad na stronie zostaje do czterdziestu ośmiu godzin. Lepiej, żeby gliny na to nie trafiły, a tym bardziej dziennikarze. Ludzie zaraz udostępniliby to w mediach społecznościowych i zrobiłby się dym ogólnokrajowy. Nie potrzebujemy takiej reklamy.

– Dobrze zrobiłeś.

– Wiesz, jaka jest Becia. Mogła dać cynk jakiemuś swojemu fumflowi z redakcji. Tego się boję…

– Nie wiem, o czym mówisz, Oziu – nastroszyła się Piorunka, jakby ją obraził. – Jedna z cichodajek Sapieg była niepełnoletnia. Nie zatrudniamy dzieci i dobrze o tym wiesz. Każda dziewczyna powinna być przez ciebie sprawdzona. Za to ci płacę, kapitanie.

– Ja też nie chciałbym być łączony z tą sprawą – odparł oględnie. – To nie wszystko. Nasze mieszkania gwałtownie pustoszeją.

Piorunka podniosła wyżej podbródek. W jej oczach zalśnił gniew.

– I ty na to pozwalasz?

– Co mam zrobić? Złapać go? – Wzruszył ramionami. – Amatorki zadekowały się w domach, profesjonalistki nie chcą wyjeżdżać do pracy. Im mniejszy wybór, tym bardziej wkurwiona klientela.

– Mam cię uczyć, co robić? Potrząśnij dziewczynami! Obij ryje, jak trzeba.

– Nie omieszkałem. Zażądały podwojenia stawek.

– Tymczasowo zgadzam się na dziesięć procent. Stać nas. Ale Wiktorowi o tym na razie cicho sza. Wpierw sama z nim pomówię. Przygotuję grunt, żeby nie dostał piany.

– Byłoby idealnie. – Oziu kiwnął głową.

– Załatwię to – zapewniła. – Coś jeszcze? Bo minę masz, jakbym ci nie płaciła.

– Wszystkie dziwki chcą obstawy.

– Znowu? – jęknęła Piorunka. – Rozdysponuj ochronę w kluczowych punktach. Niech siedzą na obserwacji w wozach albo będą pod telefonem. To nie te czasy, kiedy klient ze spokojem mijał karka na bramce.

– Nie mogę dać wszystkich chłopaków do pilnowania kurew! Dopiero co odmroziła się pandemia. Kluby są pełne, ludzie chcą się bawić. Potrzebujemy kurierów do kolportowania towaru.

– A wszystko przez zabójstwo dwóch świnek na Ursynowie? – Piorunka kręciła głową.

– Na Kabatach – sprostował Oziu. – I nie wiem, czy słyszałaś, że córka Wiktora nieoficjalnie pomaga przy śledztwie. O tyle dobrze, że jeśli zaginięcie Beci połączą ze sprawą, Ada zostanie odsunięta. Formalnie nie będzie już obca, rozumiesz?

– Sądzisz, że Becia jest następną ofiarą Kosiarza? – Piorunka podniosła dłoń do ust w geście przerażenia.

– Jak najszybciej powinnaś rozmówić się z Kubusiem – odrzekł. – Wiózł twoją córkę i może coś widział.

– Ty widziałeś – przerwała mu wrogo. – To ty byłeś ostatnią osobą, z którą rozmawiała moja córka. Co tak naprawdę zaszło, Oziu? I kto był tej nocy z wami?

***

Sobieski siedział w swoim clio i obserwował dyskutującą na ulicy parę. Miał ogromną potrzebę zapalić, ale wstrzymywał się przed skręceniem jointa przy Adzie. Poza tym samochód nie był jego. Podpisał zakaz palenia przy wynajmie, a jakieś zasady trzeba mieć. Nikomu nie pozwalał tutaj kurzyć, więc tym bardziej sam nie mógł.

– Na co czekasz? – burknęła policjantka. – Aż nas zauważą?

– Liczyłem na to, ale widzę, że zanadto są zajęci sobą.

– Więc ruszaj – pogoniła go. – Jak Piorunka wsiądzie do swojej rakiety, tym bączkiem jej nie dogonimy.

– Naoglądałaś się norweskich kryminałów – fuknął. – Nie zamierzam nikogo ścigać. W realnym życiu wystarczy poczekać.

– I ty niby umiesz czekać? – Przekrzywiła głowę. – Siedzenie z karabinkiem na dachu to nie twoja specjalność. Chyba się pomyliłam co do ciebie – utyskiwała.

Nasunął daszek na głowę. Jej słowa wpuszczał jednym uchem, a drugim wypadały. Nie miał ochoty na rozmowy, nie chciał więcej zwierzeń. Drażniło go, że kobieta robi taki hałas.

– Możesz się choć na chwilę przymknąć? Myślę.

– To, widzę, daleko na tym nie zajedziemy. – Parsknęła. – Akurat ta czynność słabo ci wychodzi.

Spojrzał na nią groźnie.

– Nudzisz się? Możesz wracać do domu – rzekł spokojnie. – Albo do swojej papierkowej roboty w komendzie.

Wydęła usta obrażona, ale umilkła. Jego zaś dopadło nagłe poczucie winy.

– Znają się – zagaił łagodniej. – Może pracują razem? Wiedziałaś o tym?

– To było do przewidzenia. – Wzruszyła ramionami. – Zaskoczyło cię, że twój najlepszy kumpel poza handlem prochami trudni się sutenerstwem?

Nie odpowiedział. Przyglądał się rozmawiającej parze, jakby próbował czytać jej z ruchu warg.

– Wsiądzie do niej, zrobią kółko i ona wróci sama – oświadczył nagle. – Wysadzi go przy Matrixie. Zagadam z nim wieczorem.

Ada spojrzała na niego badawczo.

– Zamierzasz siedzieć tu bezczynnie i czekać na nią? Bo po to przyjechaliśmy. Żeby pomówić z Piorunką.

– Tak było – przyznał. – Ale plany się zmieniają. Wygląda na to, że Oziu ją ostrzegł. Teraz ustalają wersję.

– Wersję czego?

Ada wyjęła iqosa.

– Musisz wysiąść – rzekł, choć sam miał ochotę na dymka. – Przykro mi, ale to nie moja fura.

Wahała się dłuższą chwilę, ale się podporządkowała. Składała i rozkładała świstek, który wyciągnęła z kieszeni. Widział, że się denerwuje, a co gorsza zaczynało mu się to udzielać. Był z tego powodu coraz bardziej poirytowany.

– Więc to twoja macocha?

– Nigdy oficjalnie jej nie poznałam. Po prostu wiem o jej istnieniu.

– To dlatego nie chciałaś przesłuchiwać jej sama?

– Nie ręczę za siebie – odparła szczerze. – Unieszczęśliwiła mi matkę.

– Twoja matka sama się unieszczęśliwiła. Gdybyś wiedziała, że twój facet kocha inną, nie pozwoliłabyś mu odejść?

– Tak postąpiłeś z żoną?

Chciał odpysknąć wulgarnie, ale zamiast tego zdołał się uśmiechnąć.

– Gdybym miał drugą szansę, zrobiłbym to samo.

– Nawet jeśli okazałoby się, że twoja rywalka to dziwka?

– Profesja nie ma tu nic do rzeczy. Facet, który sypia z moją ślubną, jest złamanym fiutem. Co z tego, jeśli ona jego woli?

– W sumie te sprawy mnie nie obchodzą – ucięła dyskusję Ada. – To rozgrywka między moimi starymi.

– Zaginięcie siostry też?

Długo nie odpowiadała.

– A więc nie chodzi o Becię – odgadł. – Walczysz o awans.

Na jej twarzy dostrzegł zdumienie, ale i cień szacunku.

– Pomagałaś przy sprawie Kosiarza, ale jako zabezpieczenie miejsca zdarzenia. Co? Też mam swoje wtyki. – Zmrużył oczy, rozciągnął usta w wszystkowiedzący grymas. Strzelał dalej: – Masz dość bumelowania w komisariacie. Chcesz do kryminalnego?

– Jest mi dobrze, gdzie jestem. I nie jest to komisariat – zaoponowała niemrawo. – Szef mnie ceni. Mam pod sobą dwunastu ludzi.

– Dwóch z nich dziś poznałem. Ci chłopcy skoczą za tobą w ogień. Narażali się dla ciebie przed moją przyczepą. Sypiasz z nimi?

– Pierdol się.
– Tak zrobię – odrzekł z satysfakcją. – A więc to prawda.
– Nieprawda.
– Więc masz romans z dowódcą. Dlatego nie chce puścić cię wyżej.
W jej oczach dostrzegł wrogość.
– Odmówiłaś mu – zgadywał dalej.
– Tylko durny honor cnotki tłumaczyłby mój brak awansu? – Zaśmiała się z przymusem.
– U nas było jeszcze gorzej. Dziewczyny awansowały, tylko kiedy dawały dupy. Albo nie były sexy. Ty jesteś.
– Pierdol się ponownie.
Uśmiech znikł z twarzy Sobieskiego. Nie spuszczał spojrzenia z twarzy młodej policjantki.
– I masz rację – dodała. – Jest wakat w kryminalnym. Dupą, pięścią czy mózgiem – zrobię wszystko, żeby zająć to biurko. A jeśli liczysz na mój honor w materii cipki, to się mylisz. I to grubo! Wy swoje pały wsadzacie gdzie się da, byle przyniosło efekt. Dlaczego kobieta nie miałaby spróbować tej strategii?
Skrzywił się, ale nic nie odpowiedział.
– Do kiedy możesz aplikować?
– Odjeżdżają. – Pacnęła go w ramię i wskazała Ozia oraz Edytę Piorun, którzy pakowali się wreszcie do białego porsche. – Masz u mnie piwo.
Odprowadzali ich wzrokiem w całkowitej ciszy, jakby Oziu i Piorunka mogli słyszeć tę rozmowę.
– Co teraz, aspirancie Sobieski? Skorzystamy z okazji i odpytamy dziewczyny?
– Później. – Uruchomił silnik. Włączył się do ruchu. – Nana to luksusowa agencja. Do dziewiętnastej mają prime time. Klienci nie mogą za późno wrócić do rodzin.
– Zmieniłeś zdanie? Jednak będziemy ich śledzić?
– Opowiedz mi o zamordowanych siostrach – rzekł, włączając nawigację. Kliknął nowy cel podróży i spojrzał na nią przeciągle. – Wiesz, gdzie dokładnie je znaleziono?

*
**

Polana wydawałaby się bajkowa, gdyby nie rząd zniczy ustawionych pod wielkimi fotografiami dwóch uśmiechniętych brunetek i składowisko kwiatów, które zdobiło wejście do krzaków niczym wojenne miejsce straceń. Kiedy Ada z Jakubem maszerowali na miejsce zbrodni, nieustannie mijały ich grupki nastolatków zmierzające w przeciwnym kierunku – do szosy.

– Ruch tutaj jak na Marszałkowskiej.

– Młodzież lubi się bać. – Ada podeszła do fotografii. – Ta z lewej to Lea. Jej zwłoki zostawił na widoku. Za tydzień kończyłaby szesnaście lat. Starszą, pełnoletnią już Polę, potraktował mniej brutalnie. Jej ciało ukrył, ale upozował pośmiertnie w pozycji upokarzającej. Ściągnął jej odzież, odsłonił genitalia. Próbował odciąć pierś, ale ktoś go spłoszył albo nie potrafił tego zrobić.

Sięgnęła do torby i podała mu plik zdjęć z oględzin. Sobieski spojrzał na nią z uznaniem. Nie zapytał, skąd ma materiały i ile ją to kosztowało. Im mniej wiedział, jak je zdobyła, tym lepiej dla nich obojga.

– Nie sądzę. – Postukał w zbliżenie rany na szyi Lei. – Jeśli wziąć pod uwagę długość cięcia na gardle, raczej chciał, żeby tak wyglądało. Dlaczego nacina piersi? Co to może znaczyć?

– Dodatkowa kara?

Ada odeszła na odległość kilku metrów. Rozejrzała się. Zawróciła i podała mu kolejny plik kartek.

– Mniej więcej tutaj zainscenizował piknik. Wszystko było ustawione jak w scenografii filmowej. Lodówka z jedzeniem, termos, owoce… I pukiel jasnych włosów.

– Wiecie, do kogo należą?

Spojrzała na niego z szelmą w oku.

– Ja przy tym nie pracuję.

– A to? – Wskazał materiały z oględzin.

– Udało się załatwić. Przypadek. – Machnęła ręką i nagle spoważniała. – Chyba nie ustalili jeszcze jej tożsamości.

– Jej? Skąd wiadomo, że włosy są żeńskie.

Spojrzała na niego badawczo.

– Sprawdzają bazy zaginionych i dawnych ofiar. Jak na razie bez skutku. Zakładają, że właścicielka tego kosmyka wciąż żyje.

– Chce, żebyście podjęli grę – mruknął pod nosem. – To uwertura.

– Tyle sami wykminiliśmy. Wczoraj moi kumple dyskretnie rozpytywali w mieście o klienta, który gustuje w twinsach. Zmroziło mnie, kiedy powiedziałeś, że Beata wiedziała o fetyszyście sióstr. Skąd?

– Od matki?

Zatrzymał w ustach refleksję, że Beata Kowalczyk była nader zaprzyjaźniona z prostytutkami. Wahał się też, czy wspominać o swoim podejrzeniu, że siostra Ady trudniła się nierządem. Wątpił w to. Widział ją jedyny raz w życiu i sprawiła na nim wrażenie błyskotliwej. Studiowała, miała zaplecze w rodzinie, ale odkąd Sobieski jeździł na taksówce, słyszał o tak wielu zadziwiających historiach, a nawet był ich świadkiem, że chyba nic już nie mogłoby go zadziwić.

– Dziewczyny w agencjach zaczęły gadać – dodał. – Wciąż powtarzała, że boją się Kosiarza.

– Żadna dziwka nie zwierzyłaby się lasce, która pisze do popularnego portalu i jest córką ich szefowej – skonstatowała Ada. – A już tym bardziej nie otworzą się przed glinami.

– Coś trzeba im zaoferować.

– Jakiś pomysł, panie mądralo?

– Forsa albo strach. Tylko to działa.

– Budżetu nie mam, a Kosiarza boją się wystarczająco, by siedzieć cicho. Nie o to nam chodzi.

– Masz zaginioną siostrę, którą mogą kojarzyć.

– Brać je na litość? – żachnęła się. – Przecież to prostytutki. Będą kłamać, motać. Kombinować, co mogą ugrać dla siebie prawnie albo finansowo. Do końca świata nie zdołamy sprawdzić ich bajek.

– Możesz powiedzieć, że zniknięcia Beci dotąd nie zgłosiłaś i ich też nie wydasz – zaproponował. – Właśnie, dlaczego szukamy jej nieoficjalnie?

Ada podniosła głowę, przyjrzała mu się z uwagą, jakby zobaczyła go pierwszy raz w życiu.

– Okazało się, że wiadomości, które siostra wysłała mi wczoraj, nie da się odczytać – oświadczyła. – Puściła je nie z telefonu, ale z jakiejś chmury, do której nie mamy dostępu. Wiemy tylko, że jest trzykrotnie zahasłowana. Kiedy jednak dziś rano wpadłam do biura, dyżurny w progu przekazał mi to.

Jakub rozpoznał świstek, który Ada nerwowo zgniatała całą drogę. Była to wybrzuszona koperta. Wewnątrz znajdował się jakiś przedmiot.

– Zawsze przychodzisz do biura przed piątą? Bo o szóstej siedziałaś mi już na plecach i trenowałaś kontrolowane pady.

Nie odpowiedziała. Ciągnęła swój wątek:

– Zapytałam, kto mi to dostarczył, a dyżurny opisał młodą dziewczynę: wysoka brunetka w skórzanej kurtce, fantastyczne nogi.

– To by się zgadzało.

– Co dziwne, nie powołała się na pokrewieństwo ze mną. Powiedziała, że ma informacje w sprawie zabójstwa na Kabatach. To nie nasz rejon, a Becia musiała wiedzieć, czym się zajmujemy, bo w biurze nie ma wydziału kryminalnego. Spis jednostek wraz z nazwiskami naczelników znajduje się na stronie. Kiedy dyżurny chciał ją zatrzymać do wstępnego przesłuchania – wyrwała się i uciekła. To dlatego wydzwonił mnie, żebym przyjeżdżała natychmiast. Zwrócił uwagę, że była przestraszona. Wsiadła do clio, które czekało z włączonym silnikiem przed wejściem. I to by było na tyle. – Umilkła.

– Rysopis pasuje do twojej siostry, ale nie masz stuprocentowej pewności, że to była Beata – zauważył Sobieski. – O której to było?

– Czwarta dwanaście. Przejrzałam zapis z kamer. To mogła być ona.

– Ale nie musiała?

Ada potwierdziła niechętnie.

– Rysy twarzy nie są wyraźne. Smukła, wysoka dziewczyna w kolorowej sukience i skórzanej kurtce.

– Dokładnie tak wyglądała, kiedy ją spotkałem – potwierdził Sobieski. – Sądzisz, że w agencji matki jest więcej podobnych do niej? Piorunka prowadzi stajnię hostess i sobowtórów...

– Sama już nie wiem. – Wzruszyła ramionami. – Przyjechała renault clio z nalepką ubera. Dokładnie takim, jakim ty jeździsz. Tablice nie są wyraźne. Nie jesteśmy w stanie odczytać numeru rejestracyjnego, choć technicy robią, co mogą. Kolor auta też trudno określić, bo zapis akurat z tych kamer jest czarno–biały. Kierowca miał na głowie czapkę z daszkiem zasłaniającą twarz. Wzrost i tusza zbliżone do twojej.

– To dlatego byłaś taka wściekła – zrozumiał w jednej chwili. I dodał: – Całą noc nie ruszałem się z przyczepy. Przebieg mojego auta też łatwo sprawdzić. Wszystko jest synchronizowane elektronicznie. Każdy zrobiony kilometr, każdy litr spalonej benzyny wyświetla się jakiejś pani w tabelkach Excela. Podam ci kod do aplikacji.

– Teraz, kiedy jechaliśmy na polanę, nie włączyłeś systemu – zwróciła uwagę, a Sobieski pochwalił się w duchu, że jej nie zaufał. – Masz alibi na tę noc?

– Myślałem, że ten temat jest zamknięty. – Mężczyzna westchnął zniechęcony. – Tak przy okazji, skoro mnie podejrzewasz, dlaczego nadal rozmawiamy?

Zawahała się.

– Powiedzmy, że daję ci szansę na udowodnienie niewinności.

– Jesteś bezczelna – oburzył się. – Beata Kowalczyk oficjalnie nie jest zaginiona, a ja zostałem w to wmanewrowany! Mieliśmy układ. Coś mi zaoferowałaś. Teraz znów wracamy do punktu wyjścia? Uderzysz mnie, wskoczysz na plecy i będziesz okładać? Wiesz co, baw się w to sama!

Wyrzucił ręce w górę w geście rezygnacji i klnąc pod nosem, ruszył do swojej taksówki. Ada pobiegła za nim.

– Posłuchaj! – Chwyciła go za ramię. – Ja myślę, że Becia dała się uprowadzić.

– Jesteś rąbnięta!

– Zostawiła mi te wiadomości i liczy, że pójdę jej śladem. Odczytamy je, ale to chwilę potrwa, bo wybrała silne, automatyczne hasło, które podpowiadał system. Tak w każdym razie mówi mój kumpel od IT. Szybciej by było włamać się bezpośrednio do jej komputera. Jest dziewczyną, założę się, że trzyma najtajniejsze hasła w pęku kluczy. Co trzecia kobieta tak robi. Według statystyk tylko co dwudziesty mężczyzna.

– Pierdolę twoje statystyki.

Ada pośpiesznie otworzyła kopertę i coś z niej wyjęła.

– Matka zamordowanych Lei i Poli mieszkała przy Mandarynki, drzwi w drzwi z Becią – wyszeptała, jakby czyniła mu wielkie wyznanie. – W domu mam podręczny zestaw do zbierania śladów. Podrzucisz mnie? Skoro już tu jesteśmy, warto upiec dwie pieczenie na jednym ogniu.

– Kobieto, zdecyduj się! Odprawiasz mnie czy prosisz o przysługę, bo zgłupiałem?

– Przepraszam. – Złożyła ręce jak do modlitwy. Widział teraz, że w dłoniach ma klucze z brelokiem w kształcie miniaturowego rewolweru. – Poniosło mnie, zbliża mi się okres.

Wzniósł oczy do góry i wydał z siebie dźwięk, który równie dobrze mógł być skowytem, jak i rykiem gniewu.

– Nie wytrzymam, przysięgam. Gdybym był Kosiarzem, tobym cię teraz pokroił.

Uśmiechnęła się przymilnie i zamrugała, cała zadowolona.

– Jesteś rozwydrzonym bachorem, wiesz? I na dodatek kopniętym!

– Pogadamy z matką dziewczyn, a potem sprawdzimy chatę Beaty. – Zapaliła się, jakby oferowała mu udział w niezapomnianej przygodzie.

Sobieski miał mętlik w głowie. Wiedział, że powinien uciekać jak najdalej, a jednak wciąż stał w miejscu i gapił się na jej biust.

– Może zostawiła laptop? – trajkotała Ada. – Ty byłeś pewnie wiele razy na oględzinach. Może coś zauważysz?

– Nie jestem technikiem kryminalistyki, a w komisariacie pracowałem tylko cztery lata. Do trupów wyjeżdżałem raptem trzy razy. Samobójstwo, postrzał i bójka ze skutkiem śmiertelnym – zaoponował, lecz widząc, jak rzednie jej mina, złamał się. – Jeden emerytowany technik stołecznego laboratorium wisi mi przysługę. Skoro masz klucze i na własną odpowiedzialność chcesz wchodzić do lokalu siostry, zadbajmy przynajmniej o to, by nie skontaminować śladów.

Ada uśmiechnęła się tak szeroko, że w jej policzkach znów pojawiły się dołeczki, a oczy zalśniły z zadowolenia. Jakub pomyślał, że gdyby zachowywała się tak od początku, zgodziłby się na wszystko, choć czuł, że wpada prosto w przepaść.

***

– Moje córeczki nie były dziwkami – zapewniła solennie kobieta, na której twarzy, mimo opuchlizny od płaczu, leków lub regularnie pitego alkoholu, widać było nikłe ślady wielkiej niegdyś urody. – To potwarz! I nie wiem, kto rozpuszcza te kłamliwe plotki, ale jak się dowiem, pozwę go. Przyrzekam.

Zacisnęła mocniej w pasie czerwony płaszcz kąpielowy, w którym spędzała widać całe dnie, bo aksamit był wytarty, poplamiony w wielu miejscach i nie woniał persilem.

Sobieski znał ten typ dobrze funkcjonującej alkoholiczki. Po nałożeniu makijażu, wyperfumowaniu i zażyciu paczki halsów śmiało zrobiłaby wrażenie na konferencji prasowej. I tak też się stało po odkryciu zwłok córek pani Sapiegi. Ale teraz o Lei i Poli media powoli zapominały, a matka została ze swoim bólem sama. Nie dziwiło, że zapijała żal, bo używała sobie w nadmiarze także wcześniej, pozwalając, by dziewczyny chadzały samopas. Jeśli patrzyło się na to z boku, wszystko działało w miarę poprawnie przez lata. Do czasu, aż Lea i Pola spotkały Kosiarza.

Mieszkanie Sapiegi było jednak pieczołowicie wysprzątane, a na wszystkich parapetach i stolikach znajdowały się kwiaty. Kobieta miała do nich rękę. Na samym środku salonu pyszniła się monstrualna palma, która sięgała sufitu i przydawała temu obskurnemu miejscu egzotycznego charakteru.

– Nikt tego nie sugeruje – starała się łagodzić Ada, ale Jakub zmroził ją spojrzeniem i chwycił się wypowiedzi zbolałej matki.

– Skąd ta pewność?

Sapiega aż się zapowietrzyła i zrobiła ruch, jakby chciała chwycić szklankę, ale zamiast tego wyjęła z paczki ostatniego papierosa i drżącą ręką włożyła do ust. Sobieski podniósł się, podał jej ogień.

– Wiemy, że było pani ciężko. Dwukrotny rozwód, bankructwo firmy, a teraz ta tragedia.

– Gówno tam wiesz, synku – prychnęła. – Masz dzieci?

Sobieski pokręcił głową. Ada uciekła spojrzeniem w okno.

– To były dobre dziewczyny. – Tę frazę słyszeli już piąty raz. Jakub policzył. – Nie jakieś orły w szkole, nie będę oszukiwała, ale się uczyły. Dostały się obie do tutejszego liceum. Studia też nie byłyby problemem, bo obie były bystre. Miały przed sobą całe życie. – Odchrząknęła. – Pola co roku wygrywała osiedlowe mistrzostwa w ping-ponga. Biegała kilka kilometrów dziennie. Lea żyła w jej cieniu, wpatrzona w siostrę jak w obrazek. Opiekowały się sobą. Nie rozstawały na krok. Ten zboczeniec musiał zauważyć Polę w lesie! Tyle razy ją prosiłam, żeby nie uprawiała joggingu po zmroku! – Wzburzenie minęło i Sapiega znów płakała. – Sami wiecie, że była ubrana w getry i top do biegania. Policjanci pokazywali mi zdjęcia.

– W wieczór zabójstwa widziano je w Matrixie – przerwał jej Sobieski. – Ulica Foksal to kawał drogi stąd. Córki często bywały w klubie dla panów?

Kobieta otarła łzy i spojrzała błagalnie na Adę, jakby liczyła, że policjantka uratuje ją przed odpowiedzią.

– Wiedziała pani, że wychodzą z domu wieczorami? – Sobieski nie odpuszczał. – Nie mówimy o sportach, tylko o regularnych wizytach w nocnym klubie. Striptiz, loże dla VIP-ów, te sprawy. Chyba że tańce na rurce kwalifikuje pani jako fitness?

– Dość! – wzburzyła się kobieta. – Pracuję w markecie na trzy zmiany. Tak, czasami nie było mnie nocą w domu. Bywało, że spałam cały dzień, to także prawda. Muszę z czegoś żyć – broniła się słabo.

– Więc nie wiedziała pani, że regularnie chodzą do Matrixa? Dziennikarze wyciągnęli już nagrania z kamer. Lea i Pola bywały tam. Po co? Bawić się, po prochy czy może raczej łowić klientów?

– Co to, to nie!

Gwałtowne kręcenie głową, a potem nagle przebłysk szczerości:

– Wspominały coś, że stoją przed wejściem z parasolką i namawiają cudzoziemców do wejścia. Nie prostytuowały się! Były zgrabne, świeże, uśmiechnięte... Po prostu naganiały klientów do baru. To wszystko.

– A że ćpają? O tym też nie miała pani pojęcia?

– To, że w ich krwi po śmierci były śladowe ilości substancji psychoaktywnych, niczego jeszcze nie dowodzi. – Sapiega parsknęła oburzona.

– Pani córki były naćpane. Cud, że nie zeszły z przedawkowania.

– A może sprawca naszpikował je prochami z rozmysłem? – podniosła głos matka. – Moje dziewczynki nie były ćpunkami! Nie wierzcie temu, co wypisują trolle w internetach!

Jakub wymienił spojrzenie z Adą. Zrozumiała, że czas na dobrą policjantkę.

– W ubiegłym roku pod dwieście sześćdziesiąt siedem zamieszkała studentka. Beata Kowalczyk – zaczęła. – Znała ją pani?

Sapiega natychmiast się rozpogodziła.

– Uwielbiałyśmy Becię! – potwierdziła niemal w euforii. – Córki się z nią przyjaźniły, traktowały ją jak starszą siostrę. Cieszyłam się, kiedy Lea i Pola spotykały się z Becią, bo miałam pewność, że są bezpieczne. Beata była stanowcza, poukładana. Studiowała na uniwersytecie i miała nawet stypendium, ale lubiła się zabawić. O tak, Becia miała charakterek.

– Już się nie uwielbiacie? – wciął się w jej wypowiedź Sobieski.

Sapiega spojrzała na niego bazyliszkiem, na co wzruszył ramionami.

– Użyła pani czasu przeszłego – wyjaśnił. – To ona nie żyje?

Tym razem Ada sarknęła z przyganą.

– Pan jest źle do mnie nastawiony – obruszyła się Sapiega. – Po prostu od jakiegoś czasu dziewczyny spotykały się rzadziej. Nie sądzę, żeby to było coś poważnego. Mała sprzeczka, nic więcej. Powiedziałyby mi. Często mi się zwierzały – podkreśliła, ale nie zabrzmiało to wiarygodnie. – Faktem jest, że nasze stosunki z Becią ostatnio się rozluźniły.

– Co zaszło?

Sapiega znów pokręciła głową.

– Córki nie mówiły. Wie pan, jak to jest w tym wieku: starczy drobna zazdrość, jedna niebacznie rzucona uwaga i mamy foch gigant.

– Pierwszego skręta dała Poli Beata – oświadczył Sobieski. Bezskutecznie czekał na zmianę wyrazu twarzy pani Sapiegi, jakby udawanie głuchej mogło zmienić faktyczny stan rzeczy, więc kontynuował: – Potem ćpały już razem, ale pani córki szybciej się wciągnęły. Przed śmiercią brały już wszystko: piguły, koks, kryształy, nawet mefedron.

W pomieszczeniu panowała martwa cisza. Kiedy Sapiega odezwała się ponownie, głos jej drżał.

– Pan kłamie.

– Wiem to od samej Beaty – podkreślił. – Nie była dumna, że wciągnęła pani córki w ćpanie. Wręcz przeciwnie. Obwiniała się, że śmierć Lei i Poli to w jakimś stopniu jej wina. Dlaczego miałbym jej nie wierzyć? Po co by kłamała?

– Rozmawiał pan z Becią o moich zmarłych córkach? – Kobieta przyłożyła dłoń do twarzy i znów pochlipywała. – Kiedy? Gdzie?

Sobieski złapał się na tym, że teatralne zachowania matki zaczynają go złościć. Był bliski potrząśnięcia nią i zrobiłby to, gdyby byli w komisariacie. Przeraziło go to.

– Beata powiedziała mi też, że feralnej nocy pani córki były po towar w mieście. Miały swojego dilera? Kojarzy pani kogoś? Ktoś podejrzany was odwiedzał?

– Nie wierzę! – Sapiega powtarzała jak mantrę. – One nie były narkomankami! Pan się myli!

– Matrix to klub ze striptizem, ale w ofercie są także loże dla VIP-ów. Nie tylko kroją tam obcokrajowców na drinki. Jeśli ktoś szuka dziewczyny do towarzystwa, tam ją znajdzie. – Sobieski zdecydował się być bezwzględny. – A może nie wiedziała pani o narkotykach i puszczaniu się córek, ponieważ już od dawna nie miała pani z nimi kontaktu?

– To kłamstwo! – krzyknęła. – Dużo rozmawiałyśmy! Miałam z nimi świetny kontakt.

Sobieski przymknął oczy. A potem chwycił za telefon i odnalazł w sieci artykuł. Powiększył tytuł: *Złap mnie, jeśli dasz wiarę*. Pokazał kobiecie, a potem zaczął czytać: „Joanna S. oskarżona o rekordowe malwersacje. Czy księgowa firmy informatycznej świadczącej usługi na rzecz US zdefraudowała siedem milionów euro, czy jest politycznym kozłem ofiarnym?".

– Czytałem to. A pani?

Sapiega nie odpowiedziała.

– To było siedem lat temu – ciągnął. – Była pani zatrzymana, zrujnowała się pani na adwokatów. Od tego zaczęły się pani problemy. Rozumiem. Sam mam ich niemało.

Przerwał, przyjrzał się jej. Białka miała zaczerwienione, oczy podpuchnięte, ale już nie płakała. Była wściekła.

– Szczęście, że po śmierci córek dziennikarze tego nie wyciągnęli. Nie było wtedy pani zdjęcia. Zmieniła pani też imię.

– Alina to moje drugie. Z bierzmowania – rzuciła jak wyzwanie.

– To zrozumiałe – przyznał Sobieski. – Gdybym miał jakieś drugie, sam bym sobie zmienił.

Kobieta uśmiechnęła się blado i spojrzała na niego cieplej, więc kontynuował:

– Sprawa została umorzona, ale to wtedy pani życie legło w gruzach.

– Myślałam, że sięgnęłam już dna – zgodziła się i wyglądało na to, że wreszcie zacznie mówić szczerze. – Ale dziś wiem, że to była betka. To, co się stało z moimi dziewczynkami, to naprawdę koniec. Nie mam po co żyć.

Ramiona jej opadły, dolna warga drżała.

W pokoju zapanowała cisza. Znów przerwał ją Sobieski.

– Pani Alino, czy zależy pani, by odnaleziono sprawcę?

Skinęła głową. Zacisnęła szczęki. A potem wypaliła:

– Przede wszystkim chcę wiedzieć, dlaczego akurat je wybrał. – Wskazała telefon Sobieskiego, na którym wciąż wyświetlał się kompromitujący reportaż. – Czy to moja wina? Czy ja je naznaczyłam? Co zrobiłam nie tak, że zaczęły brać narkotyki i spotkały tego zwyrodnialca?! – Znów beczała.

– To sprawca seksualny. – Do dyskusji włączyła się Ada. – A pani problemy z prawem nie musiały mieć z tym związku. To było tak dawno temu…

– Cały czas o tym myślę. Czy mogłam temu zapobiec? – Podniosła głos, była bliska histerii. – Starałam się tylko przetrwać, jakoś je ochronić. Przysięgam, że nie zauważyłam, kiedy zaczęły ćpać. Nie wiedziałam, że Beata miała na nie taki wpływ. Wychodziły razem i ufałam jej jak własnej siostrze. Fakt, że czasami wracałam do domu nad ranem, a Lei i Poli nie było. Nie mam pojęcia, gdzie bywały. Nie pytałam... Byłam zajęta sobą, próbowałam ułożyć sobie życie. Myślałam, że są już prawie dorosłe i mnie aż tak nie potrzebują. Sama nie wiem... Gdybym mogła cofnąć czas, byłabym z nimi non stop. Rzuciłabym pracę i pilnowała, by odrabiały lekcje...

– Obwinianie się nic nie da – szepnęła Ada i położyła kobiecie dłoń na ramieniu. – Potrzebna nam pani pomoc. Chcemy go znaleźć. Zanim zabije kolejną kobietę. Moja siostra może być następna...

Sapiega podniosła głowę, przyjrzała się policjantce.

– Pani siostra?

– Beata Kowalczyk. Becia – potwierdziła Ada. – Mamy jednego ojca.

Sapiega chwyciła chusteczkę i wydmuchała nos.

– Nigdy o pani nie wspominała – oświadczyła zdziwiona. – Mówiła o mamie, która prowadzi Piorunkę, agencję hostess i sobowtórów, ale kiedy dziewczyny zapaliły się, że chciałyby dla niej pracować, Becia im odradziła. Może przez to się posprzeczały? Obie córki były bardzo ładne. O Poli mówiono, że rośnie na piękność. Była do mnie podobna. – Urwała. – Kiedy byłam w jej wieku, wygrałam kilka konkursów piękności, w tym regionalny Miss Polonia. Pochodzę z Rzeszowa i byłam kandydatką z tego regionu. Wygrałabym, gdybym zgodziła się przespać z organizatorem. Koronę zdobyła ta, która nie miała skrupułów. – Przerwała, orientując się nagle, że powiedziała to niepotrzebnie. – Przepraszam, to nie ma znaczenia. Córki nie rozumiały, dlaczego Becia nie chce się za nimi wstawić u matki. Ja zresztą też. Co jej zależało? Chciały sobie tylko dorobić.

– Kiedy to było? – Jakub wymienił spojrzenia z Adą. – Ta kłótnia o agencję?

Sapiega zastanawiała się, jakby szukała w głowie konkretnej daty.

– Trzy miesiące temu. Becia wpierw zasłaniała się pandemią, a potem zaczęła unikać córek. Ale Lea jest uparta, nie chciała odpuścić. Znalazła w sieci namiar na Edytę Piorun. Matka Beci sama jest zarejestrowana w bazie sobowtórów. Muszę przyznać, że z urody faktycznie przypomina Salmę Hayek. Dziewczynki umówiły się na spotkanie i Pola wspominała, że pani Piorun to przemiła, elegancka osoba. Córki aplikowały przez internet, a potem zostały zaproszone na casting. Pola się wstępnie zakwalifikowała, bo jeszcze w marcu robili jej zdjęcia, a ponieważ dobrze wyszła, zasugerowali profesjonalną sesję. Dałam jej pięćset złotych. Drugie tyle miała zorganizować sama. Dogadała się z artystą fotografikiem, że zapłaci w ratach. Wierzyłam w nią i naprawdę ją wspierałam. Kiedy startowałam w konkursach, zdjęcia też były najważniejsze. Dlatego powtarzam panu, nie chodziło o nierząd.

Sobieski spojrzał na nią jak na dziecko w piaskownicy, które nie rozumie, dlaczego nie wolno brać cukierków od spoconych facetów w siatkowych koszulkach.

– Ma pani numer tego fotografa? Jakieś nazwisko?

Kręcenie głową.

– Ten kontakt powinien być w jej poczcie. Wymieniali mejle, zostali znajomymi na Facebooku. On miał swój profil na Instagramie i to nie były zdjęcia porno. Widziałam je! Facet sam wyglądał jak model.

– Jakim cudem nie pamięta pani jego nazwiska? – wzburzył się Sobieski.

Wyglądało na to, że Sapiega sama jest dużym dzieckiem. Sprawiała wrażenie totalnie nieogarniętej.

– Macie przecież ich telefony i mój laptop! – zaprotestowała. – Został mi tylko zepsuty iPad. Kiedy technicy tutaj byli, nie mogłam go znaleźć.

– Możemy go zabrać teraz – zaoferował Sobieski. I zapewnił: – Zwrócę osobiście w ciągu tygodnia.

Sapiega wstała. Ruszyła korytarzem w głąb mieszkania. Ada pobiegła za nią.

– To pokój córek? – Zajrzała.

Matka skinęła głową i niechętnie zaprosiła gości do środka.

– Wasi ludzie już tu byli. Przepatrzyli wszystko, zanotowali każdą metkę sukienki, ale proszę, nie krępujcie się. Nic nie ruszałam.

Kiedy tylko dotarli do pokoju sióstr, wiedzieli, że matka nie powiedziała prawdy. Pomieszczenie praktycznie wylizano. Ale i bez kompulsywnej ręki gospodyni było pozbawione indywidualnych cech nastoletnich mieszkanek. Sobieskiemu zdawało się, że trafił do katalogu Ikei. W przeciwieństwie do reszty mieszkania, gdzie na tle żółtych tapet królowała meblościanka z lat osiemdziesiątych, w pokoju dziewczyn było biało i nowocześnie. Sprzęty były nowe. Na niektórych wisiały jeszcze naklejki ze sklepu.

– Kiedy robiła pani remont?

Ada podeszła do szafy i przejrzała ubrania. Sięgnęła po buty. Podniosła wysokie sznurowane szpilki, a potem wyjęła wycięty gorset, by Sobieski rzucił na niego okiem. Podniósł znacząco brew. Ada odwiesiła bieliznę na miejsce.

– Córki same zrobiły – padło w odpowiedzi. – Tylko zaprzyjaźniony fachowiec położył gładź na ścianach. Zmieniły mebelki i kupiły sobie zasłony, kocyki. Nawet pościel miały nową. I ręczniczki. – Sapiega potarła oczy i na chwilę przestała zdrabniać. – Nie stawałam im wbrew. Mnie prawie nie było, wciąż miałam dyżur w pracy. Cieszyłam się, że są samodzielne i się nie skarżą. Naprawdę się nie kłóciłyśmy. Nie lubię awantur. Po rozwodzie unikam ich jak ognia. To rozbija rodzinę. Chciałam, żeby dziewczynki dobrze się tutaj czuły i były szczęśliwe.

– Z pewnością – przyklasnęła jej Ada z przekąsem, ale Jakub widział, że i ona ma teraz w oczach sztylety. – Skąd córki wzięły pieniądze na remont, markowe ubrania i nowy sprzęt?

Wskazała iPad, głośniki. Wiedzieli z akt, że policja zabezpieczyła najnowsze iPhone'y i MacBooki.

– Jak pani osiemnastoletnia córka zamierzała zarobić pięć setek na drugą ratę sesji zdjęciowej? – dodała twardo Ada. – To pani nie zastanawiało?

– Pola mówiła, że to nie problem, bo od jakiegoś czasu odkłada z kieszonkowego. Raz w miesiącu dawałam każdej po dwieście złotych. – Kobieta zawahała się, jakby dopiero teraz docierała do niej bolesna prawda, ale szybko przegoniła to przeczucie. Nawijała jak nakręcona: – A raz przyniosły yorka. To była suczka w ciąży. Pola planowała, że jak urodzi, sprzedadzą młode i będzie z tego jakiś fundusz. Podobno jedna sztuka kosztuje trzy tysiące, a i bez rodowodu zarabia się połowę. Niestety szybko się okazało, że to ja mam się o tego pieska troszczyć i z nim wychodzić. Ledwie miałam czas dla siebie, więc kazałam im go oddać.

– Pieska? – Ada podniosła brew. – Liczyła pani, że córki ustawią się na całe życie za pomocą nielegalnej hodowli? Wie pani, ile kosztuje weterynarz, karma, odrobaczanie i leki? Niech pani lepiej powie, skąd córki miały forsę. Bo nie uwierzę w szczeniaki ani pozowanie do sesji. Ciężko też odłożyć na iPhone'a z dwóch setek kieszonkowego.

– Raz na jakiś czas ojciec coś tam im przelał. Od trzynastego roku życia miały konta bankowe. Były trochę snobkami. – Kobieta zaśmiała się nerwowo. – To trzeba im przyznać.

Sobieski słuchał tego w milczeniu. Z artykułu, który przed chwilą pokazywał Sapiedze, wiedział, że dziewczynki miały po kilka kont, bo matka wykorzystywała je do wyprowadzania gotówki z firmy. Czy możliwe, że prokuratura ich nie wyczyściła i tego, co na nich zostało, dziewczęta używały do własnych celów?

– Ma pani wyciągi z kont córek? – Starał się nadać głosowi jak najłagodniejszy ton, ale Sapiega momentalnie nabrała czujności. Znów patrzyła na niego wrogo.

– Po co to panu?

– Tak tylko pytam.

– Nie trzeba na to zgody prokuratora?

– Owszem, jeśli nie zgodzi się pani udostępnić tych informacji dobrowolnie.

Ada stanęła przy jednym z biurek, na którym bezskutecznie szukała podręczników czy przyborów szkolnych. Stelaż z wielkim lusterkiem powiększającym nasuwał raczej skojarzenia z toaletką w buduarze diwy. Ada wpatrywała się w rząd flakonów z perfumami i akcesoriami do makijażu. Nie potrzebowała niczego podnosić, by wiedzieć, że wszystkie produkty na tym stole są markowe. Kiedy ona sama była nastolatką, nie miała ani jednej kredki do oczu. Nawet teraz szkoda by jej było pieniędzy na szminkę Diora, a tutaj leżało ich kilka.

– Ma pani kontakt do człowieka, który remontował ten pokój?

– Mówiłam, że dziewczyny zrobiły to same.

– Meble z Ikei też skręciły? – Ada podniosła brew.

– Mój były partner im pomagał – odparła z wahaniem Sapiega. – Nie mamy kontaktu.

– A fachowiec od gładzi?

– To o nim właśnie mówię – burknęła kobieta i zamknęła usta, jakby nabrała w nie za dużo wody.

– Nalegałabym na podanie nazwiska i telefonu – powtórzyła Ada. – Nie musimy ujawniać, że znamy go od pani.

Ponieważ Sapiega skrzywiła się, jakby zjadła coś nieświeżego, policjantka dorzuciła:

– Chyba że nie zależy pani na sprawdzeniu wszystkich tropów? Możemy też przyjść z nakazem.

Kobieta niechętnie wyciągnęła z kieszeni szlafroka komórkę. Podyktowała numer.

– Wie pani, czy dziewczęta dostały jakieś zlecenia z agencji Edyty Piorun? – włączył się Sobieski.

– Jakieś wstępne sesje się odbyły, ale córki nie były zadowolone i nie chciały o tym mówić. Dla nich to była zabawa. Nic poważnego.

Ada przeglądała stertę papierów w szufladzie biurka. Nagle odwróciła się. W dłoni trzymała brązowy kosmyk włosów spleciony w warkocz i przewiązany zieloną wstążką.

– Co to jest?

Matka wzruszyła ramionami.

– Pola oddawała włosy na fundację walczącą z rakiem. Pewnie zostawiła je sobie na pamiątkę.

– Czy to także było w marcu?

– Nie, jakiś tydzień przed śmiercią... – Matka urwała. Wpatrywała się w policjantkę, jakby czuła, że to ma znaczenie, ale jeszcze nie była pewna, jak bardzo przerażająca jest to prawda. I najwyraźniej nie chciała jej znać, bo dokończyła łamiącym się głosem: – Certyfikat przyszedł dopiero niedawno.

– Kto strzygł jej włosy, by przygotować pasma na fundację?

– Jakiś fryzjer w mieście. Nie wiem... Nic nie wiem... – Zaniosła się płaczem. – Czy w telewizji nie podawali, że sprawca zostawił pukiel włosów przy ich ciałach?

Bardzo długo musieli ją uspokajać. Ada skłamała, że to może nic nie znaczyć. Zapakowała kosmyk do torebki, choć wątpiła, by przydał się jako materiał dowodowy. Pukiel leżał w szufladzie, a ślady z tego pomieszczenia zebrano ponad miesiąc temu. Nie wierzyła, że technicy go nie zauważyli.

– Kto tutaj wchodził po wizycie techników?

– Nikt, przysięgam. – Zbolała matka biła się w pierś.

– Nie nocowała pani nikogo z rodziny? Partnera, kochanków?

Sapiega nerwowo kręciła głową. Ręce schowała do szlafroka i widać było, że ma ochotę wymaszerować z pokoju córek i zalać się w trupa.

– Czy Beata odwiedziła panią po śmierci córek? – spytała Ada, kiedy już stali przy drzwiach.

– Nie, nie przyszła... Tak jak mówiłam, unikała nas. Zresztą ja nie byłam w formie, by o czymkolwiek rozmawiać. Piłam za dużo. Chciałam tylko spać. Znajdziecie go?

Zamkniecie? Kiedy już będziecie go mieli, spytajcie, dlaczego wybrał akurat moje dzieci. Muszę wiedzieć, czy to moja wina.

Kiedy opuszczali mieszkanie, Ada sięgnęła do kieszeni i wyciągnęła wizytówkę. Na odwrocie zapisała numer infolinii AA.

– Jeśli pani będzie gotowa, proszę spróbować. Znam ludzi, którzy dzięki mityngom odzyskali wiarę. I siebie.

– Ja nie chcę wierzyć, a siebie mam wystarczająco dosyć! Wolałabym być już martwa! – wychrypiała w gniewie kobieta. – Marzę teraz tylko o tym, żeby ten skurwysyn umarł w męczarniach. Rozumiesz? Potrafisz to załatwić?

– W tym kraju nie ma kary śmierci – wtrącił się Sobieski.

– Nie chcę, by umarł, synku. To za mało. Chcę to zobaczyć. Jak spektakl. Dopiero wtedy pójdę odpokutować.

Zmięła karteczkę w zaciśniętej dłoni, a potem schowała ją do kieszeni swojego wytartego szlafroka. Wiedzieli, co zrobi, kiedy wyjdą, ale ani Ada, ani Jakub nie zamierzali jej od tego odwodzić.

***

Podinspektor w stanie spoczynku Niko Romocki czekał na nich przed blokiem obstawiony metalowymi walizeczkami. Pod ławką leżał jego apatyczny owczarek przypominający wątpliwą dekorację wypełnioną trocinami. Ledwie podniósł łeb na widok Sobieskiego i raz czy dwa niemrawo machnął ogonem, co należało zapewne uznać za głęboką ekscytację. Technik za to rozpromienił się na widok znajomego, aż jego wąsy nastroszyły się jak ogon walczącego koguta.

Kiedy Sobieski wspominał Adzie o emerytowanym techniku kryminalistyki, spodziewała się podstarzałego grubaska z dobrotliwą gębą, a nie skośnookiego przystojniaka z wypielęgnowanymi wąsami à la Salvador Dali.

– Coś zmizerniałeś na emeryckim wikcie! – powitał Sobieskiego Niko, a potem skłonił się szarmancko policjantce.

Gdyby nie odsunęła się na czas, chwyciłby jej rękę i ucałował z namaszczeniem. Z trudem ukrywała szok na widok takiego ekscentryka, ale jak tylko ustawili się przy windach, uśmiechnęła się i przedstawiła pełnym stopniem. Następnie, niby dla żartu, podała mu dłoń. Niko uścisnął ją mocno, nie przestając głęboko zaglądać jej w oczy.

– Nie wysilaj się, Niko. Nie jesteś w jej typie.

Sobieski wcisnął ósemkę i rzucił Adzie porozumiewawcze spojrzenie.

– Skąd możesz to wiedzieć?

– Znamy się aż sześć godzin.

– Dziewięć, jeśli liczyć przerwę na transport do komendy.

Zdziwił się, że jeśli chce, kobieta da się lubić. Nawet bardzo.

– Sądziłem, że gustujesz w ostrzyżonych na zero, wyżyłowanych oficerach w swoim wieku. – Uśmiechnął się zawadiacko, ale zaśmiał się tylko Niko, po czym zwrócił swoje czarne migdałowe oczy ku Adzie.

– Kto się czubi, ten się lubi. A Kubuś to kochany dzieciak. – Pomachał drugą dłonią. Błysnęła obrączka.

Sobieski z satysfakcją przyglądał się tężejącej twarzy młodej policjantki: rysy jej się wyostrzyły, dołeczki zniknęły momentalnie. Oczy zasnuła wpierw mgła zawodu, a potem – jakby ktoś podkręcił ich chabrowy kolor – rozpoznał znajomy migot złości. Niko wcale tego nie zauważył. Kontynuował:

– Opiekujemy się nim z Ateną, odkąd jej siostrze się zmarło. To taki mój przyszywany kuzyn. I nie, nie jestem Chińczykiem ani potomkiem samurajów. Nie prowadzę w cywilu budki z wietnamskim żarciem. Nie kiszę kimchi. Moi przodkowie nie pochodzili również z Okinawy – wymieniał płynnie.

– Skoro tak, nic dziwnego, że wybrałeś sobie żonę o imieniu Atena.

– Jak przystało na urodzonego na Żoliborzu Oficerskim, w rodzinie Romockich, z dziada pradziada Polaka. – Zarechotał. – Ale ponoć, jak twierdziła moja babka, po mieczu krążą w mojej krwi mongolskie geny. Czy to prawda? Nie mam pojęcia. Wiem na pewno, że moje imię nie jest zdrobnieniem, bo tak mam we wszystkich papierach. Ojciec rejestrował mnie po pijaku, choć do śmierci temu zaprzeczał... Miało być Nikodem, a wyszło jak wyszło. Mów mi Niko. Nigdy nie miałem innego pseudo.

– Bardzo mi miło – mruknęła i zaraz odwróciła się do wyjścia, bo drzwi windy się rozsunęły. – Działamy?

– Perła, do roboty! – krzyknął na swojego psa, który nie zmienił pozycji.

Wciąż leżał w kącie dźwigu rozpłaszczony jak naleśnik.

Sobieski przyglądał się skonfundowanej Adzie i ostatkiem sił zachowywał powagę.

– Już się tak nie dąsaj, kolego! – Niko poklepał owczarka po pysku. – Dobry, dzielny Winston! No już, idziemy! Będą nagrody.

Wysupłał z kieszeni smakołyk i praktycznie włożył go staruszkowi do pyska.

Dopiero wtedy Winston zaczął się podnosić, a Ada spostrzegła, że lewą tylną łapę ma przekrzywioną. Idąc, pociągał nią, jakby mu przeszkadzała. Pojęła, że to dlatego wolał oszczędzać siły i leżeć plackiem. W tej pozycji mniej go bolało. Pochyliła się, z czułością pogładziła zwierzę po posiwiałym łbie. Spojrzał na nią dwiema bursztynowymi kroplami słońca zamiast oczu, a potem poczłapał do kraty oddzielającej korytarz od części wspólnej. Zanim jednak Sobieski przepuścił go za bramkę, po dawnym otępieniu nie było już śladu – Winston rozpoczął nawęszanie. Zdumiona Ada patrzyła, jak bezbłędnie dociera do właściwego mieszkania oznaczonego numerem 267.

– Garść szczegółów, co to za prywata? – zapytał Niko. – Nie musicie mówić wszystkiego. Wiedza o waszych motywacjach nie jest mi do niczego potrzebna. Nie pierwszy raz jestem na zleceniu poza protokołem.

Otworzył już swoje walizeczki, grzebał w sakwach i pośpiesznie zakładał ochraniacze na wszystkie części swojego imponującego ciała. Wymachiwał kółkiem, na którym miał niezliczone mnóstwo wytrychów, i wciąż nawijał:

– Pytam orientacyjnie, bo nie chciałbym mieć tyłów u dawnych kolegów. Odszedłem z firmy, żeby mieć więcej roboty, a nie mniej. Chyba to jasne?

W odpowiedzi Ada podała mu klucze z koperty.

– To mieszkanie mojej siostry. Zaginęła. Możliwe, że to było ostatnie miejsce jej pobytu. Sprawa nie została zgłoszona, bo Becia jest dorosła. Nie miałyśmy dobrego kontaktu. Niewiele o niej wiem, ale mogła robić coś, co stawia ją w gronie osób zwiększonego ryzyka. Dlatego się martwię. Ja, ojciec i moja matka. – Zawahała się, nim zastrzegła: – A jeśli wewnątrz jest coś, co będzie wymagało kontaktu z kryminalnymi, dzwonię do bossa natychmiast. Dobrze by było nie zadeptać śladów.

Niko przestał się uśmiechać, pogładził nerwowo wąsa.

– To wiele wyjaśnia. – Nie patrzył już na Adę, tylko na psa, który nieoczekiwanie się ożywił. Kręcił się w kółko i ziajał, jakby chciał pilnie wyjść za potrzebą. – Co do śladów, nie musisz mnie instruować. Kiedy robiłaś kurs podstawowy, ja składałem raport o zwolnienie.

Obejrzał dokładnie klucze, a potem zbliżył jeden do zamka, ale go nie włożył. Kucnął i przyjrzał się jeszcze raz miejscu pod klamką.

– Ktoś przy tym majstrował? – Ada nie wytrzymała.

Niko nie odpowiedział. Położył dłoń na łbie Winstona.

– Spokojnie, waruj.

Pies usiadł, lecz wciąż był podniecony. Jęzor sięgał mu prawie do szyi. Ślina skapywała na podłogę.

– Mam pytanie – zaczął Niko, przyglądając się wirującej pod sufitem musze. – Czy istnieje możliwość, że twoja siostra znajduje się w środku?

– Masz na myśli, że nie żyje? – wydukała Ada.

– Winston prawie nigdy się nie myli, a jednak ma swoje lata – ciągnął technik. – Bo mówiłaś, że sprawa nie jest zgłoszona. Sobieski zapewniał, że chcecie rzucić okiem na komputer, ewentualnie zabrać fanty do badań. Przyjrzeć się lodówce, śmieciom, oczywistym skrytkom... Jeśli to mieszkanie okaże się miejscem zdarzenia, ten plan traci na aktualności.

Policjantka była w zbyt wielkim szoku, by cokolwiek odpowiedzieć.

Sobieski położył jej dłoń na ramieniu. Nie odsunęła się.

– Podejrzewasz, że wewnątrz jest ciało? – upewnił się. – Na jakiej podstawie?

– Winston to emerytowany tropiciel zwłok. Dysplazja zjadła mu tylne łapy, ale nos ma wciąż jeden z lepszych w Legionowie. Jeśli wejdziemy, zostawimy ślady, a ci, którzy przyjdą po nas, dowiedzą się o tym – wyjaśnił Niko. Wskazał muchę. – To plujka pospolita, najczęściej spotykany nekrofag na miejscach zbrodni. Bywa najważniejszym dowodem entomologicznym. Jeśli jest ich więcej, ciało leży kolejny dzień.

– Ciało? – Ada podniosła rękę do twarzy. Zbladła, skuliła się.

– Winston jest pewien – odparł Niko. – Nie widziałem go w takiej formie od lat.

– A jeśli twój pies się myli? – zapytał Sobieski.

– To wtedy młodzież ze Stołka będzie miała ze mnie bekę, a wy tylko nici z laptopa i rozeznania po cichaczu – mruknął technik. Z ulgą rozpiął kombinezon i zaczął metodycznie zamykać swoje metalowe walizki. – Jeśli faktycznie są tam zwłoki, nie chciałbym być na waszym miejscu, kiedy przyjadą nasi. Nie będą zachwyceni, że ktoś wlazł im w drogę przed oględzinami.

Pacnął się po ramieniu. Kiedy odwrócił dłoń, zobaczyli wielką, połyskującą na niebiesko muchę.

– Jak chcesz, możesz się zmywać. – Policjantka zwróciła się do Sobieskiego, podchodząc do sakwy, w której Niko trzymał ochraniacze. – Ale ja nie zrezygnuję. Jeśli Becia tam jest, chcę zobaczyć ją pierwsza. Później mnie nie dopuszczą.

– Jesteś przekonana?

Skinęła pewnie głową.

– Tylko zajrzymy. Na moją odpowiedzialność.

– Wchodzę z tobą – zdecydował Sobieski.

Podała mu folie na buty i dorzuciła fartuch. Zaczęli się ubierać.

– Mam nadzieję, że wiecie, co robicie – mruknął potępiająco Niko, lecz zapiął swój skafander i włożył klucz do zamka. Przekręcił, lekko popchnął drzwi.

Buchnął na nich słodkawy, mdlący fetor. Nie dało się go pomylić z żadnym innym.

– Pójdę pierwszy. Kiedy zawołam, jedno z was może ruszyć za mną. Drugie zostanie na czatach. Mamy niewiele czasu, zanim zbiegną się sąsiedzi.

Ada wymieniła spojrzenia z Jakubem i ustawiła się przy ścianie. A potem nagle podeszła do Nika. W tym momencie Sobieski poczuł wobec niej duży respekt. Była równie odważna jak Iwona, choć o wiele bardziej delikatna. Pojął, że ukrywała to i niewielu o tym wiedziało. On już tak.

⁂

W okrucieństwie nie ma krzty odwagi – pamiętał tylko tyle z mowy dowódcy, kiedy wracał ze swojej pierwszej misji. Nie widział rozkawałkowanych zwłok, podziurawionych ciał, nieruchomych oczu, rozbitych twarzy. Sam nie przyczynił się do niczyjej śmierci. Jeździł jako wizytujący ekspert: instruktor strzelań, taktyk i interwencji. Podczas tych krótkotrwałych delegacji prowadził szkolenia dla nowo powstałej ukraińskiej policji, która cierpi na brak kadry. Ale to, co wstrząsnęło nim najbardziej, to nie zbrodnie wojenne z rozkazu, lecz morderstwa dla przyjemności. Torturowanie, gwałty i zabójstwa rabunkowe, które szerzyły się w okolicach koszar. Nieoczekiwanie został wyznaczony do zbierania dowodów winy żołnierzy z rodzimej jednostki, którzy wyruszyli na wojnę, by bronić niewinnych, a dopuścili się bestialstw. Była to niewdzięczna robota i koledzy uważali, że Sobieski staje przeciwko swoim, każdego podejrzewa. Jasne, że wolał być szkoleniowcem, ale po tym, jak strzelił do kochanka żony, a potem stanął w jej obronie, kiedy wniosła przeciwko dowódcy sprawę o molestowanie, w wydziale nie było dla niego miejsca. Zresztą nie honor było mu tam zostać, bo Iwona zarzuty wycofała, a wkrótce na jaw wyszło, że faktycznie mieli z Cykorem wieloletni romans. Oskarżenie okazało się zagrywką Nocnej Furii, by szantażem zdobyć upragniony awans. Zarówno Iwona, jak i Cykor rozegrali tę sprawę po mistrzowsku. Za to z Jakuba kpił cały garnizon. Sprawę strzelaniny w koszarach zatuszowano, a Sobieskiego następnego dnia odesłano do kraju.

W tamtym czasie angaż w prewencji wydawał mu się nadzwyczajnym łutem szczęścia. Wyspecjalizował się w wykrywaniu kradzieży z włamaniem i starał się rozwijać. Czytał, dokształcał się. Liczył, że z czasem awansuje do kryminalnego. Wtedy dostał rozkaz pościgu za groźnym dilerem o ksywie Baton. Pojmał go z trzema kolegami z wydziału, odstawił na dołek. Podczas przesłuchania użyli paralizatora, bo facet był pijany, naćpany i rzucał się na nich jak dzikie zwierzę. Ani Sobieski, ani żaden z funkcjonariuszy, którzy tego dnia byli w komendzie, nie mogli przypuszczać, że po unieruchomieniu mężczyzna zacznie schodzić. Baton zmarł w szpitalu, nie odzyskawszy przytomności. Zgon zmienił jego status z osoby podejrzanej o udział w siatce przestępczej na bezbronną ofiarę brutalnych funkcjonariuszy. Jakub nie wiedział jeszcze, że ta sprawa okaże się pretekstem do definitywnego usunięcia go z policji. Chociaż to nie Sobieski używał paralizatora, zgodził się na warunki komendanta wojewódzkiego, bo nie miał wyboru. Cud, że wypuścili go za kaucją, a proces zakończył się umorzeniem z braku dowodów. Ci trzej policjanci, którzy byli wtedy z nim i Batonem w pokoju przesłuchań, wciąż są w czynnej służbie.

To wszystko wydarzyło się w ciągu ostatniego roku, a teraz Sobieski stał pod ścianą w zwyczajnym bloku przy ulicy Mandarynki. Na nogach miał ochraniacze na buty, na bluzę narzucił fartuch, ale czuł się tylko amatorem w dziedzinie kryminalistyki, jakim był w istocie. Nie mógł sobie darować, że udawał przed młodą policjantką detektywistycznego speca.

Czekał na krzyk Ady albo wołanie wuja, by Sobieski wyniósł kobietę, bo na przykład zemdlała. Liczył się z rozkazem wezwania pogotowia, zawiadomienia kryminalnych. Nic takiego się nie działo.

Mdliło go od wypalonych papierosów. Pusta paczka pełna petów ciążyła mu w kieszeni. Czyżby Winston się pomylił? – oszukiwał się i co jakiś czas spoglądał na zegarek. Liczył sekundy, miarowo oddychał, starając się za wszelką cenę przekierować myśli na neutralne tematy: zbliżający się mecz, badania techniczne wynajętego samochodu albo konstrukcję walthera, którego dostał na osiemnastkę od wuja Nika i potrafił złożyć w ciemnościach nawet po pijaku.

Wreszcie wyszła. Blada, milcząca. Wpatrzona w dal, jakby nieobecna duchem. Przeraził się. Mało kto zachowywał taki spokój po spojrzeniu śmierci w oczy.

– Możesz wejść – rzekła, sięgając do kieszeni po papierosa.

Dopiero wtedy dostrzegł, że drżą jej ręce. Osłoniła ogień zapalniczki, jakby w obawie, by wiatr go nie zdmuchnął, choć znajdowali się na zacisznej klatce, a stojące powietrze wzmacniało odór rozkładającego się ciała. Zrozumiał, że Ada nie chce, by patrzył jej w oczy.

– Popilnuję – dodała tonem, jakby mu dziękowała za to, że się odwrócił.

Ruszył do mieszkania jej siostry. I bał się. Nie tylko tego, co zastanie wewnątrz, lecz co zrobią potem. Kiedy będą mieli już pewność.

***

W korytarzu zatrzymała go gruba folia. Taka, jaką wiesza się w zakładach pogrzebowych, prosektoriach albo restauracjach, by zapach z kuchni nie przedostawał się do sali głównej i nie psuł gościom apetytu. Ktoś zawiesił ją w przejściu na grubych hakach pośpiesznie wbitych w ścianę. Sobieski sięgnął po nią i przełożył nad głową. Natychmiast pomyślał, że na folii zostały jego włosy, drobne włókna, drobiny potu, ale na dłoniach miał rękawiczki, więc przynajmniej uniknie śladów daktyloskopijnych.

Dalej śmierdziało bardziej. Ciszę niweczyło jednostajne bzyczenie. Do mózgu dotarła irytująco pewna wiadomość: „Ona tam leży. Jest martwa". Ale szedł dalej.

Niko klęczał we wnęce za rogiem. Omiatał pędzelkiem laptop i starą metodą odciskał na czarnej folii odciski palców. Jego walizka stała obok. Co jakiś czas sięgał do niej po kolejne akcesoria.

– Ustaliłem z twoją koleżanką, że nie przekroczysz pierwszego progu. Zorientujesz się w temacie. Ja dalej też nie wchodzę – rzekł do kuzyna, jakby mówili o pogodzie. – Ada wydzwoni naszych, jak tylko skończę tutaj. Zawijam się i tobie też radzę. Spadaj stąd jak najszybciej.

Sobieski przyjął dane do wiadomości i zrobił krok naprzód. Chciał coś rzec, ale głos uwiązł mu w gardle, gdy tylko wyszedł z ciemnego korytarza, a pod stopami poczuł próg.

Dziewczyna leżała na łóżku z rozwiedzionymi nogami i rozpostartymi ramionami. Na jej szyi widniała ciemna pręga. Przyjrzał się i zrozumiał, że to głęboka szczelina na gardle. Ktoś przeciął jej grdykę ostrym, ciężkim narzędziem, jakby zamierzał odrąbać głowę, ale zabrakło mu sił. Widział już kiedyś podobną ranę na Ukrainie. Wtedy ustalono narzędzie zbrodni. To był topór.

Usta miała rozchylone, oczy otwarte. Jej lewa pierś była nacięta, ale poza tymi dwoma obrażeniami prawie nie było ran. Mimo to prześcieradło, na którym leżała ofiara, zdawało się czarne. Sobieski zastanowił się: skąd tyle krwi? Czy większość ciosów jest zlokalizowana na plecach? Sprawca zaatakował ją z zaskoczenia?

Rolety były zasunięte. Pokój spowijał mrok. Spojrzał na swoje wciąż czyste rękawiczki i pstryknął światło, starając się dotykać włącznika jak najmniejszą powierzchnią palca. Pomieszczenie zalała jasność, aż zapiekło w oczy. Jakub przymknął je odruchowo, otworzył, a potem wychylił się i zajrzał za winkiel.

Ścianę wytapetowano zdjęciami martwych kobiet. Multiplikowały się jak w makabrycznej konsoli z monitorami dla ochrony. Potem przeniósł spojrzenie na zwłoki. Były już trochę spuchnięte. Nad nimi roiły się muchy.

Przed oczyma mignął mu kadr z wczorajszego wieczoru. Ten mężczyzna w koniakowych butach i Becia znikająca w bramie... Nie miał wątpliwości – to nie była przyrodnia siostra policjantki. Na łóżku leżała Mulatka. Jedna z kobiet, które widział wczoraj z Oziem.

Ledwie zdążył wybiec z mieszkania na klatkę, chwyciły go torsje.

Zza pleców dobiegł go nosowy głos Ady:

– Nie sądziłam, że jesteś takim mięczakiem, Kuba.

Zielona wstążka

7 września 2008, okolice wsi Giżyce, gmina Iłów

Kiedy mruży oczy, pole słoneczników faluje jak żółty ocean. Gdyby nie lekki wietrzyk, upał niemiłosiernie dawałby się we znaki. W oddali widzi pasące się na pastwisku krowy. Leniwie skubią i przeżuwają trawę, tępo wpatrując się w horyzont. Nie przeczuwają zbliżającego się niebezpieczeństwa. Jest przecież tylko piętnastoletnim chłopcem, który przejeżdża tędy polną ścieżką.

Bydło nie mówi, nie przekazuje sobie informacji. Te krowy nie mogą wiedzieć, że na innych pastwiskach od dawna panoszy się śmierć.

Zsiada z roweru, ukrywa go w krzakach. Dalej idzie piechotą. Nie ma zegarka, ale po lokalizacji słońca wie, że Patrycja skończyła już lekcje i zaraz będzie wracać do domu. Specjalnie czmychnął z matematyki, by mieć czas na przygotowania. Tym razem Pati z nim porozmawia. Jest tego pewien. A może da się pocałować? Wyciąga z kieszeni papierosa podkradzionego ojczymowi i głęboko się nim zaciąga. Pali łapczywie. Odejmuje od ust, dopiero kiedy żar parzy go w palce.

Na pastwisku obok pola słoneczników świecą bielą rumianki, błękitem – chabry, a czerwienią – maki. Zbiera co do jednego każdy z kolorów, które zdoła dostrzec z drogi, a po chwili trzyma w dłoniach efektowny bukiet. Jest z siebie zadowolony. Liczy, że i Patrycji kwiaty się spodobają. Wiąże je tasiemką, którą na tę okoliczność znalazł w pudełku z pasmanterią zmarłej matki. Tą zieloną aksamitką zdobiła swoje sukienki i jego ubrania, kiedy jeszcze była zdrowa. Teraz ten kawałek wstążki nie jest nikomu potrzebny. Podobnie jak jego rodzicielka, która leży w grobie – konstatuje bez cienia żalu.

Zbliża się do pastwiska, a największa krowa ryczy boleśnie. Nawołuje, by ją wydoić. Jako miastowy chłopak nigdy nie zrozumie, dlaczego gospodarze zostawiają swoje zwierzęta bez opieki aż do zmierzchu. Patrzy, jak krowa odchodzi od barierki i pochyla łeb do strumyka. Pije długo, powoli. A potem znów wydaje ten rozpaczliwy dźwięk. Ma wrażenie, że prosi go, by uwolnił ją od cierpienia. Wpatruje się w jej potężny zad i wspomina, co robił innym zwierzętom. Zaczynał od kur i królików – ukręcał im łby. Dusił wałęsające się psy, koty. Obdzierał je ze skóry albo piekł żywcem na ognisku dla zabawy. Gęsi nie tyka. Robią za dużo hałasu i są wyjątkowo zwinne. Przez łabędzie sam omal nie zginął, ale musiał spróbować. Ma dwa na koncie. To była para. Potem przyszedł czas na większe zwierzęta: świnie, a ostatnio próbuje się z krowami. Przedstawicielki bydła upodobał sobie szczególnie, zwłaszcza te kasztanowe. Grunt, żeby odróżnić krowę od byka, uśmiecha się i aż skręca go z podniecenia, że nikt nigdy się o tym nie dowie. Przed zaśnięciem albo w szkole, kiedy nudzi się na lekcjach, lubi fantazjować o śmierci w konwulsjach. Ten moment, kiedy podchodzi, gładzi zwierzę delikatnie po łbie, patrzy w ufne oczy, a potem zakłada pętlę na szyję, zaciska. Coraz mocniej i mocniej.

W wyobraźni działa o wiele sprawniej niż w rzeczywistości i nie popełnia ani jednego błędu. Zapanowanie nad potężnym cielskiem jest łatwiejsze, znacznie szybciej wstrząsają nim drgawki, a on czuje się jak bóg, władca, mistrz świata. Zwycięzca, bo ciało ofiary nareszcie wiotczeje, pada u jego stóp, nieruchomieje. Jest jeszcze gorące, poddane mu, ale napięcie nie mija. Przeciwnie: członek pręży się, ogromny jak nigdy dotąd, domaga się spełnienia. Więc chwyta ten jeszcze ciepły krowi zad i robi swoje. Ostatnio tuż przed wytryskiem sięga po nóż.

Ostrzy go samodzielnie. Z pietyzmem. I od tamtej pory, zanim strzeli, przejeżdża gardło krowy jednym pewnym ruchem. Ostrze tnie miękką skórę, jakby smarował masłem kromkę chleba. Czuje na palcach spływającą gęstą krew. Wyobraża sobie, że gorąca jucha parzy mu palce, i w tym momencie kończy. Na chwilę traci kontakt z rzeczywistością. Odpływa. W głowie mu się kręci, świat wiruje. Zmysły wyostrzają się, jakby naćpał się wszystkich dragów świata. Wie już, że dla tej chwili gotów jest zrobić wszystko. Nic, żaden alkohol, klej czy prochy nie dają takiego haju. Choć pomagają zapanować nad drżeniem rąk.

Urywa gwałtownie wspominki i bierze się w garść, bo na skraju zagajnika dostrzega sylwetkę Pati. Długie, rozpuszczone włosy. Szorty ledwie zasłaniające pupę. Czerwone trampki niedbale rozsznurowane. Jedna podkolanówka figlarnie opada jej za kostkę. Bluzką z falbankami bawi się wiatr. Na plecach dziewczyna niesie tornister pełen książek. On swój przewidująco zostawił w domu, ale widzi, że Pati aż przegina – tak jest jej ciężko. Pomogę jej, decyduje. Nie odmówi mi przecież dżentelmeńskiej przysługi, a kiedy będę blisko, mogę poczuć woń jej potu. Ciekaw jest, czy tak jak krowa czująca zbliżającą się śmierć dziewczyna też zaczyna pachnieć inaczej, kiedy się boi.

Rzuca niedopałek w słoneczniki, bukiet chowa za plecami. Wychodzi na drogę. Liczy, że zrobi Pati niespodziankę. To najpopularniejsza dziewczyna w klasie. Chce, by na jego widok rozpromieniła się, zarzuciła mu ręce na ramiona i poprosiła, by ją pocałował. A potem zerżnął. Chciałby, żeby tak właśnie powiedziała. I dziś to się wydarzy – jest o tym przekonany.

Ale Patrycja na widok pryszczatego chłopca w powykrzywianych okularach, zatrzymuje się, bierze pod boki. On też jest zaskoczony: zniecierpliwieniem na jej twarzy, a potem jawną wzgardą, co go złości. Stara się jednak tego po sobie nie pokazać. Rusza żwawiej w jej kierunku i wkurza go, gdy Pati stara się go wyminąć.

– Czego chcesz? – rzuca dziewczyna wrogo, gdy równają się na ścieżce.

– Odprowadzę cię do domu. – Wyciąga rękę. Podaje kwiaty. – Chcesz, wezmę twój plecak. Pewnie ci ciężko.

Dziewczyna wybucha śmiechem.

– Co to za wiecheć?

Rzuca wiązankę na ziemię, prostuje się i przyśpiesza. Odchodzi, nie oglądając się za siebie.

On stoi oniemiały. Nie może znieść jej rechotu, chociaż się stara. Czuje, jak twarz mu purpurowieje, w płucach brakuje powietrza. Gniew przepełnia go aż po koniuszki uszu. Nie jest w stanie sobie z tym poradzić. Podnosi kwiaty, rozplątuje zieloną tasiemkę. Zakłada dłuższy koniec na przegub. Drugi chwyta w dłoń, prostuje. Bawi się nim, układa z niego pętlę. Patrzy za dziewczyną i wie, że jutro w szkole o jego upokorzeniu będą plotkowali wszyscy. Jako „nowy" i tak jest nieustannym obiektem kpin. W wyobraźni dzwoni mu chichot innych dziewczyn ze świetlicy, a na samą myśl o zgrywających się z niego chłopakach chce mu się wymiotować. Nie może na to pozwolić.

Dobiega do Pati, szarpie ją za ramię. Ona odpycha go.

– Odwal się, zboczeńcu!

Chwyta za jej tornister. Z łatwością powala ją na ziemię i przygniata swoim ciałem. Czuje, że jej pot pachnie intensywniej. Nagle Pati podnosi głowę. Wpatruje się w niego błagalnie jak krowa. Zamarła w bezruchu, panicznie się boi. On myśli z satysfakcją, że nie spodziewała się, jaki jest silny. Chwyta ją za ramię, ciągnie w słoneczniki. Ona prawie się nie rusza. Już nie walczy, nie krzyczy. Poddaje mu się, a on coraz wyraźniej czuje jej zmienioną, intensywną woń, która działa jak afrodyzjak.

Łodygi słoneczników drapią go po gołych nogach, ale to upajające, jakby wchodził wprost w głębiny żółtego oceanu.

Sufit z kwiatów zamyka się nad nimi jak baldachim. Są w kryjówce.

– Nie powiem nikomu. Nie rób mi krzywdy. Przepraszam, ja cię naprawdę lubię. – Pati krztusi się przez łzy, ale on stanowczym gestem zasłania jej usta, bo nie może znieść tej paplaniny.

Dziewczyna dusi się i nagle zaczyna wierzgać. Z całych sił próbuje się uwolnić. Nie może oddychać, słabnie. Chyba już pojęła, że jest za późno – myśli on i wolną ręką zarzuca jej na szyję pętlę z zielonej tasiemki matki. Zaciska z całych sił, rozpina spodnie. Zrywa jej spodenki, rozdziera bluzkę. Jej ciało drga, kiedy wyjmuje z kieszeni nóż i przeciąga po szyi. Nagle dochodzi.

Zapada upragniona cisza, a on już wie, że to jest znacznie lepsze od zabijania krów. Podnosi głowę, patrzy na wsiąkającą w ziemię spermę.

Słoneczniki falują na wietrze.

Część 2

TROLLING

Grace

poniedziałek (31 maja)

Wiał lekki wietrzyk, kiedy Ada weszła do parku. Trawniki ubarwione żonkilami wyglądały bajkowo. Wszystkie drzewa miały już zielone korony, a kasztanowce kwitły jak opętane. Szła główną alejką, wdychając głęboko powietrze i zatrzymując je w przeponie, by uspokoić się po dzisiejszej reprymendzie dowódcy, którą słyszała cała jednostka. To doprawdy cud, że nie straciła stanowiska. Gdyby nie błogosławiony w tej sytuacji szowinizm nadkomisarza Drabika, który wstawił się za nią i ujawnił ich układ, lecz założył, że jej niekompetencja wynikała z zaangażowania emocjonalnego i strachu o siostrę, dzisiejsza służba byłaby dla Ady najstraszniejszym koszmarem. Wcale nie chciała wracać o dziesiątej rano do domu, ale wiedziała, że granie kruchej i złamanej po traumatycznym doświadczeniu to jedyna droga ratunku. Tym sposobem chyba pierwszy raz w życiu była o tej godzinie w dzień powszedni w parku.

– Twój pies zjadł dwa bochenki chleba i wysrał się na rondzie! – Ledwie dosłyszała spomiędzy basów *1979* Smashing Pumpkins.

Zsunęła słuchawki na szyję i odwróciła się, nie dowierzając, że te słowa skierowano do niej.

Na ścieżce stała dziewczyna w szortach odsłaniających półdupki – zdecydowanie za krótkich jak na tę pogodę. Choć miała fizjonomię niewiniątka, w tym apetycznym ciałku aż buzowało od złości. Ada przyjrzała się jej ogolonej na zero głowie, wysokim sznurowanym butom, złotej zawieszce na szyi z napisem „Sabrina” i ustom przesadnie wydętym kwasem hialuronowym. To prostytutka. Czy nie warto z nią pogadać? – zastanawiała się. Uśmiechnęła się przymilnie, ale nie poskutkowało.

– W domu też nie spuszczasz w kiblu? – warknęła młoda. Ewidentnie miała zły dzień.

Cóż, poranek Ady też nie był najlepszy. Już szykowała się, by ustawić wredną dziwkę do pionu, ale zaraz pomyślała o ciele Mulatki w mieszkaniu zaginionej Beci, o Lei i Poli leżących w zakrwawionej trawie i innych dziewczynach, które są zagrożone atakiem Kosiarza. Sprzeczka o psią kupę wydała się jej nagle nieistotna.

– Gdzie to widziałaś? – Zdobyła się na spokój.

– Tam, gdzie to zostawiłaś – fuknęła smarkula i pociągnęła swojego maltańczyka bliżej stóp. Odeszła krokiem triumfującej złej królowej.

Ada przyłożyła dłoń do czoła, bo słońce raziło ją w oczy. Zakręciła się wokół własnej osi i nasłuchiwała perlistego szczekania, ale suczki nie było na horyzoncie.

– Grace! – zawołała.

Powtórzyła wołanie jeszcze kilka razy. Bez skutku.

Schowała do torby słuchawki, wyłączyła playlistę i biegiem wróciła do miejsca, które wskazywała dziewczyna w szortach. Nawoływała, biegała w kółko. Ludzie przyglądali się jej, dopytywali, jak wyglądał piesek i jak mogą pomóc.

– Biało-brązowa cavalierka – tłumaczyła kolejny raz i widziała bezradność w oczach przechodniów.

Kręcili głowami, pocieszali, że suczka się znajdzie, a jeśli ją zobaczą, dadzą jej znać. Będzie dobrze, wróci – słyszała nieustannie, ale nic nie mogła poradzić na to, że łzy strugami płynęły jej po policzkach. Czuła, że jest źle. Grace nigdy nie uciekała.

– Ma numerek – powtarzała łamiącym się głosem. – Gdyby ją państwo widzieli, proszę o telefon.

– Grace! Grace! – krzyczała rozpaczliwie, kręcąc się jak szalony bąk po parku.

Co jakiś czas wyciągała telefon i sprawdzała, czy nikt nie napisał wiadomości albo nie usłyszała dzwonka, ale wyświetlacz był martwy. Po godzinie bieganiny, zdyszana i spocona, opadła na ławkę przy fontannie. Serce jej waliło, na szyi czuła zaciskającą się obręcz lęku. Kochała tego pieska i nie wierzyła, że za chwilę będzie drukować plakaty, rozklejać je po drzewach, a przecież wiedziała, że to nigdy nic nie daje. Rasowe szczeniaki kradziono z rozmysłem, by sprzedać je za pół ceny. Jeśli szybko nie schodziły, trafiały na ulicę, a w najlepszym razie do schronisk. Ile takich zgłoszeń przyjęła na dyżurce? Grace dopiero jutro skończy osiem miesięcy.

Znów zerwała się, ruszyła biegiem do miejsca, gdzie widziała ją ostatni raz, ale nie miała już siły krzyczeć. Była zła na siebie, że zamyśliła się i straciła szczeniaka z oczu. Jeśli Grace się nie odnajdzie, to będzie jej wina.

– Czy to pani maleństwo? – usłyszała i aż podskoczyła z przestrachu. – Słyszałem, jak pani woła. Ma na imię Grace? Bardzo ładne imię. Faktycznie, wygląda na to, że to mała, słodka księżniczka.

Odwróciła się. Stał przed nią rosły mężczyzna. Znała go z parku. Mijali się czasem na ścieżce przy fontannie. Musiał w dzieciństwie cierpieć na jakąś chorobę, bo ciało miał powykrzywiane, a twarz – niegdyś urodziwą, o pięknej smolistej oprawie oczu i kanciastej szczęce – zniekształconą jak u Frankensteina. Maszerował jednak kilka razy dziennie, opierając się o kule dla asekuracji, i widziała nierzadko, jak ćwiczy na nowej siłowni, którą niedawno ustawiono na skraju parku, choć każdy ruch ewidentnie sprawiał mu ból. Teraz ten człowiek w dłoniach miał jej Grace. Kule trzymał pod pachą i z trudem zachowywał równowagę. Mimo tego pochylił się i postawił spaniela na ziemi.

– Dziękuję! Bardzo panu dziękuję! – zakrzyknęła, ocierając ukradkiem łzy.

Grace poszczekiwała cichutko. Wpatrywała się w swoją panią z uwielbieniem.

Ada chwyciła ją, przytuliła z całych sił. Poczuła ulgę, spokój i miłość. W tym momencie dotarło do niej, że bardziej dotknęła ją utrata pupila, którego traktowała jak własne dziecko, niż zaginięcie przyrodniej siostry.

– To nie moja zasługa – odparł ochryple mężczyzna. Stał już bezpiecznie o swoich kulach, a jego oczy się uśmiechały. – Jakiś człowiek ją znalazł i pakował do auta, kiedy go zauważyłem. Tłumaczył, że pytał ludzi, czy nie mają telefonu, żeby zadzwonić. Widziałem, że pani tutaj biega, więc zaoferowałem, że osobiście odniosę Grace, bo tak będzie szybciej. Nie chciał jej oddać, ale w końcu się zgodził. To wszystko. Tam parkował. – Wskazał ramieniem punkt w oddali. – Przy przedszkolu.

Ada spojrzała w tamtym kierunku, lecz nikogo nie dostrzegła. Coś ją tknęło.

– Dlaczego nie zadzwonił? – zaatakowała inwalidę. – I mówi pan, że trzymał ją przez godzinę? Ludzie wiedzieli, że jej szukam. Mógł ją wziąć pod pachę i przynieść. To nieduży park – dodała, ale zaraz się speszyła. Ten człowiek nie był niczemu winny. Starał się tylko pomóc.

– Może nie wziął komórki? – Mężczyzna wzruszył ramionami, ale poczuł się widać dotknięty, bo pośpiesznie poprawiał swoje kule i szykował się do odejścia. – Dobrego dnia i niech pani jej pilnuje. To słodki piesek. Widać, że panią kocha.

– Dziękuję panu! – powtórzyła. Ale zaraz dopytała: – Jakim samochodem jeździł?

– Nie wiem jakiej marki – odparł zdziwiony.

– Może pan opisać go dokładniej?

– Ten samochód? Był jasny. Chyba biały.

– Nie. – Ada pokręciła głową. – Faceta, który próbował zrabować mi psa.

Wzruszenie ramion. Śmiejące się oczy przysłonił cień irytacji.

– Normalnie zbudowany. Zdrowy. I w pani wieku – padło w odpowiedzi. – Nie uważam, żeby miał złe intencje. Miał czapkę z daszkiem na głowie i okulary słoneczne. Bez tych akcesoriów nie potrafiłbym go poznać.

Oddalił się szybko, jakby go obraziła.

Ada czuła się dziwnie zaniepokojona. Patrzyła za odchodzącym paralitykiem i biła się z myślami. Czy to on uprowadził jej psa i wymyślił porywacza, żeby zwrócić na siebie jej uwagę? A może to ona dostaje paranoi?

Grace łasiła się i poszczekiwała, co momentalnie rozciągało usta Ady w najszerszy uśmiech świata. Przegoniła złe myśli. Tak, zasłużyła na dzień dziecka. Zrobi sobie kąpiel, obeżre się truskawek i obejrzy ostatni sezon *The Affair*, bo nigdy nie ma na to czasu. Do wieczora nie przebierze się z piżamy, a gdy zapadnie zmrok, otworzy wino. Zresztą po co aż tyle czekać? Prosecco na śniadanie nikomu jeszcze nie zaszkodziło, mówiła sobie w myślach. Dziś zrobi sobie mały urlop. Zasłużyła. Ale kiedy tylko przypięła smycz do obroży Grace, biegiem ruszyła w okolice przedszkola. Wypadła na ulicę i szła wzdłuż zaparkowanych samochodów, dyskretnie przyglądając się, czy w żadnym z nich nie siedzi człowiek w bejsbolówce. Nikogo takiego nie dostrzegła.

W kilka minut dotarła do torów tramwajowych i już spokojniejsza ruszyła wzdłuż Filtrów do domu. Przed swoją kamienicą, na Rapackiego, zobaczyła białe clio. Kierowca musiał na nią czekać i widzieć ją we wstecznym lusterku, bo wysiadł, nim zdążyła podejść. Na głowie miał czapkę z daszkiem, na nosie ciemne okulary.

– Ty skurwielu – syknęła i w ostatniej chwili powstrzymała się, by go nie szarpnąć. – Jaja sobie robisz?

Grace zaczęła rozpaczliwie jazgotać i wyrywać się ze smyczy.

***

– Wstałaś lewą nogą czy masz taki sposób bycia? – zdziwił się Sobieski. – Ile razy się widzimy, rzucasz się na mnie z pięściami.

Podał jej pudełko z nadrukiem pobliskiej cukierni.

– Mieliśmy się na razie nie kontaktować, ale pomyślałem, że warto przegadać kilka spraw. Słyszałem, że cię jednak nie wywalili. Gratuluję.

Nie odezwała się. Stała w miejscu jak wmurowana.

– Halo! – Pomachał jej przed oczyma. – Mówi się...

Ada nie poruszyła się. Wpatrywała się w niego, jakby w przebraniu klauna wszedł do kościoła i dziwił się, że wierni się na niego gapią.

– Mała kawa? Herbata? W sumie jedno nie wyklucza drugiego. – Potrząsnął zachęcająco pudełkiem, ale miał wrażenie, że mówi do siebie. Czuł, że coś leży jej na wątrobie, a nie wiedział, co zrobił nie tak. Cały weekend jeździł na taksówce, żeby zaoszczędzić i dziś do niej przyjechać. – Nie zaprosisz mnie? Po tym wszystkim? – Nie dowierzał.

– Skąd wiesz, gdzie mieszkam?

Głos miała grobowy, zimny. Skrzyżowała ręce na piersiach, stanęła szerzej na nogach, jakby szykowała się do bójki.

– A więc to cię złości? – Uśmiechnął się pobłażliwie. – Nie tylko ty masz swoje kontakty. Sądziłem, że się ucieszysz. Mamy sztamę, tak?

– Nie.

– Nie? – Naprawdę się wkurzył. – Sądzisz, że oglądanie zwłok i słuchanie łzawych kawałków o zaginionej siostrze to dla mnie rozrywka? Dla ciebie naraziłem wuja na nielegalne oględziny i jestem tutaj, chociaż mi nakłamałaś, że robisz w narkotykach. W kryminalnym też nie ani nawet w dochodzeniówce. Tak, też cię sprawdziłem. Jesteś pieprzonym spottersem, który zna kiboli i ma być im znany. Siedzisz przy biureczku, skrolujesz fora dyskusyjne i udajesz kumpelę chuliganów. To by wyjaśniało, dlaczego rzucasz się z pięściami, zanim informacja dojdzie do mózgu. Nie, to nie. Ciao. Dobrego dnia!

Postawił pączki na chodniku i zawrócił do samochodu.

– Ile tutaj stoisz? – odezwała się wreszcie.

– Dwie pieprzone godziny.

– Na pewno?

– Chrzań się!

Wsiadł do auta i zaczął manewrować, by wyjechać spomiędzy słupków i stosu drewnianych palet. Starał się na nią nie patrzeć, choć podbiegła do okna i nachylała się, a jej biust zasłaniał mu jedno z lusterek.

– Możesz się przesunąć? – syknął przez zęby.

– Przepraszam, że nie powiedziałam prawdy – wyszeptała ledwie słyszalnie. – Dziś w parku ktoś próbował ukraść mojego psa, a rano dostałam zjebkę od przyszłego szefa i o mało nie posunęli mnie z firmy. To nie jest mój najlepszy dzień. – Umilkła i dopiero wtedy odsunęła się od samochodu.

Sobieski miał wreszcie doskonałą widoczność, ale nie odjeżdżał.

– Miałeś rację. Marzę o tym, żeby być znów w kryminalnym – dodała.

Podniósł głowę, przyjrzał się jej. Piersi falowały pod cienkim podkoszulkiem. Usta miała spierzchnięte, kręcone włosy w nieładzie. Jego głowa też była w nieładzie. Powinien odjechać, ale nie potrafił podjąć tej decyzji.

– Jak to, znów? – wyburczał.

– Byłam tam na stażu po szkole, ale ojciec dogadał się z moim ówczesnym dowódcą, żeby mnie przenieść za biurko. Oczywiście usłyszałam, że powinnam spróbować wszystkiego. Tata liczy, że się poddam i wrócę na studia, zrobię aplikację. Adwokacką, jasna sprawa, bo to jest kasa i prestiż. Wszystko zaplanował. Nawet męża mi znalazł. Na szczęście facet szybko się zniechęcił. – Odgarnęła włosy z twarzy. – Wykorzystałam fakt, że naczelnikowi kryminalnych cieknie na mój widok ślina, i zawarłam z nim układ. Pomagam im operacyjnie, a jeśli się wykażę, złożą na mnie zapotrzebowanie. Zgodzę się nawet na pół etatu. Teraz rozumiesz, dlaczego tak mi zależało, żeby wejść do mieszkania Beci?

Sądziłam i nadal sądzę, że zabójstwa mają jakiś związek z Morem. To, co ci mówiłam o Oziu, jest prawdą. Robię to dla nich po godzinach. Nic specjalnego, żadne niebezpieczeństwo, ale jak każdy dobry spotters potrafię nawiązywać przyjaźnie. Przykro mi, wiem, że Oziu to twój przyjaciel…

– Trochę razem przeżyliśmy, ale to dawne dzieje – wszedł jej w słowo i wjechał z powrotem na miejsce między paletami. Wyłączył silnik. Siedział chwilę w aucie, jakby coś głęboko rozważał. Wreszcie rzekł: – Dowiedziałem się czegoś.

– O Beci?

Wzruszył ramionami, a potem dodał z wahaniem:

– W jakimś stopniu musi to być z nią powiązane, skoro w jej chacie Kosiarz zostawił zwłoki modelki. Miał klucze albo został wpuszczony. Drzwi były zamknięte. Nie stwierdzono śladów włamania, ale to już chyba wiesz.

Ada była skupiona, poważna.

– Zidentyfikowali też kosmyk, który zabezpieczono na Kabatach przy ciałach sióstr Sapieg – kontynuował.

– Należy do mojej siostry?

Pokręcił głową.

– Do zabitej Mulatki?

– Do żadnej z nich. To włosy piętnastolatki z Giżyc koło Iłowa, zamordowanej w dwa tysiące ósmym roku. Jej sąsiad, podejrzany do tej sprawy, powiesił się w celi, zanim doszło do procesu. Nie zdążyli odczytać aktu oskarżenia.

Oboje milczeli przez dłuższą chwilę.

– Rozumiesz coś z tego? – Ciszę przerwał Sobieski. – Moim zdaniem nijak to się nie łączy z narkotykami albo Morem. Ten sąsiad to był zwykły pijak i damski bokser. Nie ma danych, czy choć raz w życiu był w Warszawie.

– Może Kosiarz z Kabat z nim siedział? – zgadywała Ada. – Tamten przekazał mu swoje trofeum, a ten po latach wyszedł i robi za *copycata*?

– W tamtej sprawie nie było takiego wątku.

– Skąd wiesz?

– Mój kumpel był wtedy szefem komisariatu w Iłowie. Zadzwoniłem do niego. Ta sprawa to jego obsesja.

– Dlaczego?

– Łuchniak od początku był przekonany, że sąsiad nie jest winien. Facet konsekwentnie zaprzeczał, a dowody były słabe. Nie wytrzymał presji, a może i współosadzeni mu pomogli? Teraz już się tego nie dowiemy. Ofiarą była niewinna dziewczynka, a sprawa swego czasu była głośna. Sama wiesz, że w pace obowiązuje swoisty kodeks. Łuchniak do dziś sobie wyrzuca, że gość nie żyje przez niego. Zresztą to nie wszystko. Zamordowana wtedy Patrycja miała starszą siostrę Kasię. Kiedy Katarzyna Chudaś skończyła dziewiętnaście lat – zaginęła. Nigdy jej nie znaleziono.

– Uważasz, że zabójca z Kabat i ten z Giżyc to ta sama osoba?

– Nie wiem – przyznał Sobieski. – Minęło trzynaście lat, a w tym czasie nie zaginęło w okolicy Iłowa więcej kobiet. To, co jest jednak pewne, to że Kosiarz poluje na siostry. Dziewczyna, którą znaleźliśmy martwą w mieszkaniu twojej Beci, ma bliźniaczkę. Widziałem je w piątek z Oziem, a wczoraj potwierdziłem, że były zarejestrowane w agencji Piorunki jako hostessy do wynajęcia. – Odchrząknął. – To oficjalna wersja. Zaczynam rozumieć, skąd twoja siostra miała tak dużo danych.

Ada chwilę się zastanawiała.

– Uważasz, że skoro Becia zaginęła, Kosiarz zapoluje też na mnie?

Skinął niechętnie głową.

– I dlatego stałeś tu dwie godziny?

Znów potwierdził.

Podniosła pudełko z pączkami. Otworzyła i powąchała.

– Z różą? – Uśmiechnęła się. – Moje ulubione.

***

Przez telefon powiedzieli jej, żeby włożyła jakąś ładną bieliznę, bo klienci wybierają dziewczyny oczyma. Przejrzała wszystkie majtki i biustonosze, ale nic się nie nadawało. Ostatecznie włożyła ulubione bikini w róże.

Stała teraz przed drzwiami całkiem zwyczajnego bloku i naciskała dzwonek. Bała się, że jej strój nie spodoba się szefowej, a i tak nakłamała już, że ma doświadczenie w masażu. Pocieszała się, że w ogłoszeniu napisano: „dziewczyny do przyuczenia", bo to znaczyło, że przyjmują też początkujące.

– Ty jesteś Jola? Ja mam na imię Ines.

Otworzyła jej dziewczyna mniej więcej w jej wieku. Brązowe włosy miała krótko ostrzyżone i gdyby nie dziobata twarz, można by ją uznać za skończoną piękność. Rysy miała szlachetne, a ciało bogini, chociaż była w zaawansowanej ciąży i nie ukrywała swojego stanu. Przeciwnie, dżinsy nosiła nisko opuszczone na biodrach, krótki top eksponował brzuch. Zbyt mocny makijaż uwydatniał blizny na twarzy zamiast je przykrywać, ale uśmiechała się szeroko, a z oczu patrzyło jej dobrze. Joli przez głowę przemknęło, czy Ines wciąż pracuje, bo na Garsonierze – portalu, na którym znajdowały się opinie klientów o prostytutkach – było wielu panów gustujących w ciężarnych. Jej samej wydawało się to odrażające. Bała się jednak spytać.

– Wchodzisz czy czekasz na fanfary? – zażartowała Ines i gestem zaprosiła nowicjuszkę do środka.

Jola przycisnęła torebkę do piersi, przestąpiła próg mieszkania i odetchnęła z ulgą. Żadnych pluszowych kotar w kolorze wina, stroboskopowego światła ani akcesoriów sadomaso. Lokal wyglądał zupełnie normalnie. Tanio, ale przytulnie: pastelowe ściany, lniane dywaniki na podłodze, wiklinowe meble. Jola poczuła się tak, jakby odwiedzała koleżankę ze szkoły.

Kiedy drzwi się zatrzasnęły i weszła do salonu, na jej powitanie wybiegł rozszczekany maltańczyk. Obwąchiwał jej stopy i powarkując, domagał się pieszczot.

– Sabrina, zabierz Hotdoga! – krzyknęła Ines. – Miałaś go trzymać u siebie. Klienci się zaraz schodzą.

Z pokoi synchronicznie wychyliły się dwie inne ostrzyżone na zero prostytutki. Jola zastanawiała się, czy nie mają tu przypadkiem epidemii wszy. Dziewczyny – ubrane tylko w kuse koszulki i majtki składające się głównie z pasków – nie wykazywały oznak onieśmielenia z powodu własnej nagości, a na nieprawdopodobnie wysokich obcasach poruszały się z taką gracją, jakby chodziły boso. Ta młodsza, przeraźliwie chuda, trzymała w dłoniach czarną perukę. Na widok Joli rzuciła ją w głąb swojego pokoju. Druga prostytutka była jej przeciwieństwem: dorodna, z wielkim biustem i pucołowatymi policzkami. Miała pewnie więcej lat niż matka Joli, ale wydawała się sympatyczniejsza. Na ostrzyżoną głowę założyła wściekle rudą koafiurę i spokojnie kontynuowała pochłanianie kanapki wielkości deskorolki.

– Poznaj Ruth i Sabrinę. Gdybyś miała pytania, laski ci podpowiedzą – zapewniła Ines, ale Jola była innego zdania.

Doświadczone dziwki taksowały ją od stóp do głów i miały zbyt przebiegłe miny. Z ich spojrzeń wyzierała zawiść. Jola odruchowo odgarnęła swoje długie, naturalnie czekoladowe włosy, które od zawsze uważała za swój największy atut, i postarała się uśmiechnąć, chociaż czuła, że w przeciwieństwie do Ines tym dwóm nigdy nie zaufa.

– Cześć – rzuciła. – Jak się macie?

W odpowiedzi usłyszała skrzypienie zamykających się drzwi. Maltańczyk dosłownie w ostatniej chwili zdążył się schować w pokoju tej chudszej.

– Otwieramy za pół godziny – ciągnęła Ines i wskazała szafę przy wejściu. – Tam masz czyste ręczniki i pościel. Kiedy przychodzi klient, pobierasz jeden komplet, a po jego wyjściu prasujesz prześcieradło. Chyba że jest mocno pobrudzone, wtedy dajesz do prania. Staramy się używać jednego przez cały dzień. Pralnię odliczam ci z dochodu.

Otworzyła łazienkę.

– Przed usługą klient powinien się wykąpać. Prowadzisz go do pokoju, zostawiasz i sama idziesz pod prysznic. Każda kolejna rozpoczęta godzina jest płatna. Tam masz zegarek.

Jola podążyła za nią spojrzeniem i spostrzegła kuchenny budzik w kształcie jajek. Identyczny miała w domu, więc wiedziała, że można go nastawić maksymalnie na kwadrans. Poczuła nagle, że to wszystko ją przerasta.

– Pilnuj czasu, bo Piorunka ma monitoring i nie myśl, że nie przegląda zapisów z kamer. – Ines wskazała paprotkę zawieszoną pod sufitem. – Masz buty czy ci pożyczyć?

Jola potwierdziła i wyciągnęła z torebki swoje najlepsze szpilki zapinane w kostce. Miały obcas o połowę niższy niż obuwie Ruth albo Sabriny.

– Jak trochę zarobisz, zainwestuj w coś wyższego. Obcas, koronki i dobry stanik to podstawa. Większość mężczyzn szybciej dochodzi, gdy ma na co popatrzeć. Za jakiś czas zrozumiesz, że to ma znaczenie. Nie wygrałyśmy cipek na loterii.

Jola odruchowo przycisnęła torebkę do brzucha. Musiała mieć przestraszoną minę, bo Ines wzięła ją za rękę.

– Przyszłaś tutaj dla pieniędzy, więc nie zgrywaj cnotki. Każda z nas kiedyś zaczynała. Ile masz lat?

Jola starała się rozciągnąć usta w uśmiech, ale zachciało jej się tylko płakać.

– Dwadzieścia jeden – wydukała.

– A nie wyglądasz – skwitowała Ines i rozdzieliła włosy Joli na dwa kucyki. – Spokojnie ustawiasz się w targecie nieletnich. Wykorzystaj to, zarobisz więcej. Taka świeżość se ne wrati – zażartowała, ale Jola się spłoszyła.

– Tak naprawdę dziewiętnaście – wyznała. – Jestem pełnoletnia.

Zrobiła krok w tył i po namyśle zaczęła grzebać w torebce, by pokazać dowód.

– Mnie to nie obchodzi. – Ines powstrzymała ją gestem. – Na przyszłość nie spuszczaj torebki z oka. Dokumenty i pieniądze chowaj pod łóżko, na którym pracujesz. Gdy wychodzisz, zabieraj je ze sobą. Raz ci ukradną i się nauczysz.

Jola nic nie odpowiedziała. Jej twarz przybrała kolor lodów pistacjowych.

– Jesteś urocza z tym wstydem. – Ines uszczypnęła ją w oba policzki aż zabolało. – Może na początku będziemy cię sprzedawać jako dziewicę? – Zachichotała.

Wskazała urządzenie przypominające mikrofalówkę.

– Zarobioną forsę za każdym razem wkładasz do sejfu. Sto pięćdziesiąt za klasyk, trzysta za anal. Każda usługa specjalna płatna stówkę więcej. Za całowanie licz dodatkowo i nie zgadzaj się na ruchanie bez gumki, dobrze radzę. Koszty leczenia zawsze przekraczają zyski, a co najgorsze – wypadasz z obiegu. No i szybko się rozniesie, że miałaś rzeżączkę albo inny syf, więc klienci będą omijali naszą agencję. Nie licz na współczucie, bo stracimy na tym wszystkie. Dla ciebie z tego jest siedemdziesiąt procent, hajs dostajesz do ręki codziennie wieczorem, więc jeśli przyjmiesz dziesięciu klientów jednego dnia, wyjdziesz stąd z miesięczną pensją sekretarki prezesa. A one i tak muszą dawać dupy. Tyle że za darmo. Jakieś pytania?

Oszołomiona Jola zdołała tylko pokręcić głową.

– To się przygotuj, bo zostało mało czasu – rozkazała Ines. – Teczkarze zaraz będą mieli przerwę na lancz i zacznie się ruch. Regularsów zapisujemy na wieczory. Przyniosłaś wódkę na wstępne?

Jola bezradnie pokręciła głową.

– Ja prawie nie piję – szepnęła.

Ines się zaśmiała.

– Nauczysz się – oświadczyła.

Wyjęła z kieszeni małą torebeczkę z białym proszkiem, wysypała na lusterko i podzieliła na cztery ścieżki. Wciągnęła sprawnie jedną z nich, podała Joli, ale ta odsunęła się przestraszona. Ines zapukała do pokoju, w którym szczekał maltańczyk, i przekazała lusterko.

– Śniadanko, na koszt firmy – zaświergotała. A resztkę narkotyku wtarła w dziąsła.

Jola bez słowa wpatrywała się w jej ciążowy brzuch.

– Kto to są teczkarze? – zdołała wydusić po dłuższej pauzie.

– Kolesie w garniakach, którzy wpadają na bzykanko między spotkaniami poza biurem. Zawsze mają teczkę i ciasno zawiązany krawat. Nie rób zbolałej miny, bo klienci szukają tu rozrywki, a nie męczeństwa! Są czyści, mają forsę i przychodzą regularnie. Lubią nowości, więc nie spal akcji. Przez pierwszy miesiąc, jako nieletnia dziewica, będziesz miała nawał klientów. Przy okazji i my skorzystamy. – Dotknęła włosów Joli i zaczęła je stroszyć, układać, jakby zabawiała się lalką. – Sabrina i Ruth już się opatrzyły, więc ponieważ wchodzisz do kolejki, nie weźmiesz każdego, kto zamówi ciebie. Inaczej te dziwki pożrą cię żywcem. – Puściła oko.

Rozległ się dzwonek, a Jola aż podskoczyła z przestrachu.

– W ramach mojej dobrej woli przydzieliłam ci pierwszego klienta. – Ines położyła jej dłoń na ramieniu. Zacisnęła, aż zabolało. – Łóżko masz zasłane, ręcznik też ci uprasowałam. Niech to będzie nasz prezent powitalny dla ciebie. Ode mnie, Ruth i Sabriny. Potem robisz to sama i nie zaszkodzi, jak w ramach koleżeńskiej pomocy przez pierwszy miesiąc oporządzisz też naszą pościel. Twoje dodatkowe obowiązki to zmywanie statków w kuchni i pilnowanie czystości kibla. Pomówimy o tym później. No już, idź się szykować. Skoro przyszedł tak rano, jest ostro nagrzany.

Jola skinęła głową w podzięce i ruszyła do przydzielonego jej pomieszczenia. Wsunęła torebkę głęboko pod szafę, szybko się rozebrała i usiadła na łóżku. Słyszała ściszone głosy, przetykane chichotem Ines, która przy mężczyźnie mówiła chrapliwie, jakby wchodziła na zwolnione obroty. Zdawało się Joli, że przejście z saloniku do jej numeru zajmuje facetowi wieki. Wyobrażała sobie, kim będzie: obleśny, śmierdzący typ w wieku jej dziadka czy młody zboczeniec dyszący jej do ucha jak pies?

W drzwiach stanął najprzystojniejszy, choć niezbyt wysoki, mężczyzna, jakiego kiedykolwiek widziała z bliska. Na sobie miał z dziesięć tysięcy euro, a w dłoni luksusową skórzaną teczkę. Tkanina, z której wykonano jego garnitur, lekko połyskiwała. Włosy – doskonale ostrzyżone i zaczesane do góry – utrzymywał w jednej pozycji pachnący wosk. Pomieszczenie wypełnił zapach kadzidła. Jola nigdy wcześniej nie czuła tak odurzających męskich perfum. Nie potrzebowała pytać, czym się zajmuje. Z daleka wyglądał na biznesmena, polityka albo wielką figurę. Nie mógł być jednak nikim znanym, bo jego twarzy nie rozpoznawała. Przez głowę przemknęło jej pytanie, dlaczego ktoś taki kupuje seks, ale to było tylko mgnienie, bo klient od razu przystąpił do dzieła i zaczął ją całować w usta, szyję, a potem ssać piersi. Była tak oszołomiona, że pozwoliła mu na stosunek bez prezerwatywy i nie policzyła dodatkowo za całowanie. To, co ją jednak przeraziło najbardziej, kiedy było po wszystkim, to fakt, że miała prawdziwy orgazm. Ze swoim chłopakiem Darkiem nigdy nie przeżyła nic tak intensywnego. Leżała teraz, czując, jak wypływa z niej jego sperma, bezskutecznie odsuwając od siebie poczucie winy. Zegarek w kształcie jajek wskazywał, że do końca zostało klientowi dziesięć minut. Otworzył oczy, ułożył się na łokciu i spojrzał na nią dziwnie, lecz nadal nic nie mówił.

– Chcesz się wykąpać? – Wskazała nieużywany ręcznik. – Pokażę ci, gdzie jest łazienka. – Zawahała się. – Jeszcze zdążysz. W przeciwnym razie będę musiała policzyć za kolejną godzinę.

– Zapłacę ci ekstra – rzekł, a tembr jego głosu sprawił, że Jolę przeszły ciarki. – Nie musisz nic robić. To tylko chwila.

Przekręciła w jego kierunku twarz.

– Nie wolno mi – szepnęła. – W ofercie jest tylko normalny seks. Ja nie… To mój pierwszy raz. – Urwała, bo Ines nie ostrzegła jej, czy powinna o tym mówić.

Wstał, podszedł do swojej teczki. Wyjął z etui chirurgiczne nożyczki. Wtedy zobaczyła, że na nogach i pośladkach ma blizny jak po poparzeniu.

– Trzy dodatkowe setki za pasmo twoich włosów. Co ty na to?

***

Jeśli mieszkanie cokolwiek mówi o człowieku, lokal Ady przypominał kataklizm z turbulencjami. Sterty ciuchów piętrzyły się na podłodze i częściowo przykrywały meble. Sofę zawalono książkami i papierami. W samym środku tego bałaganu prześwitywał designerski laptop, a pod kaloryferem stacjonowała armia pustych butelek po winie, piwie i aperolu. Jedna firanka z okna była zerwana, druga zwisała smętnie na kilku żabkach. Kiedy tylko przekroczyli próg mieszkania, pies Ady podbiegł i zaczął ją tarmosić.

– Miałaś włamanie? – spytał całkiem serio Sobieski, co policjantka skwitowała nieznacznym wzruszeniem ramion i ruszyła do kuchni.

Przez jakiś czas dobiegały stamtąd hałasy spadającego szkła oraz turlających się garnków. Wreszcie wyszła z tacą w rękach, na której pyszniły się zabytkowa patera z ułożonymi w piramidkę pączkami oraz lemoniada w karafce.

– Chwila, tylko zlokalizuję jakieś szklanki – oświadczyła, wręczając mu poczęstunek, i znów zniknęła w głębi mieszkania z okrzykiem: – Siadaj!

Tym razem słyszał huk lania wody, a po chwili z głośników poleciał rosyjski rap, który zgłuszył wszelkie odgłosy wraz z jego myślami.

Rozejrzał się, wciąż trzymając tacę w dłoniach, bo nie bardzo wiedział, gdzie miałby usiąść i ją postawić. Gdyby nie ten bajzel, mieszkanie byłoby jednym z piękniejszych, w jakich bywał. Nawet jego wybredny ojciec musiałby to przyznać. Mansardowe okna, dębowa trójkolorowa mozaika na podłodze, zabytkowe meble, a na ścianach sztuka. Jakub znał się na malarstwie mniej więcej w takim stopniu, jak na żeńskiej modzie, lecz czuł, że policjantka nie kupiła tych obrazów w pasażu handlowym Blue City ani na pchlim targu. Miał ochotę spytać o nazwisko artysty, bo wydawało mu się, że wyszły spod jednej ręki, ale bał się ośmieszyć. Zanim cokolwiek o nich powie, musiałby wpierw sprawdzić twórcę w sieci.

Na parapecie dostrzegł trochę miejsca wolnego od szmat i butelek, więc ustawił tam tacę. Obok poniewierał się rozdarty biustonosz, pudełko po wibratorze i otwarta paczka prezerwatyw, więc by nie zawstydzać nowej koleżanki, przykrył artefakty kolorową gazetą. Zajął najbliższe krzesło, z którego bezceremonialnie zrzucił mundur polowy i kilka satynowych koszulek nocnych.

– Sukces!

Ada pojawiła się znienacka i aż musiał przełknąć ślinę z wrażenia, bo miała na sobie jedynie neonowy top, który odsłaniał więcej ciała niż plażowe bikini jego żony. Nie miało znaczenia, że poza tym kawałkiem szmatki na górze nadal nosiła bojówki i ciężkie kamasze – wzrok Jakuba nieustannie wędrował w kierunku jej okazałego biustu.

– Wynajmujesz to? – zagaił, by zneutralizować trudności w koncentracji.

– No co ty? – obruszyła się. – To moich starych, a właściwie babci ze strony mamy. Zapisała mi w testamencie, ale jeszcze nie umarła, więc nie mogę nic zmienić. Z tego, co wiem, siedzi teraz na Bali. I tak sobie tutaj żyję, jak widzisz...

– Całkiem spoko – wysilił się na komentarz, po czym umilkł.

Zachęciła go, by poczęstował się pączkiem, a ponieważ pokręcił głową i sięgnął jedynie po napój, po chwili sama pochłaniała już drugie ciastko.

– Więc... – zaczęła, kiedy się nieco posiliła. – O czym chciałeś mi opowiedzieć?

Wytarła ręce o pasiastą tkaninę obicia krzesła à la któryś tam Ludwik.

– To trochę zajmie. Masz czas?

– Już się nie kryguj! – obsztorcowała go. – Skoro poświęciłeś pół dnia na wystawanie pod moim domem, uważasz, że mnie to zainteresuje. Poza tym nieczęsto ktoś mi grozi. Byłbyś łaskaw wyjaśnić, co wykombinowałeś?

Zdjął plecak. Wyszperał notatki.

– Nie chciałem cię straszyć – zaczął, ale ponieważ wzniosła oczy do góry, speszył się. – To tylko hipoteza.

– Dawaj to, bo zima nas zastanie.

Wyrwała mu dokumenty z rąk i zaczęła przeglądać. Było tam kilka wydruków z lokalnej prasy, przesłuchanie niejakiego Tomasza Nowosada i analiza patologa. Na samym końcu podpięto zdjęcie młodej dziewczyny. Ada zamarła.

– To tak jakby ja sprzed dziesięciu lat – wyszeptała, wpatrując się w kręcone włosy zmarłej i uśmiechniętą twarz z dołeczkami w policzkach.

– No – przyznał Sobieski. – Teraz rozumiesz?

– Nie – fuknęła. – Muszę najpierw to przeczytać.

– Nie ma tam wiele więcej niż to, co ci już powiedziałem. Patrycja Chudaś wracała ze szkoły przez las. Sprawca zaatakował ją, zaciągnął w pole słoneczników i zarżnął. Znaleźli ją dwa dni później. Nie została zgwałcona. W poszukiwania zaangażowana była cała wieś, a podejrzany aktywnie brał w nich udział. Wcześniej otwarcie umizgiwał się do niej, a facet miał żonę i dwójkę małych dzieci. Widać w zalotach nie przeszkadzało mu, że Patrycja jest nieletnia. Wcześniej był karany za znęcanie się nad rodziną. Jego żona dwa razy składała i wycofywała pozew o rozwód. Z tego, co mówi mój kumpel, Robert Łuchniak, kiedy ujawniono ciało Patrycji, dała mu alibi. Potem je jednak odwołała. Tym samym Nowosad poszedł do puszki.

– Uznała, że to okazja do pozbycia się męża kata?

– Albo wie coś, czego wtedy nie chciała ujawnić.

– Na przykład?

– Kobiety seryjnych sprawców często ich kryją. Nie mają złych intencji, po prostu nie chcą widzieć oczywistych faktów. Odsuwają je od siebie. Wypierają, zaprzeczają. I zazwyczaj jest to szczere. Wszystko po to, by się nie rozsypać. Nie mieści im się w głowie, że mogą kochać potwora – tłumaczył Sobieski. – Ted Bundy wpadł dopiero po tym, gdy zostawił ślad swoich zębów na pupie jednej z ofiar, ale ostatecznie pogrążyła go konkubina. Od początku wiedziała, że

Ted krąży po kraju i zabija. Nie tyle bała się na niego donieść, ile nie wierzyła, że jej podejrzenia mogą być prawdziwe. Bardzo długo broniła go przed znajomymi i rodziną.

Ada oddała dokumenty Sobieskiemu.

– Chcesz pojechać do Giżyc?

Wykonał nieokreślony ruch głową.

– Znaleźć żonę Nowosada, przesłuchać i de facto przeprowadzić nieoficjalne śledztwo? – doprecyzowała. – Hipoteza jest ciekawa, ale to raczej boczny wątek. Mieliśmy szukać Beaty. Wiesz, ile to nam zajmie?

– Masz coś innego do roboty? – zapytał i rozejrzał się po zabarłożonym mieszkaniu. – Z tego, co wiem, zawiesili cię do przyszłego tygodnia. Co będzie dalej, nie wiadomo. Gdybyś jednak wróciła do pracy z kompletem nowych danych, dla nich niedostępnych, twoja karta by się odwróciła. Witaliby cię w kryminalnym z otwartymi rękoma. Chyba że wolisz imprezować?

Wskazał świecącą sukienkę na stołku od pianina. Klapa była otwarta, a na klawiaturze stały dwa kieliszki do szampana. Jeden z nich był w połowie pełen.

Ada nabrała powietrza w płuca, wypuściła.

– Zostaw sobie te prywatne uwagi dla siebie, co?

Sobieski podszedł do pianina, zdjął z klawiszy wypełniony płynem kieliszek, postawił go na tacy, na której Ada przyniosła lemoniadę, i wrócił na swoje miejsce.

– Jak chcesz, ale to tylko aktualizacja twojej oferty.

– Jeżdżenie po mazowieckich wsiach?

– W tej chwili mamy przewagę nad głównym obiegiem – zauważył. – Twoja siostra jest już oficjalnie zaginiona. Szukają jej wszystkie jednostki i bezpieczniej dla nas obojga byłoby nie wejść im w drogę. Wiemy jednak więcej niż oni. W lokalu Beci zabójca zostawił zwłoki i to jest informacja dla ciebie.

– Dla mnie?

– Możesz mi przez chwilę nie przerywać? – zirytował się. – Skończę i będziesz miała czas na podjęcie decyzji.

– Oho, wydaje ci się, że nadal jesteś w służbie.

Sobieski zaczął zbierać swoje papiery. Wciskał je do plecaka ze złością.

– Hej, znów się fochujesz? – zaoponowała. Chwyciła go za ramię. – Tylko się z tobą droczę!

Wyrwał rękę i strzelił wściekłym spojrzeniem, aż się odsunęła.

– Ten facet już cię namierzył – rzekł. – Jak chcesz się droczyć, to radź sobie sama. Wstał i ruszył do drzwi, ale zaczepił o stertę książek i omal się nie przewrócił. Ada zaśmiała się nerwowo, zaraz jednak urwała.

– Przepraszam, już cię słucham. Po prostu trudno mi w to wszystko uwierzyć. Nie rozumiem, jaki mogę mieć z tym związek i o co mu chodzi – mówiła rwanymi zdaniami. – Głupio się zachowałam. Nie gniewaj się. Wystraszyłeś mnie – przyznała.

Odwrócił się. Przyjrzał się jej twarzy oświetlonej jedynie w połowie słońcem wpadającym przez okno i pomyślał, że gdyby teraz wyszedł, wróciłby do swojego nudnego życia i miałby o tysiąc kłopotów mniej. Dogadałby się z teściem albo znalazł inną przyczepę do zamieszkania. Może wypracowałby u Ozia tyle, że starczyłoby na lokal na Niepodległości, a może i by go zamknęli? W kiciu przez kilka lat nie musiałby się trząść o dach nad głową i los wybrałby za niego nową ścieżkę… Ale znał siebie i wiedział, że gdyby za jakiś czas przeczytał w internecie, że tej dziewczynie stało się coś złego, nie darowałby sobie do końca życia. Nagle poczuł, że powinien być przy niej, chronić ją, zaopiekować się, choćby tylko mieć na nią oko. Przecież ona jest jak duże dziecko…

– Ty niczego nie ogarniasz – jęknął. – Jak to się stało, że weszłaś do firmy?

Wzruszyła ramionami.

– Jestem plecakiem. Tak samo jak ty. Nasi ojcowie przetarli nam szlak i jakoś poszło.

– Mnie to tylko przeszkadza – oświadczył, a kiedy spotkali się wzrokiem, pojął, że pierwszy raz się rozumieją.

Nic bardziej nie jednoczy ludzi jak wspólni wrogowie. W jego przypadku to był ojciec. Jak jest u Ady? Nie miał jednak śmiałości teraz o to spytać.

– Opowiedz mi to jeszcze raz – poprosiła, wskazując krzesło, na którym siedział.

– Czego nie rozumiesz?

– Wielu rzeczy. – Zawahała się. – Na początek: jaki ty masz w tym interes? Chodzi o przejęcie mieszkania z AMW czy chcesz mnie zerżnąć?

Zmarszczył się, jakby w ramach poczęstunku podała mu zgniliznę.

– Nie wiem, z kim ty się zadajesz – zaprotestował niemrawo, ale zaraz machnął ręką, bo trafiła w sedno.

Uśmiechnęła się, jakby czytała mu w myślach.

– Możemy nie rozwijać tego wątku? – poprosiła.

– Martwię się o ciebie – odparł z pochyloną głową, ale zaraz podniósł wyżej podbródek. – Z zasady nie trawię gości, którzy krzywdzą kobiety. Kwalifikują się za kratki. Tyle z moich motywacji. Mieszkaniem też bym nie pogardził, wiesz, że to prawda. Nie musi być taki wypas jak twoje. Starczy mi, żeby była woda w kranie i szczelne grzejniki. Drugiej zimy na działkach chyba nie przeżyję.

Roześmiała się.

– Wreszcie mówisz z sensem.

Sobieski zawrócił i usiadł obok niej. Znów sięgnął po swoje notatki. Podał Adzie, a ta je przekartkowała.

– Na ten moment są cztery ofiary. Lea i Pola Sapiegi, modelka Abioli Rosołowska, czyli jedna z bliźniaczek z agencji Piorunki, i Patrycja Chudaś – dziewczynka z Giżyc. Plus zaginiona Beata Kowalczyk, twoja przyrodnia siostra.

– Pod warunkiem że zaginięcie Beci ma związek z zabójstwami – przerwała mu. – No i starej sprawy nie łączy nic poza kosmykiem włosów.

– Rzecz w tym, że to włosy są tutaj łącznikiem. Zostawia je jako zapowiedzi następnych zbrodni. Nie widzisz tego?

– To twoja hipoteza. Nie wiemy, czy słuszna.

– I nie dowiemy się, póki nie odwiedzimy mojego kumpla, który prowadził tamto dochodzenie – zgodził się Sobieski.

– Nie lepiej pochodzić po tutejszych agencjach i wziąć na spytki dziwki, które znały Sapiegi i Rosołowską? Najszybsza droga do celu to linia prosta.

– Stołeczna dokładnie teraz to robi. Natkniemy się na któregoś z twoich kumpli i pozamiatane. Źródła spalone, a po wtopie z ciałem modelki bankowo wezmą nas pod lupę. Mało mamy kłopotów?

– Wbrew pozorom ja znacznie mniej niż ty – parsknęła. – Nie rozumiem, dlaczego chcesz zaczynać od starej sprawy.

– Łuchniak nie chciał gadać przez telefon, ale zaszyfrowanym plikiem przysłał mi protokół z oględzin.

Sięgnął do plecaka po iPad i pokazał Adzie skan dokumentu.

– Nowosad się nie przyznawał, ale presja wykrycia była ogromna, więc go zamknęli. Powiesił się w celi, jak ci już mówiłem. Wtedy nie zabezpieczyli jego spermy, a niedopałek, który znaleźli w okolicy odkrycia ciała dziewczynki, nie był zgodny z DNA Nowosada. Gdyby jednak pasował do wyskrobin spod paznokci Lei Sapiegi i tego, co mają po zebraniu śladów w domu Beci, zabłyśniesz na najbliższej odprawie. Możemy wiedzieć o tym wcześniej niż oni, bo Niko dał swoje próbki do analizy. Ma komplet paluchów, włókna. Wykorzystajmy to, skoro już tak głęboko w to wdepnęliśmy.

– Daj mi przeczytać.

Zaskakująco szybko wyszukała okulary w stercie papierów koło komputera.

– W razie czego masz dzisiaj czas? – Urwała i zaczęła pisać esemes. – Czekaj, tylko sprawdzę, czy matka przejmie Grace.

– Jasne – odrzekł zadowolony. – Jestem wolny dzisiaj, jutro i pojutrze. I tak jestem bezdomny.

***

Dom komisarza w stanie spoczynku Roberta Łuchniaka znajdował się na skraju wsi Giżyce. Od miejsca odkrycia ciała piętnastoletniej Patrycji Chudaś dzieliły go tylko dwa pola słoneczników oraz mały lasek. Zdecydowali, że pójdą na piechotę i w tym czasie porozmawiają bez świadków.

Policjant był tak mocno opalony, że aż schodziła mu skóra. Ciało miał nieduże, lecz sprężyste – do złudzenia przypominał jaszczurkę. Czekał na nich z segregatorem dokumentów ułożonych według dat i obiadem z trzech dań przygotowanym przez jego dwa razy większą żonę o twarzy jak księżyc w pełni. Zanim ruszyli, musieli wszystko zjeść – wraz z domową szarlotką i tortem bezowym do wyboru. Kompot z rabarbaru dostali w termosie na wynos.

– Robi boi się urządzeń. Wszędzie widzi szpiegów. Taśmy, nagrania, podsłuchy. – Łuchniakowa śmiała się nerwowo. – Idźcie w pole. Tam pogadajcie. Inaczej będzie dukał i oglądał się na każdego piejącego koguta.

Maszerowali w pełnym słońcu, więc pod pachami Sobieski miał zaraz ślady w kształcie Somalii. Dziwił się, że Ada się nie poci, lecz był zadowolony, że jest zaskakująco milcząca. Słuchała komisarza Łuchniaka z uwagą, a kiedy co jakiś czas się odzywała, w jej tonie pobrzmiewał szczery respekt wobec starszego stopniem kolegi. Opowiedzieli mu o wydarzeniach w stolicy i swoich podejrzeniach, a policjant kiwał głową, jakby rozumiał więcej niż oni. Dotarli wreszcie do pastwiska, na którym leniwie wygrzewały się w słońcu krowy.

– Tutaj ją znaleźliśmy. Leżała w zgniecionych słonecznikach jak w gnieździe – oświadczył, wyciągając papierosa i odłamując z niego filtr. – We wrześniu minie trzynaście lat od jej śmierci. W zeszłym roku w naszym kościele jak zwykle była za nią msza. Poszedłem z żoną i dzieciakami. Ludzi było tyle, że stali nawet na podjeździe. Obserwowałem, czy nikt nowy się nie pojawi, bo wiadomo, że oni czasem wracają fantazjować, ale byli tylko nasi. – Łuchniak zawahał się, jakby chciał coś dodać, ale ponieważ pytanie nie padło, kontynuował: – Znałem Chudasiów, zarówno ojca Patrycji, jak i dziada. Obaj byli wtedy mocnymi chłopami. Podkowy mogli giąć, a kowalstwem artystycznym parali się dla frajdy. Siła brała się z tego, że całe życie pracowali na roli, a ponieważ nie tylko ciało mieli tęgie, ale i łby, gospodarkę zbudowali przemysłową. Teraz interes przejął najstarszy syn. Pozostali pracują dla niego. Tylko jeden – Damian – wyjechał na studia. Mówią, że nie skończył filozofii czy innego kulturoznawstwa i założył jakiś biznes. Rzadko przyjeżdża. Ostatni raz widziałem go na rocznicy śmierci Pati. Najstarszy Chudaś zmechanizował się, postarał o dotacje z Unii i dobrze sobie radzi. Tamtego dnia to do mnie jako pierwszego Chudasie przybiegły z prośbą, żeby wszcząć poszukiwania małej. Miałem wtedy urlop. Cały dzień siedziałem na polu. Zrąbany byłem jak cholera. – Przerwał.

Zatoczył ramieniem okrąg. W milczeniu wpatrywali się w bajkowy krajobraz. Czerwone słońce chowało się już za horyzont.

– Nie zapomnę tego widoku nigdy – zapewnił Łuchniak. – Mniej więcej o tej porze dnia odkryliśmy zwłoki. Wiesz, jak długo czekałem na tę chwilę, Kubuś? – zapalił się nagle. – Bo ja tam gdzieś w głębi serca zawsze wiedziałem, że to nie Nowosad zabił. To był luj, pijak i zasadzał się na młode dziewoje – fakt, ale żeby zrobić to, co tamten zrobił, trzeba mieć jeszcze bardziej zryty beret. Czy mówiłem ci, jak po latach ludzie gadali, że już wcześniej ginęły na pastwiskach krowy? Zabójca ćwiczył najpierw na zwierzakach. Nie od razu wziął się do Pati. A kilka lat później z egzaminów na studia nie wróciła jej siostra Kasia. Mówiono, że coś jej się stało w tej Warszawie, ale dotarłem do wszystkich pasażerów, przesłuchałem każdego jej kolegę i absztyfikantów. Ona nie wsiadła do tego pociągu! Ale do tego też dojdziemy – podkreślił.

– Przesłuchaliście wszystkich? – włączyła się Ada.

Łuchniak pokiwał głową.

– Każdego z osobna sam przesłuchiwałem. Byłem wszędzie. Wszystko sprawdziłem. Ciśnienie z góry było takie, żeby Nowosada zamykać, choć im mówiłem, że nic, ale to nic poza tymi podrywami wcześniejszymi na niego nie mamy. Co gorsza, może i między nimi do czego doszło? Pati była ładna, dobrze rozwinięta jak na swój wiek i nie była dziewicą, choć tego nie rozgłaszaliśmy. Ktoś ze wsi widział ją rozmawiającą z Nowosadem za stodołą, inny na zabawie podpatrzył, jak się obściskiwali. No, dość powiedzieć, że Nowosad miał najlepszy motyw, a w każdym razie szefostwu pasował jako sprawca. Kiedy go zatrzymaliśmy, płakał, zaprzeczał i szybko się załamał. Żonka najpierw dawała mu alibi, ale potem je wycofała. Latami dręczył ją i pastwił się nad dzieciakami. Były też inne baby. Mówiono, że odwołała zeznania, bo chciała się go z domu pozbyć. Spokój już mieć. Nie minęły dwa miesiące, jak Nowosad w kiciu się wyhuśtał. Zaraz potem ze wsi wyjechała jego żona. Sprzedała ziemię, chałupę i uciekła. Nie wróciły ani ona, ani jej dzieciaki. Nikt nie wie, gdzie teraz żyje. Wcale się jej nie dziwię. Tutejsi są specyficzni. Mściwi. – Przerwał. Powiódł spojrzeniem po gościach. – Zwróćcie uwagę, że Pati nie została zgwałcona. Czy taki erotoman jak Nowosad powstrzymałby się przed gwałtem? No nie, od początku mi się to nie składało. Zabijał ktoś inny.

– Przesłuchiwałeś go?

– Trzy razy. Raz w domu, drugi na komendzie i trzeci w paczce. Wtedy już tylko płakał.

– Mówił coś o kosmyku włosów? – zainteresował się Sobieski. – Opowiadałem ci o Kosiarzu. To jego sygnatura.

– Nic takiego się nie pojawiło. A czy Pati miała wystrzyżoną głowę? Nie wiem. W tamtym czasie nie robiło się jeszcze dokumentacji fokusującej. Mieliśmy tylko nagranie z kamery VHS. W aktach prokuratury znajdziecie kopię, jeśli byłaby przydatna. Niestety jej nie przegrałem. Ale cały materiał tej sprawy w papierze skopiowałem przed odejściem i na pamięć znam każdy świstek. Nie znaleźliśmy narzędzia zbrodni. Nie ustalono, czym ciął. Zakładam, że to był cienki nóż. Bardzo ostry, specjalistyczny.

– Lancet?

– Raczej nóż do tapet, kartonu. Dobrze, że nie umierała długo...

Zatrzymał się i pociągnął ostatni mach papierosa, a potem rzucił go na ziemię, przydeptał.

– Więc jesteś pewien, że Nowosad nie był zabójcą?

Łuchniak skinął głową.

– Gdyby on to zrobił, pobiłby ją pięściami albo zatłukł kamieniem. Rozbiłby twarz na miazgę, zgwałcił i schował. To zupełnie inny typ. Naczytałem się od tamtej pory o sprawcach seksualnych, a i w sieci jest teraz dużo więcej. Żałuję, że Nowosad wyzionął ducha, bo to nie on.

– Masz pomysł kto?

– Myślałem i myślę nad tym do dziś. A jak zadzwoniłeś, to jeszcze raz znów wszystko przeczytałem, żeby nie wrzucić was na lewe sanki – zapewnił komisarz. – Ten niedopałek, cięcie na szyi, ale też bruzda, jakby chciał ją wpierw udusić, a jednak nie dał rady, rozmyślił się albo zmienił zdanie... A może robił to dla przyjemności, żeby bardziej cierpiała? Dużo później, kiedy Nowosad już nie żył, a media skupiły się na nim jako sprawcy, choć proces przecież nigdy się nie odbył, rozmawiałem z Alfonsem Dylą, naszym lokalnym mistrzem grzybiarstwa...

– Jest coś takiego? – zdziwiła się Ada.

– A pewnie. Są konkursy, fora, kluby. Grzybiarze są tutaj bardzo doceniani. Mają swoje święto. Odbywa się w październiku, a wójt rokrocznie funduje puchar i Alfons wiele razy go zdobywał. To już wtedy był leciwy dziadzio, popijał i nie braliśmy jego zeznań poważnie.

– Widział sprawcę? – przerwała mu niecierpliwie Ada.

– Nie, ale w tamtym lasku, pod gałęziami, widział tego dnia rower. Nie ustawiony otwarcie przy drzewie, jak robią ci, którzy szukają grzybów. Ten ktoś nie chciał być widziany. To była młodzieżowa damka. Nowa, niezdezelowana. Dziadek Alfons wyznał, że tak mu się spodobała, że nawet rozważał, czy jej nie zabrać. Ostatecznie tego nie zrobił. Uznał, że jest zbyt charakterystyczna.

– Ustaliłeś, do kogo należała?

Kręcenie głową.

– Szukaliśmy jej wszędzie. W tamtym czasie znałem tutaj każdy kamień. Ale to, że zniknęła, upewniło mnie jedynie, że to nie Nowosad.

– Chyba że dziadzio kłamał – zauważyła Ada.

– Tak też odpowiadał mi szef, kiedy prosiłem o ludzi do przeczesywania terenu. Dokładnie tymi słowy – poskarżył się Łuchniak.

Zapadło milczenie.

– A niedopałek?

– Nie wzięto go pod uwagę. Prokurator twierdził, że został zabezpieczony za daleko i mógł tam leżeć od kilku dni. To był parliament z pustą fifką, kojarzycie? W tamtym czasie nikt z tutejszych nie palił tych fajek. Kosztowały dwa razy drożej niż viceroye czy red & white'y. Nawet marlborasy były od nich tańsze.

– Dostępne były tylko w sklepie bezcłowym – zauważył Sobieski. – Kobiety je paliły. Na Ukrainie to był taki mały szpan.

Łuchniak w odpowiedzi wzruszył ramionami.

– Ukraińców nie było, a przyjezdnych wszystkich przesłuchałem. Znów ślepy zaułek.

– Ale masz jakąś teorię? – dopytała Ada. – Kogoś musiałeś podejrzewać?

Łuchniak powoli skinął głową.

– I tak było. Tyle że nigdy nie znalazłem dowodów.

Ada i Jakub zatrzymali się. Wpatrywali się w emerytowanego komisarza.

– Na jeden sezon przyjechał do nas nowy weterynarz – doktor Samosiejka. Jego żona Arleta Szlachta chorowała terminalnie, ale już nie pamiętam, co jej było. Ona była stąd. Miała syna, będąc starą panną, a doktora Samosiejkę poznała korespondencyjnie przez agencję matrymonialną. Przyjechał, pożył z nią tutaj pół roku i zaraz po jej śmierci wrócił do Warszawy. Dom Szlachtów do dziś stoi pusty.

Płonął, to ugasiliśmy, a teraz niszczeje. Nikt tego nie pilnuje, nie odwiedza. Wcześniej dzieciaki siadywały tam z klejem do wąchania albo browarem, ale teraz chyba strach, bo zadaszenie w każdej chwili może się zawalić.

– Sprawdziłeś tego weterynarza? – zainteresował się Sobieski. – On mógł mieć mnóstwo ostrych specjalistycznych narzędzi.

– I palił parliamenty – dodał Łuchniak, nabierając zawczasu więcej powietrza w płuca. – Ale w czasie, kiedy zamordowano Patrycję, Samosiejka był w Iłowie. Ratował po wypadku konia wyścigowego i potwierdziło to chyba z piętnaście osób. Znów pudło.

Zaczęli wracać. Łuchniak z ociąganiem podjął przerwany wątek.

– Pomyślicie, że zwariowałem, ale powiem wam, bo gnębi mnie to już tak długo, a może ta informacja przyda się wam albo ją wykluczycie... Pasierb weterynarza miał wtedy tyle lat co Pati. I był jednym ze świadków. Zeznawał, pomagał przy poszukiwaniach i angażował się podczas pogrzebu. Niósł z kolegami jej trumnę, a na cmentarzu ostatni położył wiązankę polnych kwiatów. Zapamiętałem to, bo podobną widziałem na drodze, kiedyśmy ją znaleźli.

Zatrzymali się. Nikt się nie odzywał. Łuchniak mierzył ich chwilę spojrzeniem, a potem dodał:

– Jakiś tydzień przed dniem, kiedy Pati została zamordowana, Samosiejkę odwiedziła siostra. Przywiozła pasierbowi rower. To była nowiutka damka.

Ada wymieniła spojrzenia z Sobieskim.

– Ten rower zaginął. Rozpytywałem o niego w szkole i zagadywałem dzieciaki. Zajrzałem do każdej tutejszej szopy. Nic, nawet szprychy.

– Rozmawiałeś z synem weterynarza?

Łuchniak pokręcił głową.

– Tylko z ojcem. Samosiejka twierdził, że ktoś ukradł ten rower spod sklepu. Nie uwierzyłem mu. Miejscowi zaraz by wiedzieli, kto go podiwanił. Poza tym dlaczego weterynarz nie zgłosił kradzieży? To był nowy rower. Zapewne sporo kosztował. I jakimś dziwnym trafem zapadł się pod ziemię zaraz po tym, jak dziadek Dyla rozgłaszał miejscowym, że widział rower mordercy w krzakach.

– Chcesz powiedzieć, że Pati zabił kolega ze szkoły, a jego ojczym o tym wiedział i mimo to go chronił? – zaczął Sobieski i urwał, bo Łuchniak podniósł dłoń, by umilkł.

– To jeszcze nic – dokończył. – Kiedy trzy lata poźniej zaginęła siostra Pati, miejscowi widzieli Artura na dworcu kolejowym. Byli z nim dziewczyna i wybitnie przystojny młokos. Wójt potwierdził, że Artur Szlachta był w gminie. Przyjechał odwiedzić grób mamy i przy okazji uregulował zaległe podatki. Może mijałem go, jak szwendał się po okolicy, ale go nie poznałem. Musiał się bardzo zmienić. Ludzie mówili, że ufarbował włosy.

***

– Gdyby to okazało się prawdą, pasierb weterynarza byłby najmłodszym sprawcą seryjnym w tym kraju – zauważyła Ada, kiedy siedzieli już z Jakubem w samochodzie i jechali zobaczyć opuszczony dom Szlachtów.

Oboje byli wstrząśnięci rozmową z Łuchniakiem, a policjantka nie kryła ekscytacji.

– Miał ledwie piętnaście lat, kiedy pierwszy raz zabił. Dziś skończyłby dwadzieścia osiem. Jeśli wziąć pod uwagę interwał między zabójstwami, na koncie może mieć wiele ofiar.

– To tylko teoria – gasił jej zapał Sobieski. – Nie zbadali młodego pod kątem niedopałka. Poza wiązanką kwiatów, rowerem i przeczuciem Roberta, który, przyznasz, ma lekkiego hysia na punkcie tej sprawy, nic na Szlachtę nie wskazuje.

– A jego pojawienie się w Giżycach w dniu zaginięcia siostry Pati?

– No cóż, to mógł być każdy – westchnął Sobieski. – Pamiętaj, że Łuchniak jest stąd i założę się, że od lat kolportuje miejscowym tezę o młodocianym zabójcy. Niewyjaśnione sprawy często obrastają legendą. Ludzie chcą znać rozwiązanie. Jeśli go nie ma, dopasowują tropy, żeby historia wydawała się spójna. Poza tym gdyby facet w dalszym ciągu mordował, media by o tym informowały. Czy przed zabójstwami na Kabatach słyszałaś o podobnym modus operandi?

– Może był za granicą albo siedział za coś innego? – Ada broniła swojej wersji. – Łatwo będzie go wykluczyć. Wrzucę go do bazy, wezwę na przesłuchanie i poproszę o dobrowolne oddanie próbki.

Sobieski milczał. Prowadził ostrożnie, bo clio miało niskie zawieszenie, a droga była wyboista i powoli zapadał już zmrok. Kiedy w oddali zamajaczył kształt jak z horroru, nie mieli wątpliwości, że dotarli na miejsce.

– Czarna chata – odezwała się Ada i przeklęła głośno. – Ciemno jak oko wykol. Masz jakąś latarkę?

– Trzy do wyboru.

Zatrzymał wóz, podszedł do bagażnika.

– Cieszę się, że cię posłuchałam. – Ada nieoczekiwanie zaczęła się przymilać. – Jeśli to wypali, przywrócą mnie do wydziału szybciej, niż się spodziewałam.

– Gdyby to było takie proste, Łuchniak dawno by to rozwiązał. – Sobieski był sceptyczny.

– Nie miał wcześniej podstawy. Wystarczyłoby, że facet się ukrył, nie odbierał wezwań i klapa. – Ada rozłożyła ręce w geście udawanej bezradności. – Ale zapominasz, z kim masz do czynienia! Jestem mistrzynią w znajdowaniu danych w sieci i nawiązywaniu kontaktów.

– Uff, to mnie uspokoiłaś.

– Poza tym ten Artur Szlachta ma przecież PESEL. Najchętniej wracałabym już teraz i wrzucała go do bazy. Jakoś zbajeruję naszego dyżurnego, żeby jeszcze dzisiaj wpuścił mnie do biura.

– Nie zostajemy do jutra? – zdziwił się Sobieski. – A rozmowa z rodziną zabitej nastolatki i przesłuchanie żony Nowosada?

– Kobieta wyjechała. To jak szukanie igły w stogu siana. – Ada machnęła ręką. – Jeśli chodzi o rodzinę, najpierw przeczytam akta.

Sobieski nie odpuszczał.

– I jeszcze ten grzybiarz… Pogadałbym też z nauczycielką w szkole. Może pamięta Szlachtę? Zdalnie nie możesz go wyszukać?

– Wyobraź sobie, nie. Gdyby sytuacja była inna, dałabym cynk komuś z wydziału, ale ponieważ już i tak wiszę na liście rezerwowej, wolałabym nie ryzykować.

Podał jej swój polar.

– Ochłodziło się.

Włożyła, nie dziękując.

– A tutaj co chcesz robić? – dopytała, ziewając. – Ślady będziesz zbierał, czy co?

– Rozejrzymy się.

Ruszył w kierunku powalonego płotu. Ada stała chwilę, ociągając się, aż wreszcie skierowała snop światła na trawę i poszła jego śladem.

– Dalej w las już nie mogli ustawić tej chatyny – narzekała. – Przecież tutaj nie da się podjechać.

– Boisz się?

– A co, chcesz mnie utulić?

– Marzę o tym od samego rana.

– Chciałbyś – mruknęła ze śmiechem, a potem nagle krzyknęła i przewróciła się.

Sobieski podbiegł, by jej pomóc. Oświetlił skrzywioną z bólu twarz i wydała mu się makabryczna, więc natychmiast skierował latarkę na podłoże. U stóp Ady leżała żerdź. Wyglądała na kawał drzewa, które rozharatał piorun. Wokół porozrzucano więcej takich kawałków, a gdzieniegdzie Jakub dostrzegł też metalowe pręty. Błysnęło szkło. Przez chwilę poczuł, jak krtań mu się zaciska, wróciły obrazy z Ukrainy i chciał zawracać. Ale co miał powiedzieć Adzie? Że przestraszył się zwalonego drzewa oraz dostał jazdy, że to pole jest zaminowane? Schylił się niżej, by nie dostrzegła lęku w jego oczach.

– Kostka – szepnęła. – Kurwa mać, aż chrupnęło.

Kucnął i pomógł jej rozmasować nogę. Już po pierwszym dotyku czuł, że kobieta przesadza. Mimo to spytał:

– Możesz ruszać?

– Chyba – odparła przez zaciśnięte zęby. – Puchnie?

Pokręcił głową. Podał jej obie dłonie, by wstała. Kiedy się podnosiła, patrzyła mu prosto w oczy i zdawało mu się, że lekko się uśmiecha.

– Napiłabym się wina – oświadczyła.

– Później. Trzymaj się blisko mnie i patrz pod nogi – pouczył ją.

Ruszyli. Jakub czuł, że Ada trzyma się jego kurtki, poruszał się więc wolniej i starał się ją asekurować przed leżącymi wszędzie pieńkami. Tym sposobem pokonali polanę i dotarli do chaty, która przypominała zbutwiałą purchawkę. Dach zapadł się w środkowej części, okna nie miały szyb. Wewnątrz grasowały jakieś zwierzaki i ptactwo, bo zmykały na boki od światła. Ściany były osmolone, miejscami dziurawe. Prześwitywało przez nie rozgwieżdżone niebo. Chociaż Łuchniak twierdził, że do pożaru doszło wiele lat temu, Sobieski w nozdrzach miał woń spalenizny.

– Chyba nie zamierzasz tam wchodzić? – zaniepokoiła się Ada, ale Jakub już kierował się do drzwi. – To może się zawalić.

– Tylko zajrzę i wracamy.

– Po co? – stęknęła, ale zaraz stwierdziła, że mówi do siebie, bo Sobieski już zniknął wewnątrz budynku. Poczuła się dziwnie, jak na planie horroru dla młodzieży. Rozejrzała się. Wokół ani żywego ducha.

– Kuba? – krzyknęła.

Nikt jej nie odpowiedział.

– Kubuś! – podniosła głos.

Powtórzyła wołanie jeszcze kilka razy, coraz rozpaczliwiej. Aż podskoczyła, kiedy zaszedł ją od tyłu.

– Bałaś się. – Sobieski się zaśmiał.

Ada ledwie łapała dech. Za nic jednak by się nie przyznała, że w tej jednej chwili omal nie umarła ze strachu.

– To tylko fasada. Budynek faktycznie stanowi zagrożenie. Jedna porządna wichura, a runie jak domek z kart. Może wtedy wyzbierają budulec na podpałkę. Już zaczęli. – Poświecił i pokazał jej porąbane bale. – To dlatego wszędzie są pręty i elementy konstrukcyjne. Tutejsi roznoszą tę chatę na ogniska albo... Zresztą nie wiem. Spadamy – zarządził.

Ada z ulgą zawróciła w stronę samochodu. Bała się odwracać, bo miała wrażenie, że wewnątrz czeluści domu ktoś jest i ich obserwuje, choć wiedziała, że to myśl absurdalna. Sobieski był w środku. Wszystko dokładnie sprawdził.

– Myślisz, że Szlachta sam podpalił dom? Oni często bawią się ogniem – rzuciła, kiedy wystarczająco się oddalili i przechodzili przez ogrodzenie.

– Jutro się dowiemy.

Otworzył samochód. Ada z uczuciem ulgi zajęła miejsce pasażera. Rozpięła polar, oddychała głęboko.

– Kurewsko się bałam. – Spojrzała na Jakuba, który był skupiony na znalezieniu traktu w ciemnościach i wyjeździe z lasu.

– Ja też. Ale było warto, nie?

Uśmiechnęli się do siebie. Na jakiś czas zapadła cisza. Kiedy znaleźli się na szosie, zaalarmował ich dźwięk przychodzących powiadomień.

– Mamy zasięg. – Sobieski kliknął w nowe wiadomości. Czytał długo, a wreszcie zatrzymał się na poboczu. Dopiero po chwili włączył awaryjne.

– Co się stało?

– Ten kosmyk, który znalazłaś w pokoju Lei i Poli – zaczął i urwał. – Niko go zbadał.

– I?

Sobieski nie odpowiedział. Wpatrywał się w wyświetlacz telefonu, jakby miał tam elaborat zamiast treściwego esemesa.

– Należy do mojej siostry?

Kręcenie głową.

– To są włosy jednej z sióstr. Poli.

– A więc spotkały go wcześniej – wywnioskowała Ada. – To dlatego dobrowolnie pojechały z nim na piknik. Znali się. Pewnie przywiózł je autem.

– Możliwe – przyznał Sobieski.

– Wracamy jutro, sprawdzimy konkubenta Sapiegi i tego fotografa – zadecydowała Ada i zawahała się: – Chyba że masz coś jeszcze?

– Nie, nic – odrzekł i miała już pewność, że kłamie.

– Dawaj to. – Wyrwała mu telefon z ręki, ale sprawnie go jej odebrał.

– Nigdy więcej tego nie rób! – Spojrzał na nią groźnie.

Zacisnęła usta obrażona.

– Mów – rozkazała. – Nie jestem dzieckiem.

Milczał, bo nie byłby tego taki pewien po wizycie w jej mieszkaniu. Jechali w ciszy jakiś czas.

– Długo będziesz mnie torturował?

Przyjrzał się jej skupionej twarzy i zdecydował w jednej chwili.

– Krew na prześcieradle, na którym leżała Abioli Rosołowska, była zwierzęca. Zabezpieczono też próbki ludzkiej.

– I?

– Należała nie tylko do ofiary. Przykro mi.

Ada milczała. Czekała na dalszy ciąg. Zdziwił się, bo nie zareagowała płaczem ani histerią. O nic więcej nie spytała.

– To nie musi oznaczać, że twoja siostra nie żyje – dodał, choć sam w to nie wierzył. Widział na własne oczy, że prześcieradło pod martwą modelką było aż czarne. W łóżko musiało wsiąknąć dobrych kilka litrów. Niko napisał mu też o kolejnym kosmyku, który zostawił sprawca, ale tę informację Sobieski zdecydował się zataić. Policja nie ustaliła, do kogo należały te włosy.

– Uważaj na drogę. – Ada przerwała ciszę. – I zatrzymaj się na jakiejś stacji. Potrzebujemy wina.

Zwyczajny chłopiec
wtorek (1 czerwca)

– Nie pamiętam go. – Wiekowa nauczycielka kręciła głową, starając się przekrzyczeć występ uczniów klas początkowych z okazji Dnia Dziecka. – Artur chodził do nas tylko półtora semestru. Uczył się średnio, z nikim nie przyjaźnił. Nie pamiętam żadnych ekscesów z nim związanych.

Drzwi pokoju nauczycielskiego były otwarte. Co jakiś czas ktoś wchodził i wychodził. Przynoszono kwiaty, torty, patery ze słodyczami. Z auli dobiegał jazgot młodzieżowego karaoke. Sobieski z Adą zostali poczęstowani domową szarlotką i owocową sałatką z karmelem obsypaną orzechami. Ponieważ nieopatrznie oznajmili, że nigdy nie jedli tak wyśmienitego deseru, dostali podwójną dokładkę.

– I naprawdę nie ma pani ani jednego jego zdjęcia? – upewniła się Ada i odsunęła od siebie niedojedzone słodkości. – W dzisiejszych czasach? Były już Facebook i Instagram.

Kobieta wzruszyła ramionami.

– Widać kiedy robiliśmy klasowe i koleżeńskie, nie było go w szkole, a na ceremonii wręczania świadectw nie fotografujemy. Kadra liczy tylko czworo referentów – wyjaśniła ze spokojem. – Może przejdziecie się po wsi i porozmawiacie z rodzicami uczniów? Naprawdę to wszystko, co mogę o nim powiedzieć. Nie pamiętam tego chłopca. Był całkiem zwyczajny: ani prymus, ani łobuz. Niczym się nie wyróżniał.

– Nie pamięta pani, jak wyglądał?

– Po tylu latach, pani wybaczy. – Nauczycielka była wręcz obrażona. – Jednostki charyzmatyczne, ciekawe pamięta się na zawsze. Zapadają w pamięć uczniowie wybitni albo tacy, którzy sprawiają kłopoty. A on? – Zawahała się, jakby ją samą to zadziwiło. – Szczupły, ciemny blondyn. Regularne rysy twarzy. Chyba nosił okulary, ale nie jestem pewna. – Zastanowiła się. – Dlaczego tak zależy wam na jego zdjęciu? Coś przeskrobał?

Ada nie odpowiedziała. Do rozmowy włączył się Sobieski.

– Komisarz Łuchniak twierdzi, że Artur Szlachta angażował się w poszukiwania Patrycji Chudaś. Czy między tymi dwojgiem coś się wydarzyło? Byli parą?

– Parą? Raczej wątpię. To była bardzo popularna dziewczyna, a Artur był nowy. Stał na uboczu, nie bardzo się integrował. Jeśli zaś chodzi o poszukiwania... Cała klasa była zaangażowana, wszyscy z okolicznych wsi. To była potworna tragedia. Rodzice Patrycji mieszkają na tych terenach od trzech pokoleń. Wszyscy znamy Chudasiów. Ponieważ pojawił się wątek lubieżnego sąsiada, który został zatrzymany pod zarzutem zabójstwa dziewczynki, i do wioski zjechali się dziennikarze, zdecydowaliśmy, że szkoła będzie zamknięta przez cztery dni. Ale wracając do chłopca, faktycznie wcześniej nie rzucał się w oczy, jednak po śmierci Pati wszyscy go dostrzegliśmy. Na chwilę.

– Co pani ma na myśli?

Kobieta uciekła wzrokiem i ponownie przewertowała dziennik. Przerzucała nerwowo pliki dokumentów, które wyjęła z segregatorów, jakby szukała w nich podpowiedzi. Sobieski miał wrażenie, że coś ukrywa. Chce powiedzieć, ale się waha. Albo przeciwnie, świadomie próbuje zataić jakąś informację. Wzmógł czujność.

– Widzę, że oceny miał dobre i dostateczne – ciągnęła. – Z wuefu piątka, choć nie pamiętam, żeby grał w naszej drużynie. Ani razu nie wziął udziału w zawodach sportowych, mimo że zawsze mamy dla dzieci nagrody ufundowane przez wójta – podkreśliła. – Nie spóźniał się. Zobaczcie, nie ma ani jednej uwagi. Jego ojczym nie przychodził na wywiadówki, żadnego podpisu na liście obecności przez sześć miesięcy. Trudno się temu dziwić, doktor Samosiejka nieustannie był w trasie. Był cenionym weterynarzem i pracował w terenie. W okolicy są dwie prężnie działające hodowle drobiu, bydła oraz kilka kurzych ferm. Bliżej Iłowa jest stajnia, którą Samosiejka obsługiwał z polecenia. Kiedy doktor objął stanowisko gminnego weterynarza, był wprost rozchwytywany. Jego akurat pamiętam doskonale. Był z niego tak przystojny mężczyzna, że oczu nie można było oderwać. – Starsza pani rozmarzyła się na samo wspomnienie. – Każdy się dziwił, dlaczego ożenił się z chorą Arletą. Nigdy nie była piękna. Za to bogata.

– Może to jest odpowiedź – zasugerowała Ada.

Dyrektorka uśmiechnęła się zadziornie.

– Posiadłość Szlachtów jest druga pod względem wielkości po Chudasiach w tej okolicy. Gdyby ktoś miał łeb na karku, uczyniłby z niej piękny kawał gospodarki. A i to nie licząc lasu. Sosnowy ciągnie się aż do Rykowa. Liściasty zahacza o rejon dworca. No i właściwie nowe tory kolejowe przecinają ten teren. Gdyby sytuacja była inna, gmina miałaby problem. Trzeba by było odkupić ten spłachetek albo przenieść stację. – Urwała. – Ale od lat nikt się tym nie interesuje. Ludzie tam łażą zbierać grzyby, drewno na opał. A w chacie regularnie przesiadują włóczykije. Jakby nad tym miejscem zawisło jakieś fatum. Szczęścia ten majątek nikomu ze Szlachtów nie przyniósł.

– Mieli inne nazwisko – przerwał jej Sobieski. – Samosiejka nie usynowił Artura? Jakie były ich relacje?

– Artur nosił nazwisko matki. – Nauczycielka uciekła od odpowiedzi na drugie pytanie. – Arleta długo chorowała i zmarła krótko po przyjeździe doktora Samosiejki do Giżyc. Biorąc pod uwagę, że chłopiec mógł być jeszcze w żałobie, nie staraliśmy się go angażować w życie szkoły. To, że stoi z boku, wydawało się wręcz naturalne. Był nowy i raczej z tych nieśmiałych. Nie, zdecydowanie nie był duszą towarzystwa.

– A jednak go pani pamięta? – zauważył Sobieski, na co kobieta spłoszyła się, jakby złapał ją na kłamstwie.

– To dziwne, bo zarejestrowałam oczywiście, że Artur do nas chodził, i rozpoznałabym go na zdjęciu z tego okresu, gdyby mi pan je podał, ale widzę go jakby przez mgłę. Kiedy staram się przypomnieć sobie twarz tego chłopca, obraz się zamazuje. To raczej przebłyski.

– Przebłyski czego?

– Nigdy się nie denerwował. Zawsze tak spokojny, jakby kontestował, nie słyszał kpin. Dzieci w tym wieku są okrutne, a wiem przecież, że miał charakterek, choć nie był typem buntownika. Raczej było mu wszystko jedno, co o nim myślą. Uważałam wtedy, że to z powodu przedwczesnego odejścia matki. Długo cierpiała i chciała umrzeć w swoim łóżku. Tylko dlatego przeprowadzili się do Giżyc. Doktor Samosiejka wcześniej mieszkał w Warszawie. I ponoć tam właśnie wyjechał.

– Na co chorowała matka Artura?

Nauczycielka zrobiła minę, jakby znienacka wezwano ją do odpowiedzi.

– Nie jestem pewna, ale to była choroba terminalna i autoimmunologiczna. Nie nowotwór, tego jestem pewna. Pod koniec majaczyła i już wcale nie widziała. Proces postępował zaskakująco szybko. Zaraz jak tylko zjechali do Giżyc, była już niepełnosprawna. Praktycznie przez cały pobyt Artura u nas w szkole matka była przykuta do łóżka.

– To musiało być trudne dla dziecka – powiedziała Ada. – Ojczym wciąż w trasie, matka na łożu śmierci. Chłopak był nieustannie sam. Czy był samotny?

Wzruszenie ramionami, zawahanie się.

– Dobrze sobie radził. Nie pamiętam, żeby się skarżył. Niani nie mieli. Nie kojarzę też żadnej gosposi. Za to pod koniec kilka razy przyjeżdżała siostra Samosiejki. Bardzo religijna osoba, od razu zaprzyjaźniła się z naszym księdzem. Niestety nie wiem, jak się nazywa ani gdzie mieszka – zapewniła pośpiesznie, zanim Ada zdążyła poprosić o adres, i już kontynuowała poprzedni wątek: – A wracając do tego, co mówił wam Robert Łuchniak, faktycznie zdziwiło nas, że Artur zgłosił się do orszaku pogrzebowego, by nieść trumnę z kolegami z klasy. Wiem, że w dniach, kiedy Pati była poszukiwana, podjął dyżur pod telefonem u wójta. Może z nim powinniście pomówić? Gorąca linia była otwarta dla świadków przez następne tygodnie. Artur zwalniał się z lekcji, by siedzieć przy telefonie. Sama usprawiedliwiałam te nieobecności.

– Pomówimy z wójtem – zapewnił Sobieski i podniósł się. – Dziękujemy za pani czas.

Kobieta wyraźnie odetchnęła z ulgą. Wstała, zaczęła się wylewnie żegnać.

– Jeśli chodzi o ojca Artura... – zagaił Sobieski.

– To nie był jego syn – sprostowała nauczycielka. – Z tego, co wiem, Samosiejka nie adoptował Artura nawet po śmierci żony. Sąd przyznał mu opiekę, bo Arleta nie miała innej rodziny. – Umilkła i spuściła karnie powieki. – Ale przerwałam panu...

– Mówiła pani, że Samosiejka był tutaj szanowany i dobrze mu się wiodło. Utrzymaliście kontakt po tym, jak wyjechali z Giżyc?

Nim Sobieski dokończył zdanie, kobieta już kręciła głową.

– Nigdy nie miałam jego numeru ani nowego adresu.

– Dlaczego właściwie wyjechali?

– Nie mieli gdzie mieszkać. Ich dom drugi raz spłonął. Za pierwszym razem zrobiliśmy zbiórkę społeczną, a pan Samosiejka pracował za trzech, żeby go odbudować, ale kiedy ogień wybuchł kolejny raz, poddał się.

Potarła powiekę.

– Rzęsa wpadła mi do oka – wyjaśniła pośpiesznie. – Pomieszkiwali kątem w przyczepie, którą doktor woził konie i inne duże zwierzęta do kliniki, a potem uznał, że taniej będzie wynająć coś w mieście.

– Dokąd się udali?

– To było zagadką dla wszystkich. Mówiono o Warszawie, ale myślę, że doktor z rozmysłem nie ujawniał miejsca ich nowego pobytu. – Urwała. – Pewnego dnia zapakowali się po dach i wyjechali bez pożegnania. Ludzie mówili, że to, co zostawili, zostało rozkradzione. Samosiejka wiedział, że tak będzie, ale nawet nie zamknął drzwi na klucz. Nie zamierzał tutaj wracać.

– Ten drugi pożar wybuchł przed zabójstwem Patrycji czy później?

– Kilka tygodni po znalezieniu zwłok dziewczynki. Chatę Szlachtów gaszono trzy dni. Była fala upałów, a wokół trawy wysuszone na wiór. Jak tylko ugasili, żar znów się zajmował... To cud, że nie zapalił się las.

– Ogień wybuchł samoistnie czy to było podpalenie?

– O tym powinien pan pomówić z wójtem – powtórzyła nauczycielka. – Nie jestem upoważniona i też nie znam się na tych sprawach. Plotek powtarzać nie zamierzam. Bernard jest szefem naszej ochotniczej straży i jako jeden z pierwszych był na miejscu. Podam panu jego numer, ale lepiej iść na nogach, spotkać się osobiście. Szukajcie najładniejszej willi we wsi. Ma trzy piętra i oszklony taras na dachu. Traficie bez trudu.

***

– To było trudne – przyznał Bernard Wysocki, który nawet w cywilu wyglądał na szefa lokalnych strażaków, chociaż siedział za wielkim dębowym biurkiem obstawionym zdjęciami wnuków, a na sobie miał ogrodniczki i kraciastą koszulę. Kiedy wspominał pożar majątku Szlachtów, pocierał kciukami powieki, jakby dym do dziś gryzł go w oczy. – Chata Szlachtów hajcowała się trzy dni. Mój syn omal nie zginął podczas drugiego dogaszania. Zawaliła się na niego największa krokiew, a baby zamówiły mszę u kapelana, bo było niebezpieczeństwo, że płomienie przeniosą się w zagajnik. Gdyby tak się stało, zabudowania wsi byłyby zagrożone. Na szczęście Bóg się nad nami ulitował.

– To było podpalenie?

– Za pierwszym razem nie mieliśmy pewności. Ekspert pożarnictwa nie znalazł dowodów. Źródło ognia znajdowało się w pokoju, gdzie leżała Arleta. Była późna jesień i pamiętam, że noce były już chłodne. Dogrzewali ją przy łóżku postpeerelowską farelką, a chora na sobie miała kocyk elektryczny podłączany do prądu. Uznano, że kiedy zasnęła, przeskoczyła iskra, a stara farelka załatwiła resztę. – Urwał. – Wtedy ją wynieśliśmy i przeleżała w szpitalu jeszcze miesiąc. Odeszła, jak tylko przywieźli ją z powrotem do Giżyc. Tak też ponoć chciała umrzeć. We własnym domu.

– A za drugim razem? Jak doszło do pożaru?

– Podpalenie. Żadnych wątpliwości – odparł z przekonaniem wójt. – Podłogę, meble i sprzęty oblano ropą. To było działanie zaplanowane, przeprowadzone nadzwyczaj skutecznie. W budynku nie było nikogo poza chłopcem. Kiedy udało się nam przedostać do środka, siedział w kącie sypialni matki nakryty mokrym pledem. Wynieśliśmy go omdlałego i ocknął się dopiero w karetce. Poza groźbą zaczadzenia nie miał praktycznie żadnych obrażeń. To było wręcz niebywałe.

– Było śledztwo?

Wójt pokręcił głową.

– Samosiejka nalegał, żeby zamknąć dochodzenie bez stwierdzenia przyczyny w papierach. Wtedy ludzie zaczęli gadać, że ten pierwszy pożar nie wybuchł przypadkowo. Dla wszystkich było jasne: ojczym podejrzewał pasierba, że ten próbował uśmiercić matkę.

Tego Jakub z Adą się nie spodziewali.

– Wtedy Samosiejka zadecydował, że wyjadą z Giżyc? – zapytał Sobieski.

Bernard potwierdził skinieniem.

– Choć namawiałem go, żeby zostali, był nieprzejednany. Ludność uwielbiała doktora. Nigdy nie odmówił pomocy i wiele razy ratował zwierzęta – czy to krowa się cieliła, czy koń się ochwacił. Jeździł w nocy, na dłuższe trasy, a od biedaków nie brał pieniędzy. Jak mówiłem, służył dobrą radą, przywoził nam gratisowe leki i ogólnie był z niego równy chłop. Baby nie mogły się na niego napatrzeć. Wyglądał jak ten angielski aktor z popularnych wtedy komedii romantycznych. Żona będzie znała nazwisko. Taki niby nieśmiały, zgarbiony, ale miał żart na brzytwie i często się uśmiechał. Człowiek od razu go lubił. Kiedy Samosiejka opuścił naszą gminę, nie mieliśmy już szczęścia do zwierzęcych doktorów.

Wójt zatrzymał się, przyjrzał się gościom z Warszawy.

– Chcecie pewnie wiedzieć, co ja uważam?

Sobieski potwierdził, a Ada pochyliła się do przodu.

– I nie znajdzie się to w żadnym protokole? – zastrzegł. – Bo widzicie, wielu odetchnęło z ulgą, kiedy ten mały diabeł Szlachtów opuścił nasz teren.

– Jesteśmy tutaj nieoficjalnie – zapewniła Ada. – Na tę chwilę sprawdzamy jedynie kilka tropów i nie wiemy, czy zostaną wzięte pod uwagę, bo mogą nie mieć związku.

– Związku z czym? – Wójt zmarszczył się groźnie, jakby wcale nie chciał znać odpowiedzi.

– Słyszał pan o zbrodniach w Warszawie?

Sobieski zgromił ją spojrzeniem, ale odwróciła głowę do Wysockiego i mówiła świszczącym szeptem:

– Nie mogę panu zbyt wiele ujawniać, ale myślę, że się rozumiemy. Mamy dość bredni o niepamiętaniu. Skoro poświęcił pan nam tyle czasu, szkoda marnować go na zwyczajne pieprzenie.

– Ano – potwierdził Bernard. – Choć nie uważam, że teorie Łuchniaka są naciągane, to wendeta nikomu jeszcze nie wyszła na dobre. Bo to on was zawołał? Ciężko przeżył odejście z policji. Lubimy się, nic do niego nie mam, ale jestem zdania, że trzeba żyć dalej. Czy się popełniło błąd, czy nie.

– Jaki błąd popełnił Robert? – włączył się Sobieski i zaraz poprawił: – Komisarz Łuchniak nie miał żadnego postępowania dyscyplinarnego przed odejściem, a z tego, co wiem, został nawet odznaczony.

Bernhard Wysocki zacisnął usta, jakby pożałował ostatnich słów.

– To już sprawa Łuchniaka, nie moja. Sam wam wyjaśni, jeśli będzie chciał. Żyje tu i w jego interesie jest nie zagrzewać wrogów do boju.

– Wrogów? – zainteresował się Sobieski.

– Albo i sąsiadów. – Wójt uśmiechnął się przymilnie. – Ja tam nie obeznaję się w waszych procedurach. Starczy mi własna biurokracja – uciął, chociaż wszyscy w tym pokoju mieli pewność, że ten człowiek trzyma społeczność twardą ręką i nie tylko jest na bieżąco z procedurami i przepisami, ale sam je ustala.

– Zaczął pan, niech pan skończy – zażądał Sobieski.

Rozkazujący ton nie zadziałał motywująco na wiekowego włodarza gminy. Naprężył się i od tej chwili spoglądał na młodego mężczyznę spod oka.

– Już praktycznie skończyłem – rzekł, zamykając temat.

– Chcemy tylko zrozumieć. – Ada próbowała załagodzić sytuację. – Dyrektorka szkoły zapewnia, że Artura nie pamięta. Pan mówi, że ludzie ucieszyli się, kiedy Samosiejka wyjechał i zabrał pasierba z waszych oczu. Coś tu nie gra, przyzna pan?

Wójt westchnął.

– Widzicie, dzieci, teren, za który odpowiadam, to szereg małych połączonych ze sobą wiosek. Nie tylko chaty stoją obok siebie, ale i ludzie są spokrewnieni. Od pokoleń trzymamy się w kupie – podkreślił. – Wiemy, co w trawie piszczy, chociaż nikt o tym nie mówi głośno. – Zawahał się. – Artur Szlachta przeżył tragedię w wieku czternastu lat. Jego matce się zmarło, a on został pod opieką ojczyma. Ojca swojego nie znał. Jak się ma takie życie, człowiek uczy się radzić sobie z bólem samodzielnie. Tak go usprawiedliwiam, bo nie chcę szkalować człowieka, którego od lat nie widziałem. Zwłaszcza że to, co mi wiadomo, to wyłącznie plotki i domysły. A ziemia Szlachtów wciąż należy do niego. Dom się wali, ogrodzenia praktycznie już nie ma, las jest regularnie plądrowany, ale na papierach jak byk wciąż siedzi jego nazwisko. A jak Artur którego dnia wróci? Gęsto przyjdzie mi się tłumaczyć, że gadałem o nim bzdury…

– Matka zapisała majątek synowi?

– Nie było żadnego testamentu. W każdym razie nic o tym nie wiem – odrzekł Bernard. – Ziemię dziedziczył jej mąż, czyli Samosiejka, na spółkę z Arturem. Ale trzy lata później, jak wyjechali z Giżyc, doktorowi się zmarło. Dostałem dokument z USC, jak chcecie, to wam pokażę. Ten dzieciak posiada kawał majątku, a choć do dziś się nie zgłosił, wszyscy wiedzą, że ma prawo tutaj zostać. Taka sytuacja – zakończył.

Sobieski z Adą spojrzeli po sobie. Pierwsza odezwała się policjantka.

– Oczywiście nie wie pan, czy ojczym Artura Szlachty zmarł naturalnie?

– Zginął w wypadku. Dwa tygodnie po osiągnięciu pełnoletności przez pasierba. – Zanim padło kolejne pytanie, dodał: – Nie znam szczegółów. Nie było to widać kontrowersyjne, bo w prasie my o tym nie czytali. Łuchniak wie więcej, a może i nie, skoro wam o tym nie wspominał.

Rozległo się pukanie do drzwi, a po chwili w futrynie zobaczyli twarz wójtowej.

– Dyrektor szkoły do ciebie, Berni – zaanonsowała śpiewnie. – Mówi, że pilne.

– Mam gości. Tych samych, których mi naraiła – prychnął wójt. – Chce do nas dołączyć, niech włazi. Jak nie, niechaj poczeka. Nie rozdwoję się przecie.

Ada i Jakub przyglądali się tej scenie z rosnącym zaciekawieniem.

– Ja tylko na chwilę, Berni. – Weszła znana im już nauczycielka. W dłoni trzymała wyblakłą fotografię. – Przyniosłam. Może się państwu przyda.

Położyła zdjęcie na stole wójta i drobiąc kroki, oddaliła się bez pożegnania.

– Zamawialiście jakieś archiwalia? – Wysocki przyjrzał się fotografii, a potem przekazał ją Adzie. – Więc proszę. A skoro już nasza dyrekcja szkoły się złamała, to powiem wam na koniec, co ja myślę, i potem już pojedziecie. Nie będziecie dręczyć rodziców, wujów i braci Patrycji, bo kiedyś obiecałem Chudasiom, że sprawę zamykamy na gwałtownej śmierci podejrzanego Nowosada w pierdlu. Inaczej doszłoby do linczu, a stary już jestem i nie chce mi się brać udziału w bijatykach. Tym bardziej o jakiegoś młodocianego piromana, który wyjechał stąd kilkanaście lat nazad.

– Linczu na młodym Szlachcie? – upewniła się Ada. – A więc to dlatego musiał wyjechać Samosiejka? Grozili mu?

– Chudasie to tutejszy klan. Mocna ekipa – wyjaśnił wójt. – Kiedy Nowosad się wyhuśtał, byli niepocieszeni, że za ich dziewczynę nikt nie zapłacił. Komisarz Łuchniak rozpowiadał za to o pecie znalezionym w polu słoneczników i że takie palili wyłącznie miastowi. Tutejsza ludzkość zaraz rzuciła się doktorowi do gardła, bo on takie palił na robocie i częstował wszystkich. Miał alibi. Nie było go tego dnia we wiosce, ale jak miejscowi się zagotują, logika do nich nie przemawia. Potem znalazł się trop domniemanego roweru Artura. Musicie wiedzieć, że Samosiejka też miał swoich popleczników. I ja się do nich zaliczałem. Ale ludzie na wsiach się podzielili i zaczęło się dymić. Wtedy jakiś palant chlapnął, że ktoś od dawna rżnie krowy na pastwiskach i pewnie to weterynarz, żeby go wzywać do roboty. Kto inny dorzucił, że może i żonę sam spalił dla majątku, a potem nie było już odwrotu. Samosiejka wolał wyjechać, niż droczyć się z nienawistnikami. Było mi go szkoda, bo jak mówiłem, równy był z niego chłop. A Artur, pasierb doktora, nigdy nie był o nic podejrzewany. Litowali się nad nim. To było przecież jeszcze dziecko. Ale gdybyście mnie teraz, po latach, zapytali, jak ja to widzę, to myślę, że to był on. Zaczaił się na Pati, zamordował ją, a potem udawał zbolałego przyjaciela. Alfons Dyla, nasz pierwszy grzybiarz, widział jego rower w krzakach w dniu, kiedy dziewczynka Chudasiów zaginęła po powrocie ze szkoły. Łuchniak nie mógł zaprotokołować jego zeznania, bo Alfons był pijany jak bela, a po wytrzeźwieniu nie chciał nic powtórzyć. Dziś Alfons też już po drugiej stronie, więc jak widzicie, wskazane jest nam siedzieć cicho i się nie wychylać. Jeśli ten wasz warszawski Kosiarz to nasz piroman Arturek Szlachta, życzę powodzenia. Nigdy go nie złapiecie. Wróćcie, kiedy będziecie mieli kwit z USC, że jest martwy i nie stwarza zagrożenia. Wtedy wszyscy jak jeden pójdziemy zeznawać.

***

– Musi być jakiś sposób, żeby ich zmusić do mówienia – piekliła się Ada, kiedy jechali już w kierunku Warszawy.

Odbyli pielgrzymkę po domach Giżyc i okolicznych wioskach, ale ludzie zostali ostrzeżeni: wcale nie otwierali im drzwi albo uchylali się od odpowiedzi. Niczego więcej się nie dowiedzieli. Nawet Łuchniak, do którego zajechali na sam koniec po dokumenty, okazał się niedostępny. Żona wychyliła się z ganku i oświadczyła, że wyjechał w pole. Słońce już zachodziło, widzieli wracających rolników na wozach, więc mieli pewność, że to było kłamstwo, ale nie chcieli stawiać Łuchniakowej w trudnym położeniu. Sobieski poprosił, by podziękowała mężowi za pomoc i pozdrowiła go. Odparła, że przekaże, ale nie zaprosiła ponownie, jak powtarzała jeszcze wczoraj. Po jej wielkim uśmiechu nie było śladu.

Ada trzymała w dłoniach stare tableau klasowe i przyglądała się twarzy piętnastolatka, który dla odmiany został im przez wójta przedstawiony jako zło wcielone. Trudno było w to uwierzyć, patrząc na regularne rysy twarzy, szczupłą, choć barczystą sylwetkę. Faktycznie nosił okulary. Trzymał je jednak w ręku, jakby starał się korzystniej zaprezentować do zdjęcia. Stał w szeregu uczniów, na samym brzegu, tuż obok Patrycji Chudaś. Zamordowana przed laty uczennica nie była najurodziwsza, lecz z pewnością najlepiej rozwinięta fizycznie i ubrana jak dorosła kobieta, która wie, jak uchodzić za ponętną.

– Jak się czujesz? – Jakub spojrzał na Adę kątem oka. Wiedział, że cały ranek walczyła z kacem, a na śniadanie zjadła dwa tatary i porcję śledzi z cebulką. Wczoraj, jak tylko się zameldowali w hotelu, poszła do swojego numeru, nie odzywając się słowem. Wina, które kupili wspólnie na stacji benzynowej, nie spróbował. Cały dzień policjantka trzymała się jednak dzielnie. Gdyby nie wiedział, co przeżywa i ile alkoholu w siebie wlała poprzedniego wieczoru, nawet by się nie zorientował.

– Dla mnie to ma sens – oświadczyła, nie trudząc się odpowiadaniem na jego pytanie. – Podrzucisz mnie do pracy? Zajmę się tym Szlachtą z mety. Sprawdzę, co na niego mamy, ściągnę akta i wyślę odpowiednie zapytania. Jeśli na jutro uda mi się ustalić jego adres, pojedziesz ze mną?

Sobieski zmniejszył ogrzewanie, pogłośnił radio.

– Chcesz od razu to ujawniać? – Zawahał się. – W sumie nic jeszcze nie mamy.

– Zacznę od rozmowy z szefem kryminalnych. Chcę wiedzieć, co o tym myśli.

– Będzie sceptyczny. Na twoim miejscu wstrzymałbym się z meldunkiem. Nie lepiej sprawdzić ten trop, zanim się ośmieszymy? Trochę to patykiem na wodzie pisane. Jeśli chłopak okaże się Bogu ducha winien, będziesz miała tyły u przyszłego szefa.

– Przecież nie spotkam się z nim oficjalnie – fuknęła i nagle straciła zainteresowanie Sobieskim, całą uwagę poświęcając własnej komórce.

Wiadomości wpadały jedna za drugą, a Ada coraz bardziej szczerzyła się do ekranu. Wyglądało na to, że humor poprawia się jej z każdym kolejnym esemesem.

– Załatwione – oświadczyła, chowając wreszcie telefon do kieszeni. Jej twarz promieniała bynajmniej nie ze służbowej ekscytacji. – Przepustka i wszystkie pozwolenia. To się nazywa boss.

– Widzę, że masz z nim prywatną linię.

Spojrzała na Jakuba spod zmrużonych powiek.

– Nie twój interes.

– Racja.

Jechali jakiś czas w milczeniu.

– Dlaczego właściwie posunęli cię z firmy? – zagaiła.

– Trzeba wiedzieć, kiedy ze sceny zejść.

– Ojciec twierdzi, że nie ty zdecydowałeś. I że nie chodziło o zmarłego dilera. Po prostu dostałeś po dupie za swoją byłą.

– Nie byłą, a wciąż obecną. I nie będziemy o tym rozmawiać.

– Zrobiło się nieprzyjemnie.

– Dopiero może być nieprzyjemnie – prychnął i nagle zapragnął jej dokuczyć. – Mam nadzieję, że wiesz, co robisz ze swoim naczelnikiem. Nie bzyka się tam, gdzie się pracuje. Zwłaszcza że stanowisko masz obiecane na gębę i to warunkowo.

– O tym nie będziemy rozmawiać – odcięła się. – A co? Jesteś zazdrosny?

Zmilczał odpowiedź. Zacisnął tylko mocniej szczęki. Wjechali już za rogatki Warszawy, więc wpisał w nawigację adres, który mu podała. Nie była to komenda ani jej biuro, lecz tani motel przy drodze.

– Dzięki – powiedziała łagodniej. – Bardzo mi pomogłeś.

– Dzięki za nocleg – odrzekł. – Zasadniczo nie lubię, kiedy kobiety płacą za mój hotel, więc zrobię ci przelew albo podjedziemy do bankomatu.

– Zapłaciłeś za wachę, daj spokój.

Oboje umilkli. Ten wersal był męczący.

– Rozumiem, że dalej radzisz sobie sama?

Spojrzała na niego zaskoczona.

– A co? Znudziłeś się łażeniem po ludziach czy strzelasz focha, bo wczoraj miałeś nadzieję na wspólne wyro?

Pokręcił głową zrezygnowany.

– Zawsze jesteś taka bezpośrednia?

– Mam kogoś... – Spojrzała na niego niemal przepraszająco. – Sorry, jeśli liczyłeś na coś więcej.

– Luzik – mruknął i nie odzywał się już do końca drogi. Kiedy wysiadła, patrzył za nią, jak wchodzi do obskurnego motelu z wypłowiałym szyldem „Turkus", przed którym stały rzędy TIR-ów. Odjechał, dopiero kiedy zatrzasnęły się za nią drzwi.

***

Drzwi zostały zdjęte z zawiasów i stały oparte o przyczepę. Sobieski zatrzymał się przed ogrodzeniem i zastanawiał się, jak sprawnie i bez awantury z teściem odzyskać swój dobytek. Wciąż nie miał pojęcia, gdzie się dziś zatrzyma, ale rzeczy miał akurat tyle, że bagażnik clio powinien spokojnie je pomieścić. Może wcale dziś nie zmruży oka, bo w nocy powinien ruszyć w trasę i odrobić straty. Inaczej pod koniec miesiąca przyjdzie mu uregulować dzierżawę auta z zaskórniaków, a tego wolałby uniknąć. Żelazny fundusz na lokal przy Niepodległości powinien pozostać nienaruszony. Skarcił się za bezcelowe wycieczki z Adą.

– Jakub! – Zamiast chrypy teścia usłyszał słodki jak melasa głos swojej żony.

Iwona wynurzyła się z wnętrza przyczepy w krótkich spodenkach i jego T-shircie z nadrukiem „Guns N' Roses". Z uszu zwisały jej kabelki od słuchawek. Jeszcze zanim do niego podeszła, omiótł go zapach wzburzonego oceanu. Przełknął ślinę, nabrał powietrza w płuca, by jej nie ulec w kilku pierwszych minutach, ale gdy tylko rzuciła mu się na szyję, już wiedział, że poległ.

– Okropnie tęskniłam – mruczała mu do ucha, przywierając ciasno biodrami.

Pogładził ją po plecach i poczuł, że znów schudła.

– Nic nie mów – zastrzegła. – Roboty było po kokardę. A wiesz, że mam najlepsze oko, kiedy wpierw zniszczę się na siłce.

– Dlaczego nie jesteś na Kobrze? Dobrowolnie oddałaś komuś stery swojego rydwanu? Nie wierzę!

Machnęła ręką, jakby doroczne manewry pilotów służb specjalnych nie miały dla niej znaczenia, ale to Sobieskiego tylko bardziej zaniepokoiło. Nocna Furia uwielbiała rywalizację.

– Dostałam przepustkę. – Puściła do niego oko. – Nakłamałam, że spodziewamy się dziecka.

– A tak jest?

– Kto wie, kto wie? – Zaśmiała się, a potem okręciła na pięcie. Aż go zatkało na widok jej perfekcyjnie wyrzeźbionego ciała. Wiedział, że pod koszulką ma kaloryfer na brzuchu, a wszystkie pozostałe mięśnie są twarde jak stal. Wskazała jego prowizoryczną ławkę do ćwiczeń. – Fajna. Wypróbowałam.

Znów wybrzmiał jej perlisty śmiech. Sobieskiemu zdawało się, że to krople deszczu spadają na kryształowy instrument. Dźwięk rozchodził się wokół niego. Czuł, jakby powietrze nagle się rozwibrowało, a ziemia znów kręciła się po roku marazmu. Z całych sił starał się nie okazywać euforii. Rozum podpowiadał: nie dowierzać Iwonie. Coś było nie tak.

– Nie cieszysz się? – Iwona złożyła usta w ciup i zamrugała figlarnie. Nie było w tym nic z kokieterii. Taka była: egzaltowana, lecz naturalnie wdzięczna. Kochał ją, do kurwy nędzy, i nawet po tym wszystkim, co nawywijała, wciąż za nią szalał. W tej chwili nie żałował już dawnych upokorzeń i był pewien, że zrobiłby dla niej wszystko kolejny raz. I kolejny, kolejny… Niestety, ona także o tym wiedziała. Pojawiła się i było jak zawsze. Jakby czas ich rozstania nie istniał wcale. Spróbował jednak wziąć się w garść i powiedział zimno:

– Nie pisałaś.

– A ty? – Przekrzywiła głowę jak kotka czekająca na otwarcie puszki sardynek.

– Mieliśmy umowę.

– Pieprzyć taką umowę! – Machnęła ręką. – Jestem głodna. Chodź, zjemy coś w mieście. Tata mówił, że jeździsz teraz na taryfie. Bierz swoją furę i podbijemy miasto! Nie bawiłam się chyba ze trzy tysiące lat.

Przyjrzał się jej.

– Jesteś nagrzana?

Nie zaprzeczyła. Uśmiechnęła się tylko szerzej. Myślał szybko: mefedron, amfa czy koks? A może jednak ecstasy. Za dużo paplała.

– Kto cię przywiózł?

Wzruszyła ramionami.

– Nie bądź taki dobry wujek. Gadałam z Oziem o towarze i przekierował mnie do ciebie. Podobno wozisz piko dla Mora. Mówią, że to najlepsza meta w mieście. Załatwisz? – przymilała się.

– Rozmawiałaś z Oziem? – Sobieski się zdziwił. – A od kiedy to gadacie? Jestem na etapie, że chciałaś go zabić.

– I vice versa! – Nagle zapałała gniewem. – Taryfa to przykrywka. Pracujesz jako diler! Nie pouczaj mnie, jak mam żyć! – zagroziła, a potem nagle złagodniała. – Pojedziemy w miasto, kupimy coś na kolację, a potem zmajstrujemy bachora.

Przez chwilę żadne nic nie mówiło.

– To dopiero nowość – odezwał się pierwszy. – Chcesz mieć dziecko? Ze mną? Ostatnio nie mogłaś na mnie patrzeć.

– Po prostu mam ochotę na przerwę od tego gówna! – fuknęła.

– Znów to zrobił. – odgadł. – Rzucił cię. Tylko wtedy przyjeżdżasz tu, bzykasz się ze mną, a potem uciekasz bez słowa. A może jego żona przyjechała na manewry i dlatego oddałaś mu swój rydwan. Wiem, że Cykor startuje pojutrze.

Iwona wykrzywiła wargi w pogardliwy grymas, a potem zaśmiała się w głos.

– Ale ty jesteś dziecinny.

– Chyba tak. – Sam nie wiedział, skąd nagle wziął siłę, by się jej oprzeć. – Właściwie twój tato mnie stąd wyeksmitował. Przyjechałem po rzeczy.

Wzięła się pod boki. Uśmiechała się teraz jak Mona Liza z obrazu. Jej oczy pytały: długo będziesz tak pierdolił? Wiedział, że jeszcze chwila milczenia, a te słowa padną.

– Nie przytulisz mnie?

Ominął ją i wskoczył do przyczepy. Zawartość nielicznych szafek była wybebeszona, a jego pistolet był złożony. Obok leżała koperta z gotówką. Przeliczył i już wiedział, skąd Iwona wzięła forsę na dragi. Nic nie powiedział. Sięgnął po plecak, z którym chodził w góry, i metodycznie wkładał do niego swoje rzeczy. Na samą górę położył walthera i uszczuplone oszczędności.

– A więc się gniewasz?

– Nie.

– Gniewasz się.

Dalej się pakował.

– Przepustka kończy mi się szóstego czerwca – oświadczyła poważnie. Już się nie śmiała.

– Okay.

– Nie zostawiaj mnie. Czuję się taka samotna.

– Przykro mi.

Wzięła go za rękę. Zapach słonej wody, ciepło plaży. Czas przestał istnieć.

– To ty mnie rzuciłaś. Nie pamiętasz? – wydusił, na co ona pokręciła głową i znów się uśmiechnęła.

Pewnym krokiem wyszedł z przyczepy i zawiesił drzwi na zawiasach. Nagle poczuł się bardzo słaby. Wrócił więc i zamknął je od środka.

Pełne zanurzenie. Tym razem chciał naprawdę utonąć.

Mój interwał się skraca, ale przecież wszyscy działamy w cyklach. Jakiś etap się kończy, żeby mógł zacząć się następny. Kiedy te dwie płaszczyzny: „przeszłość" i „przyszłość" się

zazębiają, mylnie zwiemy ten czas teraźniejszością, podczas gdy on jest okresem transformacji. Zmiany widzi się zawsze, kiedy spoglądasz wstecz, choć ja nauczyłem się dostrzegać je już w trakcie dziania się. To dlatego, że tak często obcuję ze śmiercią.

Kiedy duch opuszcza ciało, ono nie od razu staje się zimne i sztywne jak pokrywa lalki. Ten moment trwa bardzo krótko i łatwo go przeoczyć, szczególnie jeśli nie jest się z ofiarą cały czas. Czy to zwierzę, czy człowiek – by spokojnie umrzeć, potrzebuje bliskości i ja im ją zapewniam. Jestem, to wystarczy. Tulę, trzymam ręce na gardle, stabilizuję drgawki. Jestem tą siłą, której potrzebują, by bezpiecznie odejść. Bezpiecznie nie oznacza bezboleśnie. Skoro cierpienie towarzyszy narodzinom, dlaczego nie miałoby towarzyszyć śmierci? To równie ważny etap życia.

Mój ojczym był obeznany z tematem. Wiele razy odprawiał zwierzęta na tamten świat i zdarzało się, że asystowałem w tych misteriach. Na początku mi nie pozwalał. Miał obawy, że nie wytrzymam – byłem przecież dzieckiem. Ale z czasem przekonał się, że nie tylko nie pękam, a jestem wręcz pomocny. Usługiwałem mu, troszczyłem się o odchodzące stworzenia i starałem się, by myślał, że robię to z litości. Tak naprawdę najbardziej lubiłem chwile, gdy z ciał ulatywał duch. Bardziej niż życie, niż rozmowy z żywymi. Z czasem, przy setnym koniu, psie czy kocie, nawet najbardziej ukochanym przez właścicieli, zrozumiałem, że ból bliskich jest czystym egoizmem, bo zwierzę w tym momencie zostaje samo. Jedyne, co możesz zrobić, to wziąć jego łeb w swoje ręce, ukoić spojrzeniem (lub wzmóc lęk) i przeprowadzić je przez furtkę transferową. Potem następuje zmiana kodu.

Wszyscy jesteśmy sami cały czas. Oszukujemy się, tworzymy więzi, pleciemy trzy po trzy, by zagadać ciszę. Po co? W procesie umierania nie ma nic skomplikowanego. Ani strasznego. Z ludźmi jest podobnie. Robią tylko więcej hałasu.

Ofiary w ostatniej chwili walczą, drapią, próbują krzyczeć, miotają się, jakby nie dowierzały, że ich los jest przesądzony i nie ma odwrotu. Ja wiem, że to ze strachu. Boją się przekroczyć bramę i opuścić opakowanie. Zwierzęta tego nie mają. Czują, że następuje koniec, i godzą się z nim o wiele łatwiej. Może dlatego przestało mnie to satysfakcjonować? Lubię rywalizację, walkę, wygrywanie…

Opakowanie po martwych nie jest mi potrzebne, dlatego zawsze je zostawiam w takim stanie, na jakie zasłużyli. To rodzaj pamiątki i znak dla żywych, że śmierć istnieje, a cykle to naturalna kolej rzeczy. Sam wiele razy już umierałem: za sprawą matki, w pożarze – dwukrotnie, no i kiedy jedna z krów omal mnie nie stratowała. Ale nigdy nie stało się to do końca.

Czasami myślę, że zabijanie to wcale nie potrzeba władzy i kontroli, lecz zwyczajnie tęsknota za śmiercią. Też chciałbym być wolny.

Część 3

PRZYWŁASZCZANIE

Niewidzialny
środa (2 czerwca)

Czuł, jak jej dłoń wolno sunie po jego torsie i schodzi niżej do gumki bokserek. Z tym że dzisiejszej nocy spał nago. Nagły przebłysk świadomości, oczekiwanie jak na stanowisku z karabinem w dłoni, gdy wiesz, że przyjdzie moment próby i jest to nieodwołalne. Uniósł lekko powieki – za oknem wciąż panowała ciemność. Nie wiedział do końca, czy śni, czy faktycznie wróciła. Przebieg wczorajszego wieczoru i nocy zlał mu się w jedno potężne wspomnienie z tymi wszystkimi nocami, kiedy budził się obok żony. Pomyślał, że nigdy nie miał pewności, czy z nim zostanie następnego dnia. Może dlatego poprosił ją o rękę? Teraz jej ręka sprawiała, że nie czuł niczego poza zapachem słonej wody i pełnym zanurzeniem, a co najwspanialsze, chyba nauczył się wreszcie pływać.

Zatkane uszy, zamknięte oczy, upał w przyczepie oblepiający ich ciała miękką foliową zasłoną i już dryfował w nieznanym kierunku. Horyzont był gdzieś w oddali. Wcale go to nie obchodziło.

– Twój telefon dzwoni! – Iwona szarpnęła go i pocałowała w czubek nosa.

Sobieski wylądował gołym tyłkiem na skałach pod wodospadem.

– Cholera – mruknął.

Pogładził się po głowie, by nie dostrzegła jego rozczarowania, że przerwała akurat w takiej chwili. Za nic nie chciałby się przyznać, że musi dojść do siebie, ale wiedział, że Iwona i tak się domyśli. Czytała w nim jak w otwartej książce.

– Jakub, jakaś kobieta na linii. Uuuu, o tej porze? Nie próżnowałeś, jak mnie nie było – szydziła, a Sobieskiemu było przykro, że mówi o tym tak lekko i nie jest zazdrosna.

Sięgnął po komórkę, by nie wypowiedzieć oskarżeń na głos. Na wyświetlaczu widniała piąta trzydzieści sześć. I informacja, kto dzwoni. Aspirant Adrianna Kowalczyk.

– To praca – mruknął, na co żona odwróciła się do niego plecami i już po chwili głośno chrapała.

Usiadł, wciągnął przez głowę T-shirt.

– Ktoś ma cię na muszce czy ty jego? – zażartował, starając się wyplątać z kłębowiska ubrań i prześcieradeł.

– Przepraszam, że obudziłam, ale zaraz zaczną się schodzić na pierwszą zmianę, a pilnie potrzebuję pomocy. – Ada mówiła zniżonym głosem. – Mam niecałą godzinę, żeby się stąd wylogować, a zostało mi jeszcze siedemset kart do przejrzenia. Całą noc przesiedziałam w firmie.

Zawahał się, spojrzał na Iwonę. Leżała bez ruchu, oddychała miarowo. Rozbawiło go, że udaje senną. Tak naprawdę słuchała uważnie i był pewien, że nie uroni ani jednego słowa z toczącej się rozmowy.

– Jestem trochę zajęty – zastrzegł. – Chodzi o transport?

– Nie do końca.

Nic nie odpowiedział.

– Zdaję sobie sprawę, że może się gniewasz, ale zaczęliśmy to razem, więc pomyślałam, że chciałbyś kontynuować. – Urwała. – Słuchaj, pościągałam dokumenty związane z naszym obiektem. Trop urywa się na jego osiemnastych urodzinach i dwóch tygodniach. W dniu, kiedy zmarł jego ojczym. Potem PESEL jest nieczynny. Jakby facet znikł z pola widzenia. Żadnych kart kredytowych, zakupów mieszkań, mandatów karnych, grzywien. Nic, zupełnie.

Sobieski podszedł do zlewu, odkręcił kran i pił dotąd, aż poczuł, że przełyk przestaje go piec.

– To już nie moja sprawa. Wyraźnie dałaś mi to wczoraj do zrozumienia – oświadczył stanowczo. – Pasuję.

Po drugiej stronie panowała cisza.

– Halo, jesteś tam? – Odsunął telefon od ucha i sprawdził, czy połączenie wciąż trwa. Trwało.

– Podejrzewałam, że się obrazisz. – Westchnęła. – Przepraszam za moje nerwy, ale nie będę cię błagać. Rozumiem. Na twoim miejscu też bym się w to nie mieszała.

– Więc po co zawracasz mi głowę nad ranem?

– Bo poza tobą nie mam z kim pogadać? – odpowiedziała pytaniem na pytanie. – Wygląda na to, że nasz człowiek jest niewidzialny w systemie. Albo popełniłam jakiś błąd, albo to najciekawsza sprawa dekady. A może całego mojego cholernego życia?

– Co tutaj ciekawego? – Sięgnął po tytoń. Zaczął skręcać sobie papierosa. – Kupił lewe papiery, zmienił tożsamość i żyje pod innym nazwiskiem.

– To byłoby zbyt proste. Ktoś wciąż płaci podatek od gruntu za ten dom strachu w Giżycach. Na przekazach pocztowych widnieje nazwisko zmarłego ojczyma Artura.

– Nie widzę tutaj nic podejrzanego – zgasił jej zapał. – Facet idzie na pocztę i wypisuje druczek. Jedna z moich ciotek od lat mieszka za granicą, a liczniki w lokalu, który tutaj zostawiła, są zarejestrowane na jej zmarłego trzydzieści lat temu ojca. Powinna to zmienić, ale trzeba by było przyjechać do kraju, zbierać kwity, dostarczać do kolejnych urzędów. Nie chce jej się. To płaci regularnie i wszystko jest okay. Jak ona umrze, to samo będą robiły jej wnuki.

Ada nie dała się zniechęcić.

– Wrzuciłam powiększone zdjęcie klasowe do programu naszego antroposkopa i je postarzyłam. Oczywiście nie znam się na tym tak dobrze, bo ten przedmiot ledwie zaliczyłam w szkole, ale mam w miarę prawdopodobny wizerunek. Możemy pokazywać świadkom albo dziwkom w klubach. Może któraś go rozpozna? Wchodzisz w to?

– Dobra robota – mruknął z drwiną w głosie Sobieski. – Zabłyśniesz na porannej odprawie przed swoim naczelnikiem. Puścicie ludzi do burdeli i sprawę macie praktycznie rozwiązaną.

– Nie byłabym taka pewna. – Ada się zawahała. – Bo włamałam się też do zarchiwizowanych akt z wypadku Samosiejki. To było czołowe zderzenie z ciężarówką. Z notatki służbowej wynika, że za kierownicą siedział pasierb. Nie miał zapiętych pasów, wypadł za barierkę, ale paradoksalnie właśnie dlatego przeżył. Połamał się, kilka miesięcy leżał w szpitalu. Auto z ojczymem spłonęło doszczętnie.

– Brzmi jak z Harrisa.

– Z trudem go reanimowali, przeszedł kilka operacji, miał też robiony przeszczep skóry. Może dlatego, kiedy wrócił, wydawał się ludziom z Giżyc nie do poznania? Pomyślałam, że wciąż mogą mieć jego próbki. Porównalibyśmy je z petem, który znalazł Łuchniak.

– Nikt nie trzyma takich materiałów, jeśli sprawa nie była kryminalna.

Ada nie dała mu dokończyć.

– Artur Szlachta wyszedł wtedy ze szpitala, pomieszkał u siostry ojczyma kilka miesięcy i któregoś dnia wyszedł do szkoły, ale już nie wrócił. Od tamtej pory słuch o nim zaginął. Pomyślałam, że gdybyś poprosił Nika o uruchomienie swoich kontaktów i analizę porównawczą, moglibyśmy mieć jakiś konkretny trop…

– Niko jest emerytowanym technikiem kryminalistyki. Nie pracuje już w laboratorium – podkreślił Sobieski. – Nie włamiemy się do szpitala, by przegrzebywać archiwum, bo ty masz przeczucie.

Westchnęła ciężko.

– Więc może pojechałbyś ze mną do tej ciotki? Odwiedzilibyśmy szpital, zahaczymy o lokalną komendę… Znam nazwisko policjanta, który spisywał notatkę z tego wypadku. Sprawdziłam wszystkie Małgorzaty Samosiejki w bazie i dwie z nich mieszkają w Krakowie, jedna w Końskich, a jeszcze jedna w Zachodniopomorskiem. O ile nie wyszła za mąż i nie zmieniła nazwiska. Nie mam samochodu, a ponieważ jestem zawieszona, nie bardzo mogę wziąć służbowy. Matka mi nie pożyczy. Codziennie jeździ do fundacji i na uczelnię. Zresztą nie jestem dobrym kierowcą, a taksówki kosztowałyby majątek. No i nie chciałabym w ten wątek mieszać rodziców. Już i tak umierają ze strachu.

Sobieski nie miał sił dłużej słuchać jej wynurzeń. Zastanawiał się, czy zna bardziej egocentryczną osobę, ale po namyśle stwierdził, że tak. Leży teraz obok niego, naga, jak ją Pan Bóg stworzył. I słucha, co Ada papla mu do słuchawki. To chyba jednak z nim jest coś nie tak.

– Słuchaj, Ada, wiesz, że cię polubiłem – przerwał jej. – I kibicuję ci z całego serca, ale przeginasz. Nie chodzi o pieniądze, których nie mam, bo nie zarabiam, jeżdżąc z tobą po kraju i gadając z ludźmi. Tak się składa, że nie mam licencji detektywa. Jeśli ktoś się dowie, że rozpytujemy ludzi, może złożyć zawiadomienie o prześladowaniu.

– Od kiedy to jesteś taki praworządny?

– Zgłoś swoje podejrzenia dowódcy czy naczelnikowi kryminalnych, który jest twoim bliskim kumplem, i zacznij działać formalnie, a mnie daj spokój.

– Okay – skapitulowała. – Dzięki za dotychczasową pomoc. Tak tylko chciałam usłyszeć od kogoś z boku, jak to brzmi.

– Brzmi, jakbyś szukała ducha.

Rozłączyła się.

Wrócił na działki po całym dniu jeżdżenia mokry od potu i głodny jak wilk. Odwiedził jednego z kurierów Mora i wziął od niego nową partię dla Ozia, ale kumpel napisał mu, że wczoraj zachlał, więc w Matrixie będzie dopiero około północy. Potem wpadł esemes od Iwony, że zaprasza go na romantyczną kolację: zrobiła lazanie i mrozi flaszkę luksusowej. Poprosiła, żeby załatwił jakiś obrus oraz świece.

W jednej chwili wszystkie dotychczasowe rozterki małżeńskie rozwiały się jak dym z pękniętej purchawki. Cieszył się jak dziecko na pojednanie z żoną i gorący seks.

Kiedy parkował samochód przy stacji, instynktownie rozglądał się na boki, czy nie czeka go znów niemiła niespodzianka. Ostatnie dni obfitowały w więcej wydarzeń niż cały ostatni pobyt na misji. Na Ukrainie siedział głównie w bazie i wypełniał papiery. Rozrywką zdawały się manewry alarmowe i picie bourbona z dziennikarzami.

Słońce zachodziło na czerwono, kończyła się magiczna godzina na fotografowanie. Nieliczni działkowcy wystawali przy mostku, szczerząc się do selfiaków w telefonie. Sobieski minął parę zakochanych, przyglądając się im spod oka, aż parsknęli śmiechem, kiedy zostawił ich za plecami, a potem jeszcze długo chichotali – domyślił się, że wrócili do przerwanego zajęcia. Wyjął komórkę i stwierdził, że może to dobra okazja, by cyknąć sobie nową fotę z żoną. W ciągu całego dnia tylko raz przemknęło mu przez głowę, że Ada nic więcej nie napisała. Obraziła się? Trudno, świetnie, skwitował w myślach.

– Wyglądasz jak menel!

Iwona przywarła do niego i poczuł moc jej gorących bioder. W czarnej, obcisłej jak druga skóra sukience, ze złotym łańcuszkiem na szyi, który kiedyś jej podarował, i kryształowymi kieliszkami w dłoniach wyglądała, jakby szli na bankiet do ambasady. Wódka chłodziła się w wiaderku, a turystyczny stolik zastawiony był porcelaną. Podał jej obrus, świece i zastanawiał się, czy pojechała po atrybuty wykwintu osobiście, czy pod jego nieobecność ktoś ją odwiedzał.

– Świętujemy coś? – mruknął, gdy się od niego nareszcie odkleiła, choć nadal gładziła go po ramieniu, a to nie było typowe dla niej zachowanie. Coś knuła.

– Zamiast tak kwękać, błyskiem byś się wykąpał – odparła. – Za chwilę z piecyka wyciągam mistrzowskie lazanie. Liczę, żeś głodny, bo zrobiłam dla całego pułku.

Posłusznie podreptał za przyczepę i uruchomił prowizoryczny prysznic. Nie trudził się zaciąganiem foliowej zasłonki. Miał gdzieś, czy ktoś go zobaczy. Woda przyjemnie chłodziła twarz, gdy usłyszał leniwe dźwięki *K.* Cigarettes After Sex, więc całkiem się odprężył. Wyszedł z kąpieli jak nowo narodzony.

Iwona siedziała już przy stoliku nakrytym obrusem. Od świeczki, którą przyniósł, odpalała papierosa. Uśmiechała się.

– Gotowy?

– Zawsze. – Wyszczerzył popisowo klawiaturę zębów, która była zarezerwowana tylko dla niej. – Powiesz, o co chodzi?

Wskazała mu miejsce naprzeciwko siebie i sięgnęła po talerz. Zaczęła kroić danie.

– Pachnie niebiańsko.

– Spróbuj nie zjeść – zaśmiała się i usiadła. Sobie nie nałożyła.

– Ty nie jesz? – zdziwił się. – A może to trutka?

Pokręciła głową i nadal się nie odzywała. Sobieski siedział już jak na szpilkach.

– Chcesz, żebym podpisał kwity rozwodowe? Nic z tego! – Odsunął talerz.

Iwona była coraz bardziej ubawiona.

– Jedz, wariacie!

Zrobił jak nakazała. W milczeniu słuchali muzyki, patrzyli na zachodzące słońce i na siebie nawzajem.

– Mówiłem ci już, że szaleję za tobą?

– Rano wielokrotnie.

– Jesteś boska.

– Wiem. – Sięgnęła do paczki z papierosami, chociaż przed chwilą zgasiła poprzedniego. – Dlatego musimy porozmawiać.

– Wiedziałem, że za takie bajki słono się płaci.

– Była tutaj twoja koleżanka. Z policji.

Natychmiast odłożył sztućce.

– Aspirant Ada Kowalczyk. Pogadałyśmy.

Spojrzał na napełniony kieliszek i sięgnął, by upić łyk, ale zrezygnował. Iwona zaśmiała się jak wiedźma.

– Nie musisz się tak stroszyć. Wszystko mi opowiedziała.

– To ciekawe – rzekł. – Bo nie jest moją koleżanką ani się nie nastroszyłem.

– Jasne, a grdyka lata ci z nerwów zupełnie przypadkowo. Spiąłeś się jak do strzału – odparowała. – Ta historia jest przerażająca i dziwię się, że odmówiłeś dziewczynie pomocy, chociaż to szlachetne, że pojechałeś z nią do Łuchniaka.

Sobieski zatrzymał w ustach komentarz, że tak to właśnie jest z babami. Pierwszy raz się widzą i zaraz wypaplają sobie wszystkie tajemnice. O ile w żeńskim świecie cokolwiek może być sekretem.

– Nic między nami nie było – zastrzegł.

– Wiem przecież! – Machnęła ręką. – I nie jestem zazdrosna.

– Szkoda. – Uderzył rękoma o uda.

Iwona przekrzywiła głowę, zacisnęła usta, a potem zgasiła z werwą papierosa, aż popiół rozsypał się na bielutki obrus.

– Po porannym telefonie do ciebie rozmawiała z szefem. Komisarz Drabik odesłał ją do diabła. Ugrała tyle, że jest oficjalnie zawieszona, a nieoficjalnie może robić co chce, choćby i w pojedynkę polować na Kosiarza. Taki ma zresztą plan. Mówiła ci? Nie rozumiem, dlaczego kryminalni zostawili ją z tym zadaniem samą.

– Po co się w to mieszasz? – zirytował się Sobieski.

– Bo to jest dla nas szansa.

– Dla nas? – Ukrył twarz w dłoniach. – A jaką rolę w tej sprawie widzisz dla siebie?

– Skoro zgodziłam się za ciebie wyjść, na twojej pozycji zależy mi jak na własnej. Mógłbyś wykorzystać to jako pretekst, by pogadać wreszcie z ojcem. Twój tata zna jej starego. Kowal to ponoć emerytowany gliniarz, który wciąż wiele może. A tak się składa, że jego córka jest w niebezpieczeństwie. Zgodzą się pomóc tobie, jeśli ty im pomożesz.

Sobieski pokręcił głową zirytowany.

– Nie mam po co iść do ojca.

– Nieprawda! To ty nie chcesz z nim rozmawiać – zaoponowała. – Uniosłeś się honorem zupełnie niepotrzebnie! Wyciągnij do niego rękę, a będzie współpracował. Jego jedynym życzeniem jest, żebyś wyszedł na prostą. Mówił mi o tym wiele razy.

– Nie będzie współpracował – powtórzył Sobieski. – I masz rację: nie chcę jego kontaktów, wsparcia ani pieniędzy. Bo to ci najbardziej doskwiera? Wychodziłaś za syna pułkownika, a zostałaś żoną skompromitowanego gliny pozbawionego ambicji. Bez roboty, hajsu i pagonów, którymi mogłabyś się szczycić.

– Nie dramatyzuj. – Iwona założyła ręce na ramiona. – Wiem, że to przejściowe.

– A może ja lubię jeździć na taryfie i nie chcę niczego zmieniać?

– Gówno prawda, nienawidzisz tego! – prychnęła. – A ambicja cię żżera. Słuchaj mnie uważnie, Kuba, i choć na chwilę przestań się nad sobą użalać. Już nie mogę tego słuchać!

Sobieski zacisnął szczęki ze złości. Spoglądał na Iwonę spod oka.

– Są wyniki sekcji czarnoskórej modelki, której ciało odkryliście w mieszkaniu Beaty Kowalczyk. Wygląda na to, że sprawca pastwił się nad nią po śmierci. Pokaleczył ją w miejscach intymnych, próbował odciąć lewą pierś, a na łóżku, gdzie leżała, rozlał kilka litrów psiej krwi pomieszanej z krwią siostry Ady. To starczyło, by twoja koleżanka została wyłączona ze sprawy formalnie. Podobno teraz szukają już ciała Beci. Powołali specjalny zespół i są na to środki z budżetu operacyjnego. – Zatrzymała się. – Wiedziałeś o tym?

– Cały dzień napierdalałem na taksówce i słuchałem rapu – warknął.

Iwona nie zwracała uwagi na jego humory.

– Kosiarz z Kabat atakuje siostry. Mówią o tym w każdym radiu! – emocjonowała się. – Kiti, bliźniaczka Abioli Rosołowskiej, dostała ochronę. Musiała wziąć urlop z pracy i eskortują ją nawet do spożywczaka. Przed jej domem wystaje horda dziennikarzy, więc udziela wywiadów i opowiada, jak cnotliwa oraz piękna była jej siostra. Za to twoja Ada zwiała z celownika. Była tutaj i powiedziała mi, że nie zamierza się wycofać. Chce działać na własną rękę. – Iwona zakończyła i umilkła, czekając na reakcję męża. – A tych psów Kosiarz musiał zamordować kilka i to wielkich jak bydlęta, żeby zdobyć tyle litrów świeżej juchy.

Sobieski milczał. Zastanawiał się długą chwilę.

– Czego ode mnie oczekujesz? – wychrypiał wreszcie.

– Ta sprawa to teraz priorytet stołecznej policji. Wszystkie oczy zwrócone są na zboczeńca z Kabat. Jakub, pomyśl, gdybyś pomógł go znaleźć, odzyskałbyś twarz po tamtej kompromitacji.

– Wiem, że wolałabyś mieć męża bohatera, choćby i martwego, a nie taryfiarza, ale namawiasz mnie do łamania prawa. Nie jestem już w służbie. Tak się składa, że dym po śmierci Rusaka był kurewsko gęsty i nikt nie zaryzykuje dla mnie głowy, bo to gówno wyleje się też na niego. Tak że przykro mi, choć doceniam, że we mnie wierzysz, ale raczej nie przyjmą mnie z powrotem.

– Ale mogliby przyjąć, bo oczyszczono cię z zarzutów i nie jesteś karany – zaoponowała. – Jedno słowo twojego ojca i załatwia ci miejsce w kryminalnym. Ada mówiła, że mają wakat w stołecznej.

– Ona walczy o tę posadę.

– Naczelnik Drabik zwodzi ją od roku, a Kowal robi wszystko, żeby zniechęcić oficerów do córki. Ada musiałaby się wykazać czymś nadzwyczajnym. Nie ma doświadczenia w terenie i jest kobietą. – Iwona przerwała. Patrzyła na Sobieskiego przeciągle. – Ty, nawet z plamami na dossier, nadajesz się idealnie. Gdyby mieli wybierać, z pewnością woleliby byłego glinę z doświadczeniem po misjach niż dziewczynę spottersa.

– A więc o to chodzi? – Sobieski wskazał wystygłe już lazanie, zimną wódkę i truskawki. – Tym samym dostaję kolejne ultimatum. Ogarnę się – będziemy razem. Mam za cienki PIT, znikasz bez śladu?

– Chyba na głowę upadłeś, jeśli sądzisz, że będę chowała dziecko w tej przyczepie! Lokal na Niepodległości, o który się starasz, też jest dla jednej osoby.

– Jesteś w ciąży?

– A gdybym była?

– Ze mną? – wyrwało mu się.

– Inaczej by mnie tutaj nie było – odparła zimno. – Taka była umowa.

Nabrał powietrza w płuca. Spojrzał na jej w połowie opróżniony kieliszek. Wczoraj też nie pamiętał, by wypiła więcej niż jedno piwo, ale zaraz zerknął na popielniczkę pełną niedopałków i znów był sceptyczny. Pogrywała z nim.

– Po wczorajszej nocy mogłabym być. Nie sądzisz? – wysypała się wreszcie. – Uznałam, że chcę spróbować z tobą jeszcze raz, i miałam wrażenie, że też jesteś na to gotów. Pytanie, czy się zmienisz. Ogarniesz...

– Zmienić się? Ogarnąć? – Parsknął. – Jeśli biorę udział w jakichś zawodach, to odpadam. Możesz wracać do jednostki. Do swojego ogarniętego kochanka!

Odchyliła się na krześle. Nie zaśmiała się jak zwykle, tylko na niego patrzyła. Gruba żyła poruszała się na jej smukłej szyi. Wokół ust dostrzegł zaczątki zmarszczek, ale ciało miała idealne. Rozciągliwa sukienka ciasno opinała jej płaski, umięśniony brzuch. Tylko raz zrobiła taki występ i to było zaraz po tym, jak się poznali. Potem dowiedział się, że w tym samym czasie miała romans z Cykorem, którego na zmianę rzucała i do niego wracała.

– Co się stało w robocie? Dlaczego przyjechałaś?

– Nic nadzwyczajnego – zbyła go. – Mam tego dość.

– Tego czy jego?

– Mieliśmy o nim nie rozmawiać.

– Oczekujesz, że będę kolaborował z ojcem, pomagał obcej kobiecie, której wydaje się, że jest detektywem z powieści, a nie chcesz rozmawiać o swoim amancie? Za to litościwie oferujesz mi swoje małe bobo. Nawet nie mam pewności, czy dziecko byłoby moje – wypalił. – A może liczyłaś, że ucieszę się z powrotu do naszego chorego trójkąta? Wezmę cię w ramiona, będę żarł tynk ze ścian i kupię ci apartament w Miasteczku Wilanów, żebyś tylko ze mną została...

– Nie zaszkodziłoby, gdybyśmy mieli gdzie mieszkać – mruknęła, pochylając głowę. – Trójkąta z Cykorem już nie ma. Zdecydowałam, że stawiam na ciebie. Tylko dlatego nie ma mnie teraz na Kobrze. Możesz potraktować to jako propozycję.

Nie wierzył jej. Coś stało się w jednostce i wkrótce się dowie, co zaszło, ale w tej chwili nie miał sił się nad tym zastanawiać.

– Przemyślę to – odparł.

Podziękowała mu uśmiechem. A potem znów zaczęła przemawiać:

– Poczytaj o sprawie i zastanów się, jak możesz pomóc Adzie i nam. Za dobre uczynki są nagrody. Poza tym w mundurze ci do twarzy. Zawsze dobrze wyglądałeś w niebieskim.

– Niech ci będzie – powiedział i kliknął w ikonkę Safari.

Wpisał w wyszukiwarkę nazwisko Kowalczyk, ale jako pierwsze zdjęcie w grafice wyskoczyła mu twarz Ady.

– Kuba, co się stało? – zaniepokoiła się żona. – Wyglądasz, jakbyś zobaczył ducha.

– Duchy nie istnieją – odrzekł. – To tylko eufemistyczne określenie tajemnic, jakie skrywają ludzie, którzy znikają bez śladu.

***

Przed budynkiem Sekcji Zarządzania Kryzysowego zebrała się grupka reporterów. Wejścia obstawiono kordonem mundurowych. Wśród nich Sobieski rozpoznał dwóch osiłków, z którymi Ada przyjechała po niego na działki. Oni też go zauważyli, ale zachowywali się tak, jakby widzieli go pierwszy raz w życiu. Zrozumiał, że w obliczu zaistniałych wydarzeń wolą, by ich spotkanie pozostało wspólnym sekretem. Zaakceptował to, ale poczuł się pewniej i tym bardziej ściągał ich spojrzeniem. Pierwszy skapitulował ten niższy i bardziej opalony. Rzucił niedopałek do studzienki i miarowym krokiem podszedł do clio, w którym siedział Sobieski. Wylegitymował go, a potem oficjalnym tonem polecił mu odjechać. Sobieski wrzucił wsteczny, karnie wycofał auto, po czym zatrzymał je na najbliższym wolnym miejscu parkingowym. Wysiadł, obszedł budynek i udawał, że przygląda się stadu dzikich kotów żerujących koło śmietnika.

Nie dalej niż kilka minut temu kucharz musiał opróżnić stołówkowe gary. Na kolację w SZK była ryba po grecku i nie mogła być smaczna, skoro tyle jej zostało. Kotom to nie przeszkadzało. Kłębiły się w plastikowych pojemnikach i syczały na siebie, nie zwracając uwagi na zgromadzonych za winklem ludzi.

Sobieski przeczytał wszystko, co zdołał znaleźć w internecie, ale poza sensacyjnymi lidami nie było tam miarodajnych danych. Beata Kowalczyk wciąż była poszukiwana. Rzecznik policji zapewniał o silnej wierze, że odnajdą studentkę żywą, chociaż do mediów wypłynęła informacja o krwi w jej łóżku, na którym leżała ostatnia ofiara Kosiarza. Jak dotąd nie znaleziono potwierdzenia, że kobiety się znały. Ponieważ do publicznej wiadomości podano, że zaginiona studentka była nieślubną córką komendanta dzielnicowego Wiktora Kowalczyka, media rozdmuchały newsa do rangi afery. Teraz na listę zaginionych wciągnięto także jej siostrę Adę. Fotografię policjantki z napisem „Zaginiona, poszukiwana" i numerem infolinii opublikowały wszystkie media. Jedna z gazet dołączyła zdjęcie ojca sióstr sprzed lat. Córki musiały dziedziczyć urodę po matkach, chyba że to wina ówczesnej mody. Przez sumiaste wąsy i zakola łysiny Kowal wyglądał raczej na farmera niż byłego szefa jednej z większych jednostek policji. Pisano, że ostatni raz Adriannę Kowalczyk widział dyżurny jednostki, przed którą wystawali obecnie reporterzy, a potem do sieci wpadło nagranie. Sobieski odtwarzał je nieskończenie wiele razy. Sprawca powiedział: „Nie masz mleka w lodówce. Chcesz zobaczyć Becię, bądź sama".

Wcześniej Jakub był pod domem Ady, ale tam zastał jeszcze więcej mundurowych. Nie udało mu się przedostać za taśmy. Dowiedział się jednak od sąsiadów, że w mieszkaniu na Rapackiego nie ujawniono ciała dziewczyny. Dlaczego teren zabezpieczono? Co zaszło? Nie wiedział.

W drugiej kolejności skierował się do motelu Turkus, w którym policjantka miała sekretną schadzkę. Z kim? – tego nie udało się Sobieskiemu potwierdzić. Obstawiał naczelnika z kryminalnego, z którym Ada miała nieformalny układ. Recepcjonistka Turkusa zapewniała, że kobieta ze zdjęcia w gazecie u nich nie nocowała, choć przecież Sobieski sam widział, jak Ada wchodzi do budynku.

Ustalił za to nazwisko potencjalnego kochanka policjantki, ale wydział kryminalny miał aż trzech szefów. Drabik był jednym z dwóch zastępców naczelnika. To by wyjaśniało, dlaczego nie miał mocy decyzyjnej, by przyjąć Adę od ręki, i kazał jej się wykazywać. Na koniec odnalazł fundację jej matki, rozmówił się z panią Kowalczyk i zgodził się przyjechać pod biuro, z którego Ada dzwoniła do niego nad ranem.

Regularnie włączał wybieranie, ale telefon kobiety uparcie milczał. Automat informował go, że skrzynka głosowa jest pełna. Zwinął sobie papierosa, zapalił i obejrzał się na koty.

Zostały tylko trzy najchudsze i najbardziej wyleniałe. W pojemnikach widać było białe dno – ryba została pożarta w całości. Wokół poniewierała się tylko rozdrobniona na grubej tarce marchewka.

– To kino nie pomoże w szukaniu Kosiarza. – Zza pleców usłyszał zachrypnięty bas.

Kiedy się odwrócił, nie miał wątpliwości, że stoi przed nim ojciec Beaty i Ady.

Młodszy inspektor Wiktor Kowalczyk niewiele się zmienił w stosunku do zdjęcia, które Sobieski przed chwilą oglądał. Brakowało wąsów, kilku kilogramów na brzuchu i galowego munduru. W wędkarskiej czapce, spranych dżinsach i pogniecionej koszuli z krótkim rękawem wciąż wyglądał na funkcjonariusza, ale twarz miał wymizerowaną, bladą i z trudem ukrywał gniew.

– Długo ci zeszło, żeby tutaj dotrzeć, aspirancie sztabowy Sobieski.

Wzdrygnął się, słysząc swój dawny stopień służbowy. Skinął komendantowi na powitanie i dopiero potem się odezwał:

– Zawiodłem pana?

– Już miałem szukać wsparcia u twojego ojca, a nie lubię bez uprzedzenia nachodzić ludzi w domach, odkąd nie jestem w służbie.

– Niewiele by to dało – przyznał Sobieski. – Zresztą byłem umówiony z małżonką, nie z panem.

– Chodź ze mną.

Skinął na Sobieskiego jak na dzieciaka i odmaszerował bez oglądania się za siebie. Był tak pewny siebie, jakby wciąż uważał się za szefa jednej z największych stołecznych komend. Zatrzymali się przed dziurą w siatce. Kowal przeszedł przez nią, dotarł do rampy na tyłach budynku, którego tak dzielnie pilnowali stójkowi, a potem wyciągnął ukryte w niej składane krzesełko. Sobieskiemu wskazał kupę żelastwa.

– Jesteś młodszy stopniem – skrzywił się. To miał być uśmiech.

Jakub przysiadł na zdezelowanym silniku.

– Co z Adą?

– To ja się pytam ciebie, chłopcze, dlaczego jej nie upilnowałeś – zbeształ go jak uczniaka. – Zawarłeś układ z moją ślubną, więc sądziłem, że masz na Adusię oko.

Z kieszeni wyjął garść prażonego słonecznika i zaczął go łuskać. Łupiny metodycznie wypluwał pod nogi.

– Umowa była inna – zaczął Sobieski. – I rozmawialiśmy przed ujawnieniem ciała modelki. To wszystko zmieniło.

– Na jaką cholerę kontaminowaliście miejsce zbrodni?

Kowalczyk wywrócił oczyma. Podniósł dłonie w geście zniecierpliwienia. Przypominał Sobieskiemu leśnego dziada, który pozjadał wszystkie rozumy, mówi rymowanym szyfrem, a czasami popisowo milczy. Tak właśnie było teraz. I zadziałało.

– Przyjechałem, bo się martwię. – Sobieski zaczął gorączkowe tłumaczenia. – Pana córka zadzwoniła do mnie nad ranem. Odmówiłem jej pomocy. Skąd miałem wiedzieć, że sprawca się z nią skontaktuje? Mówiła coś o rutynowych działaniach: rozmowach z ciotką podejrzanego sprzed lat, przesłuchiwaniu dziwek. Mam swoje sprawy, robotę... – dukał. – A jeszcze wczoraj kazała mi się odczepić. Myślałem, że to nieaktualne.

– Będziesz słuchał każdej baby i spełniał jej zachcianki, nigdy nie będą cię szanowały – burknął Kowalczyk i dalej spokojnie łuskał słonecznik.

Kupa łupin rosła koło jego stopy do momentu, kiedy wywrócił kieszeń na lewą stronę i okazało się, że jest pusta.

– Nikt jej nie uprowadził – oświadczył nagle. – To nagranie, które chodzi po sieci, to fejk.

– Drabik sam je nagrał – kontynuował Kowal. – Wodzi moją córkę za nos i obiecuje jej złote góry, a Adusia się w nim durzy. Zgodziła się na tę hucpę, bo liczy, że przyczyni się do wyjaśnienia sprawy i zajmie biurko w wydziale K. Ale to ślepy zaułek. Drabikowi nie uda się na nią zwabić Kosiarza. Bo taką robotę zaoferował mojej córce ten chłystek. Bycie przynętą. Idiota! – Parsknął ze złością. – Tak się nie rozwiązuje spraw!

– Gdzie ona jest?

– Zniknęła z pola widzenia.

– Czyli pan nie wie?

– Nie.

– I się nie martwi?

– O Adę? Umiarkowanie. O moją drugą córkę – bardzo. Za to zgadzam się z prowadzącym dochodzenie, że porwanie Beci jest aktem zemsty na mnie, ale tego nie wyczytasz w internetach.

– O tym pana żona mi nie wspominała.

– Była inna sytuacja.

Kowalczyk przyglądał się idącemu w kierunku łupin karaluchowi. Powoli, niemal niedostrzegalnie przesunął stopę. Przygniótł owada. Docisnął, kręcąc ciężkim buciorem po górce łupin. Dokończył:

– Teraz mam już pewność. To sprawa osobista.

– Zna pan nazwisko porywacza Beci?

– Wiesz, że komenda, która mi podlegała, miała najwyższe wyniki w statystykach? Największa przestępczość i najlepsze wyniki – podkreślił.

– Nie odpowiedział pan na pytanie.

Kowalczyk podniósł but i przyjrzał się zmiażdżonemu pancerzykowi owada. Zgarnął kupkę łupin w nieduży kopczyk, jakby grzebał pod nim zwłoki.

– Sądzisz, że gdybym je znał, siedziałbym pod śmietnikami na rybackim krzesełku i konwersował ze skompromitowanym gliniarzem, który wozi koks i piko Mora po klubach? Moje córki są w niebezpieczeństwie. W ciągu kilku dni schudłem dziesięć kilo. Żona odchodzi od zmysłów. – Urwał. – Obie moje kobiety szaleją.

– Skoro to wendeta, musi pan kogoś podejrzewać – nie ustępował Sobieski.

– Pod moją szóstkę podlegało blisko ośmiuset funkcjonariuszy – kontynuował swoje były komendant. – Białołęka, Targówek i Praga-Północ. Rocznie robiliśmy ponad setkę dochodzeń. Większość gnojów, których chwyciliśmy, poszła siedzieć. Ale nasi klienci, jak wiesz, wcześniej czy później wychodzą i wracają do recydywy. W pierdlu mieli dużo czasu na rozmyślania i nawiązywanie sojuszy. To może być każdy z nich. – Kowal przerwał, wlepił czujne spojrzenie w Sobieskiego. – Zważ, że szefem Pragi byłem ponad dziesięć lat. Widzisz, jakie jest grono potencjalnych podejrzanych? Nie jestem w stanie sam wykminić, który to zbój. – Znów się zatrzymał. – Teraz najwięcej przestępstw zdarza się na Bemowie. Wiesz, dlaczego mieliśmy tak wysokie noty u Pierwszego?

– Wywiadowcy?

Sobieski westchnął z ociąganiem. Nie miał sił słuchać narzekań sfrustrowanego emeryta. To dlatego nigdy nie opowiadał o tym, dlaczego wyleciał z policji. Ludzie mają alergię na nieszczęście. Zaczynają cię unikać.

– Stawiałem na sprawdzoną kadrę. – Kowalczyk dopiero się rozpędzał. – Nie wymieniałem starych na młodych tylko dlatego, że mają mocniejsze bicepsy i mniej cholesterolu we krwi niż moi ludzie wódki. W Polsce większość śledztw rozwiązuje się, przekładając papiery, ewentualnie rozmawiając. Rzadko kiedy ścigamy się z bandytami. Jak trzeba kogoś zdjąć, wzywamy czarnych. Wejście zamaskowanych kafarów z bronią skutecznie zbija z tropu najbardziej zatwardziałych zbójów. To atawizm.

– Świetnie, ale jaki to ma związek z zaginięciem pana córek? I ze mną...

Kowalczyk spojrzał na Sobieskiego, jakby dopuścił się obrazy majestatu papieża.

– Dlaczego już nie jestem szefem Pragi? – spytał.

– Emerytura – strzelił Sobieski. – I przepisy o braku współpracy sprzed osiemdziesiątego dziewiątego?

– Aż tak stary nie jestem – burknął Kowal zniechęcony. – Prawidłowa odpowiedź brzmi: bo zostałem biznesmenem. Skorzystałem ze swojej wiedzy, kontaktów i doświadczenia, by zbudować przedsiębiorstwo. Tym samym, jak każdy imperialista, zyskałem masę wrogów.

Sobieski poczuł, że po kręgosłupie idzie mu zimny prąd.

– Tak, aspirancie, znam Warszawę jak własną kieszeń. Wiem, kiedy która kurwa pierdnie, a taki początkujący diler jak ty ma u mnie w komputerze swoją fiszkę. Pewnie, że zdarzają się sytuacje nieoczekiwane, ale wtedy na moje biurko trafia pełny raport. W tej chwili podlega mi więcej uzbrojonych ludzi, niż kiedy nosiłem mundur. Życie ich i ich rodzin w pełnej rozciągłości zależy ode mnie. To ja im daję jeść: kurwom, sutenerom, dilerom, przemytnikom i handlarzom żelastwa. Powtarzam ci więc kolejny raz i mam nadzieję, że ostatni... Tylko jedna moja córka zaginęła, a ja nie wiem, kurwa, jak do tego doszło. – Przerwał, dusząc w sobie gniew. Przyjrzał się Sobieskiemu. – Za to sfingowane zaginięcie Ady z każdą chwilą zmniejsza szanse Beci na przeżycie. Obawiam się, że już teraz może być za późno. Nikt nie przeżyje, jeśli straci tyle krwi.

– Media podały, że krew na prześcieradle była zwierzęca – zaoponował Sobieski, ale na twarzy Kowalczyka dostrzegł ból.

Były komendant wyglądał, jakby zeszło z niego powietrze, a zmarszczki na twarzy pogłębiły się tak bardzo, że przypominał jabłko pozostawione pod drzewem do pierwszych mrozów.

– Wiem, ile jej było. Beata w momencie uprowadzenia była poważnie ranna. Nie mam podstaw, by sądzić, że udzielono jej właściwej pomocy. Byłeś na wojnie, wiesz, jak to jest.

Sobieski pochylił głowę.

– Przykro mi – rzekł, ale te przedwczesne kondolencje tylko Kowala rozzłościły.

– Kosiarz to jedna bajka, a uprowadzenie Beci to inna para kaloszy! Nie będę się zbytnio rozwijał, ale wiedz, chłopcze, że morderca dziwek mnie nie obchodzi. No, chyba że okaże się tą samą osobą, która skrzywdziła moje dziecko. Wtedy osobiście sprzedam mu kulkę w łeb. – Westchnął ciężko. – Beata jest młoda i naiwna, a jej matka chroniła ją przed twardym życiem, na ile umiała. Ale to małe diablę ma duszę aktywistki. Nie rozumiała, że dziwki są dziwkami z natury i robią to dla kasy, a kasa znaczy interes. Ten tort dzieli się na wiele małych kawałków. Jest strefa tanich kurew, drogich kurew, dorywczych cichodajek, dziewczyn szukających sponsora, a czasem te same dziewczyny robią na wszystkich frontach. Do tego ochroniarze, menedżerowie i przemysł narko, który, jak sam wiesz, jest już ciężką artylerią. To wszystko jest jednak ze sobą powiązane. W grę wchodzą potężne pieniądze i nikt się nie pierdoli. Jak trzeba zabić – zabija. Lepszy świadek martwy niż ranny. Moja córka chciała zbawić dziewczyny zatrudniane przez Piorunkę i nieświadomie została takim właśnie świadkiem. Kłóciły się, fakt. Mnie też się dostawało. Wreszcie Becia zerwała się ze smyczy, zaczęła węszyć i poszła nie tam gdzie trzeba. Za późno się dowiedziałem, bo jej matka bała się mi przyznać, co młoda odstawia, ale tak się składa, że chyba już wiem, do kogo poszła pogadać.

– Do kogo? – wtrącił się Sobieski, ale Kowal znów zgromił go spojrzeniem i ciągnął swoje:

– Jedyna nadzieja w tym, że ten ktoś zdaje sobie sprawę, ile będzie kosztowała śmierć tej dziewczyny. Mojej córki.

Sobieski przyglądał się zrozpaczonemu ojcu i nie podobał mu się ten kredyt zaufania, którym obdarzał go Kowal. Za powierzenie tego rodzaju tajemnic wcześniej czy później słono się płaci. Dlaczego mi to mówi, myślał gorączkowo. Dawna przyjaźń Kowala z jego ojcem nie usprawiedliwiała takich zwierzeń. Znajomość Jakuba z Adą – tym bardziej.

– Ile kosztuje jej śmierć?

– To będzie wojna.

– Między kim a kim? Do kogo Beata poszła po informacje?

– Widujesz go od piątku do środy.

Sobieski zbladł. Pomyślał o Oziu.

– Wpuszczasz na rynek jego towar.

– Moro?

Sobieski przełknął ślinę. Ulżyło mu, że nie chodzi o przyjaciela, ale ta informacja przeraziła go znacznie bardziej.

– Chyba panu nie pomogę. Moro zachowuje najwyższe środki ostrożności. Spotykam się za każdym razem z innym kurierem. Czasami partie czekają w otwartym samochodzie. Lokalizację otrzymuję na pół godziny przed odbiorem. Jeśli się spóźniam, ustalane jest nowe miejsce. Nie wiem, kim jest ten facet. Nigdy go nie widziałem. I prawdę mówiąc, zamierzałem rzucić dilerkę w ciągu najbliższych tygodni. To już postanowione.

– Ile razy ja to słyszałem! – Kowal zaśmiał się gromko. – Jak sądzisz, dlaczego już nie jestem komendantem Pragi?

Sobieski zmilczał. Miał dość tego przesłuchania.

– Tomasz Rusak, pseudo Baton. Inspektor Sobolewski. Mówią ci coś te nazwiska?

Sobieski odchylił się, jakby dostał w twarz.

– Sobolewski rok temu wręczył mi zwolnienie dla dobra służby. Powód bezpośredni: zgon Batona po moim przesłuchaniu.

– Baton był kurierem Mora. Wiedziałeś? Nikim ważnym. Ot, drobny kolporter śniegu. Mnóstwo razy widziałem go napranego w mieście. Bywał w moich lokalach. Dziewczyny go lubiły, bo miał gest i płacił w najlepszej jakości towarze, który mogły zmieszać i jeszcze na tym zarobić. Baton miał dostęp z pierwszej ręki, od Mora, rozumiesz? Nie lituj się nad nim. Gdyby nie sytuacja w waszym komisariacie, Baton i tak by któregoś dnia przedawkował. Był maksymalistą. A gdyby zaczął sypać, Moro by go wyhuśtał w pierdlu albo odpalił na przepustce. Jego dni były policzone. Rzecz jest w czymś innym. Teraz ty sam pracujesz dla Mora. Można powiedzieć, że zająłeś miejsce zmarłego Batona. Życie bywa zabawne.

Kowal upajał się szokiem malującym się na twarzy Sobieskiego.

– Jak mi nie wierzysz, zapytaj swojego kumpla Ozia. Konkurowali z Batonem w Matrixie. Wiem, bo lokal częściowo należy teraz do mojego człowieka. Oziu odetchnął z ulgą, kiedy Baton wypadł z obiegu. Myślisz, że zwerbował cię do tej roboty przypadkowo?

– To ma być jakiś szantaż? – zirytował się Sobieski.

– Żaden szantaż. Pomocna dłoń.

Kowal wzruszył ramionami. Sprawiał wrażenie śmiertelnie zmęczonego. Westchnął, podłubał w zębie. Wypluł skorupę po słoneczniku i długo wpatrywał się w plwocinę, zanim wznowił wątek:

– Wiem, że szóstego maja dostałeś zwolnienie, a dopiero następnego dnia wszczęto postępowanie wyjaśniające. Postawili ci śmieszne zarzuty za to, że wykonywałeś czynności procesowe z osobą, która mogła być nietrzeźwa lub pod działaniem środków odurzających, co nawet nie jest przestępstwem, ale wrzucono to do worka dwieście trzydzieści jeden kk, bo za późno wezwałeś karetkę. Pech, że Baton zmarł w szpitalu zaraz po twoim nieudanym przesłuchaniu. Zostałeś tymczasowo aresztowany na dwa miesiące, gdyż trzeba było wykonać niezbędne czynności, na które miałeś istotny wpływ, takie jak sekcje zwłok, oględziny monitoringu ze szpitala i z komisariatu, oględziny twojego telefonu, który zatrzymano bezprawnie, bo po sekcji zwłok okazało się, że Tomasz Rusak, którego przesłuchiwałeś, nie miał żadnych urazów i że do śmierci nie przyczyniły się osoby trzecie.

Sobieski się nie odzywał. Wciąż nie ufał Kowalowi, chociaż każde słowo, które wypowiedział, było jak balsam na jego upokorzenia.

– Wtedy sąd zmienił ci tymczasowe aresztowanie na poręczenie majątkowe wysokości dwudziestu tysięcy złotych, ale panu prokuratorowi to nie wystarczyło i dołożył ci wszystkie możliwe środki, jak dozór policyjny, zakaz zbliżania się do świadków, kontaktowania się ze świadkami, wykonywania zawodu, a także zakaz opuszczania kraju, więc nie miałeś szans zobaczyć się z żoną, kiedy była ranna. Jak widzisz, wiem o tobie bardzo wiele.

Przerwał, napawał się efektem swoich słów. Sobieski nie był w stanie wydusić ani słowa. Czekał na ofertę i wiedział, że to będzie propozycja nie do odrzucenia. Zastanawiał się, jakim cudem wpierdolił się w to gówno. Czy gdyby nie zaczepił Beci, mógłby teraz spać spokojnie?

– Rozmawiałem też z rzecznikiem dyscyplinarnym z komendy wojewódzkiej, bo to mój wieloletni kumpel, i powiedział mi, że radził Sobolewskiemu, by najpierw wyjaśnić, co się stało, a dopiero potem cię usuwać, ale inspektor miał ponoć związane ręce. Dostał telefon i musiał to zrobić.

– To stare dzieje – żachnął się Sobieski. – Nie potrzebuję współczucia. Baton nie żyje i nie da się tego odwrócić.

– Wiem, że nie potrzebujesz litości, chłopcze, lecz sprawiedliwości. Znam to z autopsji. Za moim odejściem stoi ta sama osoba. Ta, która wykonała telefon do inspektora Sobolewskiego. Na szczęście byłem w firmie dłużej i moje życie poukładało się inaczej. Też możesz mieć drugą szansę.

– Werbuje mnie pan do swojego gangu?

– Nie mówię o powrocie do dilerki, bo na to jesteś za duży miękiszon. Szkolili cię na psa, więc bądź nim. Choćby i w wiejskim komisariacie. Nie sądzisz, że każdy ma swoje przeznaczenie?

– Bycie ojcem chrzestnym to pana przeznaczenie?

Kowal wyszczerzył się, jakby dostał szczególnie cenny komplement.

– Stary już jestem i trochę mnie przeceniasz, ale mam swój udział w tym torcie, jak mówiłem. Salony masażu i portale towarzyskie to w sumie nic nielegalnego, a na dochody nie narzekam.

– Przed chwilą mówił pan co innego – wyburczał Sobieski.

– Dosyć tego pierdolenia, Kubuś! – Kowal podniósł dłoń we władczym geście. – Umowa z matką Ady to był test. Teraz pytam cię poważnie, czy zajmiesz się sprawą, bo nie mam czasu na niezrozumienie i nie lubię nieskutecznych oficerów. Pomogę ci we wszystkim i zrobimy to po mojemu. Uruchomię swoje kontakty. Po tej i tamtej stronie. – Odczekał chwilę. – Tak kiedyś rozwiązywało się sprawy: rozbijając strukturę od środka. Ale to będzie ryzykowne. Jeśli się boisz, możesz odejść. Zapominasz, że sobie tu siedzieliśmy, i najlepiej na długo wyjedź z miasta. Robię ci tę grzeczność nie ze względu na twojego ojca. Owszem, znaliśmy się kiedyś z pułkownikiem i wiem, że zależy mu, żebyś się ogarnął, ale nie wstawił się za tobą. Nic nie wie. Odetchnij.

– Więc dlaczego? – wydukał Sobieski. – Dlaczego mi pan to wszystko mówi?

– Obserwuję cię od jakiegoś czasu i sądzę, że masz swój kodeks. To się nie przyda w półświatku, ale mogę ci pomóc wrócić na łono firmy. Powiedzmy, że taką mam fanaberię. – Zawahał się. – A może kiedyś byłem taki jak ty i wzięło mnie na sentymenty? Pewne jest dla mnie tylko to, że z jakiejś przyczyny moja córka ci zaufała. Becia jest czujna, nie trzęsie się jak Ada. Skoro wsiadła do ciebie, wiedziała, co robi. Nie daję ci gwarancji, że nasz plan się powiedzie, bo wszystko może pójść nie tak. Jest ryzyko, jest zabawa. Ty decydujesz.

– Chce pan, żebym współpracował z Adą? – Sobieski pokręcił głową w niezrozumieniu. – Czy mam znaleźć Beatę?

– Nie lubię, kiedy wchodzi mi się w słowo. – Kowal zmroził go spojrzeniem. Dokończył: – Ada ma swoje śledztwo i niech się bawi w detektywa, skoro daje jej to frajdę. Zgłosi się do ciebie, pomożesz jej. Nie zwracaj uwagi na jej humory. Choruje na chorobę dwubiegunową. Bywa nieobliczalna. Od dziś pracujesz dla mnie. I mnie się spowiadasz.

– Nadal nie wiem, co miałbym robić.

– Chcę, żebyś odzyskał Becię żywą, a gnoja, który odważył się ją porwać – uwięził. Kiedy pójdziesz do Mora, jak to zaplanujesz, zostawiam ci do rozkminy. Nie zwlekaj, bo czasu jest niewiele. Dalej ja sam zajmuję się sprawą.

Sobieski się zawahał.

– Skąd pan wie, że pana córkę przetrzymuje Moro? Po co?

– Po prostu wiem – uciął Kowal. – Jego motywy nie powinny cię obchodzić. Chcesz chyba pożyć w zdrowiu jeszcze parę lat? Możesz udawać, że jeździsz za Kosiarzem i pomagasz Adusi w śledztwie, ale twoim zadaniem jest odnaleźć miejsce, gdzie przetrzymywana jest Beata.

Sobieski patrzył na Kowala jak na głupiego.

– Jak mam to zrobić?

– Normalnie, zbliżysz się do Mora i dowiesz się, gdzie produkują piko oraz cały ten syf, który od miesięcy wrzucasz na rynek. Z przecieków wiem, że facet nie opuszcza swojej fabryki.

– Za głowę Mora obiecuje mi pan oczyszczenie dobrego imienia i przywrócenie do służby? – upewnił się Sobieski. Wizja była nader kusząca. Uświadomił sobie, że po powrocie Iwony nie miał innych pragnień. Oferta wydawała się jednak podejrzana. Wysilił się więc na sceptycyzm. – Jakim sposobem?

– Mam na inspektora Sobolewskiego taką kosę, że jeszcze cię przeprosi. I użyję tej armaty, pod warunkiem że dobrze się sprawisz. Beata i fabryka piko. Wchodzisz?

Przyjrzał się młodemu mężczyźnie. Sobieski wytrzymał spojrzenie, a potem wolno skinął głową.

– A jeśli Beata nie żyje?

Kowalczyk wstał. Sięgnął ponownie pod rampę i wydostał zniszczoną torbę na kije do golfa.

– Wtedy zrobisz to sam albo zadzwonisz do mnie, gdyby zbrakło ci odwagi.

Otworzył suwak. Wewnątrz leżały rozłożone na części karabinek snajperski z lunetą i glock z zapasem amunicji.

– Udało mi się zdobyć te starocie bez rejestracji. Są niezawodne.

Podniósł glocka, zważył w ręku.

– Stary Sobieski chwalił się, że z takiego strzeliłeś do kochanka żony. Tym razem postaraj się nie spudłować.

***

Monstrualna sokowirówka witała przyjezdnych przed Błoniami Wilanowskimi. Biały klocek z ciemną kopułą, którą wieńczył krzyż, architekci nazwali Świątynią Opatrzności Bożej. Sobieski skręcił z Alei Rzeczypospolitej w Prymasa Hlonda i spojrzał na siedzenie pasażera zawalone kserokopiami akt i zdjęciami z miejsc zdarzeń. Na samym szczycie tego bałaganu leżała saszetka z kluczami oraz nowiutki komputer i telefon – własność inspektora Kowalczyka. Pieniądze w szarej kopercie Sobieski schował do schowka. Kiedy dotrze na miejsce, ukryje je w małym przenośnym sejfie. Kod był kombinacją daty urodzin obu córek byłego komendanta.

Edyta Piorun czekała przed wjazdem do garażu. Sobieski zobaczył ją już z daleka. W białej bawełnianej sukience i z rozwianymi włosami nie wyglądała na swoje lata. Połowę twarzy przysłaniały jej słoneczne okulary, resztę załatwiał słomkowy kapelusz. Dopiero kiedy się witali, poczuł od niej dżin. Od razu zaproponowała, by mówił jej po imieniu.

– Zaparkuj na moim miejscu i wjedź windą na trzecie – powiedziała lekko zachrypniętym głosem. – Drzwi do mojego apartamentu będą otwarte. Odwołałam wszystkie spotkania. Będziemy sami do dziewiętnastej.

Zdziwił się, ale nic nie powiedział.

– Wiktor prosił, żebyś nie kręcił się po korytarzu w godzinach szczytu – zastrzegła. – Tylko pod tym warunkiem zgodziłam się przechować cię na czas śledztwa.

– A kiedy są godziny szczytu?

– Między dwudziestą a pierwszą w nocy. I w porze późnego lanczu.

– Dostosuję się.

– Rozumiem też, że jasne jest, byś nie zaczepiał moich dziewczyn. I zachował dyskrecję, jeśli rozpoznasz kogoś, kto by tego nie chciał.

Sobieski podniósł brew.

– Nie stanę się nagle niewidzialny.

– Powiedziałam, że jesteś nowym ochroniarzem w firmie, która nas obsługuje. To ci nie przeszkadza?

– Jeśli ktoś w to uwierzy.

– Z dziewczynami rozmawiasz tylko u mnie i pod moją obecność.

– Na to nie mogę się zgodzić.

– Dyskrecja to moja specjalność. Wiem, co zrobić, by wszyscy czuli się bezpiecznie. Jeśli dziewczyny będą wiedziały, że kręcę się gdzieś w pobliżu, zyskamy na tym wszyscy. W przeciwnym razie niczego się nie dowiemy.

– A Oziu? – dopytał Sobieski. – Na ile jest wprowadzony?

– To musicie załatwić między sobą, z nim i z Wiktorem – ucięła, a potem przyjrzała się Jakubowi wnikliwiej. – Jesteś bardzo podobny do swojego taty. Zdaję sobie sprawę, że nie traktujesz tego jak komplement, ale uwierz mi, Paweł Sobieski był kiedyś innym człowiekiem. Wszyscy mieliśmy po dwadzieścia parę lat.

Jakub miał na końcu języka pytanie, czy ojciec również korzystał z usług Piorunki – zdradzał z nią jego matkę albo odwiedzał prostytutkę po śmierci żony – ale nie odważył się zapytać. Przekonywał się, że skoro ma wykonać zadanie, powinien zyskać zaufanie Edyty Piorun. Tak naprawdę nie był gotów na przyjęcie tego rodzaju prawdy o własnych rodzicach.

– To chyba wszystko. Idę zrobić nam drinki. Czego się napijesz? Dżin, koniak, a może zimny porter?

– Starczy kranówka.

– Twój tato też by tak odpowiedział. – Uśmiechnęła się, odchodząc.

***

Drzwi były otwarte, więc Sobieski prosto z windy skierował się w głąb korytarza. Piorunka czekała na niego, siedząc na białej sofie plecami do drzwi otulona futrzaną etolą. W pomieszczeniu było chłodno jak w lodówce. Sobieski żałował, że nie wziął z bagażnika polara z kapturem.

– Bardzo mi przykro z powodu Beaty – zaczął, zajmując miejsce naprzeciwko.

Wpatrywał się w zastawiony owocami i łakociami stół. Na tacy pyszniły się butelki z alkoholem. Miał wrażenie, że za chwilę kelner zacznie wnosić gorące potrawy. Kobieta o szarych włosach i nijakiej twarzy przygotowywała w kolorowej misie poncz. Sobieski aż się wzdrygnął na jej widok, gdyż zachowywała się tak cicho, że wcześniej jej nie zauważył.

Piorunka nieznacznie skinęła głową.

– Możesz nas zostawić, Danusiu? – szepnęła, a wspomniana kobieta potruchtała do wyjścia, drobiąc kroki jak gejsza. Sobieski odprowadzał ją zdziwionym spojrzeniem. Była ubrana w tani grafitowy kostium i wyglądała raczej na urzędniczkę niż dziewczynę do towarzystwa. Był pewien, że nic nie umknęło jej uwagi. Przyjrzał się papierom, które zostawiła na blacie, i był ciekaw, co tam czytała, przygotowując drinki.

– Masz pomysł, gdzie jest Becia? – spytała Piorunka, a Sobieski pojął, że kobieta nie dopuszcza do siebie myśli, by córka mogła nie żyć.

Nawet jeśli Kowal zataił przed kochanką informację o krwi Beaty na miejscu zdarzenia, prasa rozpisywała się o tym od wczoraj. Nie wierzył, że matka nie śledzi postępów dochodzenia w mediach. Była dobrze zorganizowaną osobą, która umie się zabezpieczyć na każdą ewentualność.

– Tak – przyznał z ociąganiem. – Możesz być pewna, że zrobię wszystko, co w mojej mocy, aby ją odszukać. Twoje wsparcie może być nieocenione.

– To ja zrobię wszystko, co w mojej mocy, by ułatwić ci zadanie – zapewniła.

Zdjęła ciemne okulary. Jej drobna trójkątna twarz wciąż była urodziwa i tylko wprawne oko mogło dostrzec cięcia po operacjach za uszami lub na powiekach. Kobieta była pacjentką chirurga plastycznego, który znał umiar. Sobieski nie zdziwiłby się, gdyby jako swojego chłopaka przedstawiła mu mężczyznę w jego wieku. Zdradzały ją jednak spowolnione gesty, tembr głosu i spojrzenie. W tej chwili jej oczy miały tysiące lat. Widział, że cierpi i szczerze niepokoi się o córkę.

– Nie będę owijał w bawełnę. Żeby dowiedzieć się, co stało się z Beatą, potrzebuję znać szczegóły waszych relacji z Abioli Rosołowską. Z kim się przyjaźniły, gdzie bywały? Córka wspominała może, dokąd wybierała się tego wieczoru? Była z kimś umówiona?

– Nie było żadnych relacji mojej córki z zamordowaną modelką. – Piorunka zareagowała gwałtownie. Zbyt gwałtownie, zdaniem Sobieskiego, jak na zbolałą matkę. – Nie wiem, jakim cudem Abioli znalazła się w mieszkaniu Beci. Nie sądzę, by kiedykolwiek się spotkały.

Jej asekuracyjna odpowiedź zaskoczyła Jakuba.

– Wiktor cię nie uprzedził, że będę zadawał niewygodne pytania? Wszystko zostaje między nami.

Odchrząknęła.

– Wiem, że niczego nie ujawnisz. Miałbyś kłopoty. – Spojrzała na niego przeciągle. – Znam ojca Beaty więcej niż trzydzieści lat i zapewniam cię, że potrafi być mściwy oraz stuprocentowo skuteczny. Doświadczyłam tego na własnej skórze – dodała, by złagodzić wydźwięk ostatnich słów, ale Sobieski już się zbiesił.

– Grozisz mi?

– Po prostu się martwię. Źle zadajesz pytania – odparła z flegmą i sięgnęła po szklankę, w której zostało ledwie centymetr whisky na dnie. Upiła łyk, zagrzechotała kostkami lodu, po czym tym samym leniwym ruchem odstawiła pustą szklankę na stół. – To są delikatne sprawy. Jeśli w ten sposób będziesz rozmawiał z dziewczynami, spalisz tę akcję, a przy okazji wszystkie moje kontakty. Na to nie mogę się zgodzić.

– Wolałabyś rozmawiać z policją?

– Już rozmawiałam. Tutaj i w komisariacie. Gówno wiedzą i tyle samo zrobili, a sprawa Adrianny to już nie mój biznes. Zgodziłam się spotkać z tobą tylko ze względu na Becię. Ta druga osoba mnie nie interesuje. Może właśnie przez nią moja córka się w to wplątała.

– W co dokładnie?

– To chyba twoje zadanie, by to odkryć.

– Wiktor polecił mi coś innego. Znam wasze oficjalne stanowisko, więc nie musisz się silić na jego podtrzymywanie. To nie sąd. Nie będę was oceniał. Ani ciebie, ani żadnej z podopiecznych. Wiem, że zamordowana pracowała jako modelka, a zdjęcia jej i siostry znajdują się na stronie agencji. Zapytam wprost. Dorabiała jako prostytutka?

– Od razu prostytutka. – Piorunka westchnęła z ociąganiem. – Abioli lubiła się zabawić, chciała mieć pieniądze, a z jej wyglądem szkoda było tego nie wykorzystać. Marzenia są od tego, aby je spełniać. Ja tylko jej w tym pomagałam.

– Więc pracowała dla ciebie?

– Pracowała dla siebie – skorygowała. – I tak, należała do mojej stajni dziewczyn do towarzystwa z najwyższej półki. Podnajmowałam ją na bankiety dla topowych biznesmenów, a i rosyjscy oligarchowie często o nią pytali. Podobała się wszystkim. Regularnie była zapraszana do rezydencji księcia Gantu i jego kuzynów – niejakich Omi i Bariso. Była jedną z setek dziewcząt, które kontraktowałam na przyjęcia w kurortach Courchevel, Saint-Tropez, na Ibizie i oczywiście w Dubaju. Natomiast nie wiem, dlaczego o to pytasz. To nie ma związku! Abioli została zamordowana w mieszkaniu mojej córki, której nie znała. Nie wiem, czy kiedykolwiek się widziały, choćby przelotnie... Z kim Abioli sypiała na wakacjach, mnie nie interesuje, bo to jej prywatna sprawa.

Sobieski westchnął ciężko. Spojrzał na rząd butelek na stole i pomyślał, że jeśli matka Beaty wypije choć jednego drinka więcej, rozmowa niczego nie przyniesie.

– Masz zdjęcie księcia Gantu? Niestety w mediach społecznościowych Abioli go nie znalazłem.

Piorunka wydęła wargi w pogardliwy grymas.

– Zabił ją jakiś dewiant. Polak z nizin społecznych. Z patologii – podkreśliła z przekonaniem. – Brutalny sprawca, o jakich czyta się w książkach albo ogląda w serialach. – Nabrała powietrza, odetchnęła i kontynuowała: – Książę Gantu płacił moim dziewczynom tysiąc euro za dzień pobytu. Finansował każdej z nich przelot, dwutygodniowy pobyt w hotelu, kupował prezenty. W kontaktach elitarnych klientów z dziewczynami pośredniczę od lat. Takie rzeczy jak zbrodnie w tym świecie się nie zdarzają. Zasadniczo unika się robienia zdjęć z klientami. Podczas niektórych przyjęć dziewczyny mają konfiskowane telefony. Właśnie po to, by uniemożliwić robienie dokumentacji. To, co rzymskie, zostaje w Rzymie... Gdyby Abioli nie wróciła z zakontraktowanego przeze mnie zlecenia, zaginęła albo doszłoby do jakiejś jatki tam na miejscu, rozumiem, że wypytywałbyś o księcia. W tej sytuacji, wybacz, odmawiam odpowiedzi na tak zadane pytanie.

Rozłożyła ręce.

– W kraju miała stałych klientów?

Piorunka powoli skinęła głową. A potem uśmiechnęła się pobłażliwie i kąśliwie odparła:

– Błądzisz.

– Opowiedz o nich – upierał się Sobieski.

– Dwa lata temu zakochał się w niej syn kanadyjskiego milionera, który robi interesy w Polsce. Wszyscy myśleliśmy, że Abioli dobrze wyjdzie za mąż, bo to nie jest taka rzadkość, jak by się wydawało, ale ojciec Charlesa był stanowczy. Niestety, swego czasu też był moim klientem, więc znał senegalską księżniczkę nie tylko platonicznie, a to nie pomagało w udzieleniu błogosławieństwa na ślub syna z Abioli... – Piorunka odchrząknęła. – Młodzi początkowo utrzymywali romans w tajemnicy. Kanadyjczyk wiele razy przylatywał do Polski tylko dla niej. Randkowali w Bristolu, Hyatcie albo hotelu Cosmos. Nadal płacił mi prowizję i informował o wizytach, a Abioli nie skarżyła się na stawki. Za te pieniądze kupiła sobie apartament z garażem w Łazienki Park. Z tego, co wiem, jeszcze nie jest wykończony. Wszystko przebiegało prawidłowo. Byłam dumną swatką. Krótko przed wybuchem pandemii ojciec ożenił nagle Charlesa z córką jakiegoś zubożałego francuskiego arystokraty i wywiózł go do Kanady na stałe. Charles rozpaczał, obiecywał, że będzie wracał, ale więcej się nie odezwał. W każdym razie nic mi o tym nie wiadomo.

– Jest możliwe, że młodzi spotykali się już prywatnie?

– Oczywiście. Co dziewczyny robią w wolnym czasie, ich sprawa.

– Abioli brała zlecenia też w kraju. – Sobieski postarał się złagodzić ton. – Sam widziałem ją na Foksal w noc zaginięcia twojej córki. Był z nimi przystojny mężczyzna, wyglądał na zamożnego obcokrajowca. Poznajesz go?

W telefonie wyszukał zdjęcie, które zrobił krytycznego wieczoru po ucieczce Beaty. Piorunka rzuciła okiem i od razu pokręciła głową.

– Nie wiem, kto to jest – zapewniła stanowczo. – Charles jest pulchnym blondynem i nosi się na sportowo.

– Jesteś pewna? Fotografia nie jest zbyt wyraźna.

Spróbował powiększyć obrazek, ale tylko uwydatnił piksele.

– Twoja córka go znała – podkreślił. – Na jego widok wybiegła z samochodu. Dość powiedzieć, że kiedy go spostrzegła, była więcej niż podekscytowana.

Piorunka nie odpowiedziała. Pozostała niewzruszona.

– Nie znam go – powtórzyła. – Nie wiem, kim jest. I jestem pewna, że Becia nigdy nie spotkała Abioli.

– Chyba jesteś w błędzie. Siostry Rosołowskie były tego wieczoru razem. Twoja córka rozpoznała Abioli. Częściowo opowiedziała mi też jej historię. – Podsunął pod nos Piorunki kolejną fotografię. – Może Beata rozmawiała z dziewczynami o swoich obawach i namówiła Abioli, aby spotkały się u niej w domu, na Ursynowie?

– Dlatego została zamordowana? – wzburzyła się Piorunka. – Więc to sprawdź!

Sobieski schował telefon.

– Był z nimi też Oziu – kontynuował. – Tego wieczoru bardzo pokłócił się z Becią. Możliwe też, że to z jego powodu, a nie z powodu mężczyzny w garniturze, twoja córka wybiegła z mojego auta.

W pomieszczeniu zapadła cisza.

– Widzę to tak – podsumował. – Beata rozmawia z twoimi dziewczynami i prowadzi swoje śledztwo. Próbuje zdobyć jak najwięcej danych, a potem weryfikuje to z Oziem, twoim kapitanem, bo taką mniej więcej funkcję Orzechowski pełni w waszym interesie.

Piorunka nie zaprotestowała.

– Oziu odmawia, nakazuje jej milczeć i zaprzestać węszenia. Nie informuje jednak ciebie albo robi to w ograniczonym stopniu.

Kobieta pochyliła głowę, a potem drżącą ręką sięgnęła po karafkę i sobie dolała.

– Na razie się zgadza – mruknęła, kiedy upiła solidny łyk. – Mniej więcej.

– Nie wiemy, co zaszło między tą piątką: Beatą, Abioli, jej siostrą Kiti, facetem ze zdjęcia i Oziem. – Sobieski przerwał. – Załóżmy jednak, że Beacie udaje się przekonać siostry Rosołowskie do współpracy i zaprasza je do siebie na pogaduszki, które niekoniecznie musiały się odbyć feralnej nocy. Być może Abioli stawia się na Mandarynki dopiero następnego dnia, co potwierdzałby czas jej zgonu. Tamtej nocy ktoś jednak widział lub słyszał, że dziewczyny się rozmówiły. Ktoś, komu nie w smak, żeby Becia dotarła do niewygodnych danych. Jakie to mogą być dane, Edyto? Komu zależy, aby twoja córka nie wyciągnęła ich na światło dzienne?

– Nie mam pojęcia! – obruszyła się Piorunka. – Moja córka miała swoje życie. Nie przyjaźniła się z dziewczynami zarejestrowanymi w agencji. Starałam się ją izolować od tego bagna. A jeśli chcesz zapytać, czy wysyłałam ją do Gantu lub stręczyłam, to możesz sobie odpuścić. Odpowiedź brzmi: nie. Byłam dumna z tego, że studiuje i dorywczo pisze o celebrytach.

– Rozumiem. Nic takiego nie sugerowałem. – Sobieski podniósł dłonie, by ją uspokoić. – Zgodzisz się jednak, że Beata szukała informacji. Jakiej? Co takiego mogły jej wyznać dziewczyny, że Abioli kosztowało to życie, a twoją córkę – przynajmniej wolność.

Piorunka spojrzała na Sobieskiego z nienawiścią.

– Nie wiem. Naprawdę nic nie przychodzi mi do głowy.

Jakub zdecydował się podejść ją od innej strony.

– Córka pisała o show-biznesie. Korzystałaś z jej kontaktów?

– Nigdy! – Znów się zaperzyła. – Widzisz, moje dziecko do niedawna nie wiedziało, czym się zajmuję. Dopiero żona Wiktora uświadomiła ją, jaka jest moja przeszłość. Uważam, że mam prawo szczerze jej za to nienawidzić! – Podniosła głos. – To przez Kowalczykową Becia wyprowadziła się z domu i wynajęła klitkę na Ursynowie obok tych małych kurewek Sapieg! Jeśli coś jej się stało, będzie to wina tej flądry! Robiłam wszystko, żeby córka wróciła. Chciałam ją odzyskać, ale się uparła. Ma charakter ojca. Uznałam, że muszę to przeczekać. Sama w jej wieku nikogo nie słuchałam.

Piorunka zmęczyła się utyskiwaniem i umilkła. Sobieski obawiał się, że zacznie płakać, ale tak się nie stało. Zacisnęła usta w wąską kreskę, zapatrzyła się w dal.

– Nie widziałem na stronie agencji zdjęć sióstr Sapieg – zauważył. – Choć dziennikarze publikują screeny sprzed tygodnia i we wszystkich mediach trąbią, że Pola należała do twojej stajni.

– Zawiesiłam Polę tylko ze względu na Becię, bo mnie o to poprosiła. Ta dziewczynka miała predyspozycje fizyczne, była śliczna i podobała się klientom, ale była głupia jak but. Nie wysłałabym jej na zlecenie zagraniczne, bo narobiłaby mi wstydu. Nie znała języków, brakowało jej ogłady, a gust wołał o pomstę do nieba. Druga siostra, nie pamiętam, jak miała na imię, była inteligentniejsza. A nawet cwana. To ona dominowała w tym duecie. Niestety nie była tak urodziwa jak siostra.

– Lea.

– Słucham?

– Miała na imię Lea. Leonora – powtórzył Sobieski. – Piszą o tym wszystkie komunikatory. A więc zwerbowałaś Polę tylko po to, by inwigilować córkę?

– Nie przesadzajmy – oburzyła się Piorunka. – Chciałam dyskretnie trzymać rękę na pulsie. Dzięki siostrom

Sapiegom wiedziałam, że Becia pracuje, nie rzuciła studiów, no i regularnie odwiedza żonę Wiktora. Tę sukę...

– Pola wszystko ci opowiadała?

– Oprócz braku wykształcenia i wrodzonej głupoty miała też dyskwalifikującą cechę: za długi język. Korzystałam z tego, ile się dało. Bardzo tęskniłam za Beatą i szukałam sposobu, żeby ją odzyskać.

– Jak długo trwał konflikt? O co dokładnie się pokłóciłyście?

– Trudno to nazwać kłótnią. – Piorunka wzruszyła ramionami. – Becia odsuwała się stopniowo. Na początku nie rozumiałam, co się dzieje. Kowalczykowa podstępnie zbliżała się do mojego dziecka, szkalując mnie i obmawiając. Dostarczała jej informacji o mnie, wyciągnęła jakieś artykuły z zamierzchłej przeszłości. Mój jedyny wyrok, który zresztą wieki temu się przedawnił.

– Za co byłaś karana?

– A jak sądzisz?

– Sutenerstwo?

– Przeceniasz mnie. – Roześmiała się gromko. – W tamtym czasie byłam biedną, nikomu niepotrzebną dziwką. Miałam dość spoconych hydraulików, którzy chcieli, żeby im wydawać resztę ze stu złotych, a do włoskich burdeli, w których w tamtym czasie zamykano dziewczyny, nie chciałam emigrować. Popełniłam błąd, rejestrując się w bazie prostytutek w Niemczech. Jeden alfons złożył mi ofertę, która w tamtym momencie wydawała mi się złotym strzałem. Liczyłam, że szybko zarobię tyle, by starczyło na założenie salonu fryzjerskiego, bo z wykształcenia jestem fryzjerką. Nic z tego, jak wiesz, nie wypaliło. Zgodziłam się przewieźć trochę prochu w pochwie. Spędziłam tydzień w Argentynie, przekroczyłam wszystkie lotniska, a złapali mnie na Chopinie. Ktoś mnie wystawił. Może właśnie ten alfons, który mnie werbował? Dziś wiem, że to raczej norma. Do tej pory nie doszłam, o co chodziło, i nie chcę wiedzieć. W tej branży wiedza to władza, ale nie – jeśli kupczysz własną dupą. To nie były jakieś hurtowe ilości śniegu, bo wcześniej udało mi się przewieźć dwa i pół kilo. Bałam się za każdym razem i bardzo uważałam. Zgarnęli mnie, kiedy miałam kilkaset gramów na własne potrzeby. Tak poznałam Wiktora. Szef szajki stacjonował na Pradze-Północ i wywodził się z wołomińskiej mafii. Wiktor pracował nad nim od kilku lat. Poszłam na współpracę, dostałam wyrok w zawiasach i, no cóż, zakochaliśmy się w sobie. Rok później urodziła się Beata. Teraz już wszystko o mnie wiesz.

– Żona Wiktora powiedziała o tym wszystkim twojej córce?

– Że byłam kurierką, prostytutką i zadenuncjowałam ludzi Wołomina? Naturalnie – potwierdziła. – Poinformowała ją też, że od lat jestem sutenerką, burdelmenedżerką i czerpię korzyści z prostytucji innych kobiet. Wykorzystuję je, żyję z ich hańby. Ale nie to Becię wzburzyło, bo przeszłość już minęła i nie możemy jej zmienić. Straciłam córkę, bo całe życie jej kłamałam, a kiedy mi to wszystko wykrzyczała, wciąż nie potrafiłam powiedzieć jej prawdy. Przyznać się. To jest najgorsze.

Sobieski przyglądał się kobiecie i zastanawiał się, kiedy pęknie i wpadnie w histerię. Mówiąc o tym tak zimno, z lodowatym wręcz dystansem, wydawała się wyzuta z emocji. Przerażająca. Ale Piorunka oczy miała suche, usta rozchylone, jak gdyby temat rozmowy jej nie dotyczył i opowiadała o kimś innym.

– Teraz żałuję, ale w tamtej chwili nie potrafiłam postąpić inaczej. Uważałam, że zatajając sprawy służbowe, chronię dziecko. I nadal tak uważam. Z tej samej przyczyny nie chciałam mówić o tym tobie.

– Pandemia odbiła się na biznesie? – Jakub zmienił nagle temat.

Kobieta w pierwszej chwili się wzdrygnęła, a potem pokiwała głową.

– Zdecydowanie. To była totalna zapaść. Dziewczyny z terenu powracały do swoich rodzinnych stron. Nie było bankietów, wyjazdów, lotniska były zamknięte. Gdyby nie oszczędności, nie wiem, jak byśmy przetrwali. Działaliśmy na dwudziestoprocentowych obrotach. Do dziś jeszcze nie odrobiłam strat. Tylko dzięki Garsonierze i Odlotom jakoś funkcjonujemy. To z tych portali wypłynęły zdjęcia Poli, ale to już wiesz...

– Ile zleceń dostały od ciebie siostry Sapiegi? I jakiego typu to była praca?

Piorunka zamyśliła się. Wstała, podeszła do szuflady. Wyjęła pudełko czarnych cygaretek. Zaoferowała gościowi, ale Sobieski odmówił, więc odcięła końcówkę jednej z nich i zaciągnęła się z lubością.

– Zatrudniłam je tylko raz – odrzekła, wydychając dym i przyglądając mu się z zaciekawieniem. – Pracowały cztery dni pod opieką Ines – doświadczonej i najbardziej zaufanej dziewczyny, jaką mam, a i tak narobiły takiego bałaganu, że lokal sprzątaliśmy dwa tygodnie. Klient, którego oszukały, do dziś opowiada niestworzone rzeczy o naszej agencji. Nawypisywał w sieci kłamliwych komentarzy, a jak wiesz, one się multiplikują. Unikam takich osób jak te dwie siksy i żałuję, że pozwoliłam im się do siebie zbliżyć, ale to Beata wybrała je na koleżanki, nie ja.

– Co takiego nawywijały?

– Były leniwe, głupie i w kółko naćpane. Może to ostatnie było główną przyczyną ich kłopotów? Nie wiem do dziś. One nie pracowały. Bawiły się. Upokarzały klientów, z innymi jeździły po klubach bez pobierania opłaty. Kiedy Ines zwróciła im uwagę, że jeszcze jeden taki numer i wylatują z interesu – okradły kasetkę, wysmarowały ściany lokalu gównem klienta, który był nam wierny od lat, a jego samego skuły i porobiły mu zdjęcia, które wrzuciły do netu. Dobrze, że udało się wycofać te najbardziej drastyczne... Dzięki Bogu, to nie był żaden polityk, celebryta ani człowiek z potężnymi pieniędzmi, boby nas zniszczył. Ale widać zostało mi trochę oleju w głowie, żeby nie oferować głupich świń poważnej klienteli. Takie furiatki w moich czasach lądowały w rowie. Powiem szczerze, że byłam bliska złożenia zlecenia w mieście. Kiedy dowiedziałam się, że zostały zamordowane, nie zdziwiłam się. Lodową skałę potrafiłyby doprowadzić do wrzenia.

– Rozstałyście się w kłótni?

– Wygnałam je i postraszyłam ludźmi Ozia. Spotkacie się, opowie więcej. Nie lubię znać szczegółów takich operacji. Więcej się nie pojawiły.

– A mimo to nie usunęłaś zdjęcia Poli z netu.

– Po prostu zapomniałam. – Wzruszyła ramionami. – Nie było to wtedy dla mnie istotne. Agencja Piorunka, jak wiesz, oficjalnie oferuje usługę hostess, modelek, fotomodelek oraz zabawnych sobowtórów na imprezy okolicznościowe. Ta gałąź mojej działalności jest obecnie najbardziej opłacalna. Spokojnie mogłabym rzucić sutenerstwo. Nie robię tego wyłącznie ze względu na poczynione przed laty umowy. Szykujemy fuzję. Biznes wkrótce przejmie ktoś inny.

To Sobieskiego zainteresowało. Był przekonany, że Piorunka w dalszym ciągu najlepiej zarabia na stręczycielstwie. Zwłaszcza luksusowym.

– Kto przejmie interes? – zaryzykował pytanie. – Moro?

– Nie jestem upoważniona, żeby się z tego spowiadać akurat tobie – ucięła. – Zajmij się lepiej swoją robotą.

– Uważasz więc, że Lea i Pola zostały zamordowane przez prywatnego klienta?

– To były amatorki – żachnęła się. – Robiły rzeczy ryzykowne i pewnego dnia przeholowały. Każdy mógł je mieć za kilka złotych, saszetkę z białym proszkiem albo garść kryształów. Były młode, głupie i nie miały pieniędzy. Takie dziewczęta często giną bez śladu. One miały szczęście, że opłakiwała je cała Polska.

Zamilkła na chwilę.

– Nie powiem tego w sądzie ani przed kamerą. Nawet gdybyś komuś o tym wspomniał, zaprzeczę.

– Komu miałbym opowiadać? – Sobieski się uśmiechnął. – Mam jeszcze tylko jedno pytanie. A właściwie dwa.

– Słucham, nie krępuj się.

– Jak często twoje dziewczęta odwiedzał klient, który ucina kosmyki włosów? Dobrowolnie lub pod przymusem.

Zbyt długo się wahała, więc wiedział, że odpowiedź będzie kłamstwem.

– O nikim takim nie słyszałam – zapewniła skwapliwie. – Ale oczywiście znam tę legendę.

– Legendę? – zdziwił się. – Twoim zdaniem klient z fetyszem włosów nie istnieje?

– Opowieść o nim pojawiła się na rynku dopiero po śmierci Lei i Poli. Nie wiem, kto ją wymyślił. I powtarzam raz jeszcze, nikogo takiego nie spotkałam, a we wszystkich lokalach mamy monitoring.

Sobieski zwrócił uwagę, że tym razem nie miała problemu z przypomnieniem sobie imion obu sióstr.

– A jednak ta legenda budzi grozę – zauważył. – Słyszałem plotki, że dziewczyny masowo zawieszają działalność, wracają do rodziców albo piją na umór.

– Zawsze piły – przerwała mu. – Migracje z agencji do agencji to też norma. Każdy biznes ma swoje cienie i blaski. Jeśli chodzi o tę bajeczkę, została puszczona w obieg tylko po to, żeby podwoić stawki. W moim odczuciu to rodzaj zbiorowego strajku. Tak to niestety traktuję, bo żeby utrzymać interes w garści, zmuszona jestem płacić prostym kurwom jak początkującym dziewczynom z linii prestiż.

Sobieski podniósł głowę. Spojrzał Piorunce w oczy i zapytał:

– W jakim stopniu kontrolujesz ten biznes?

– Mówisz o modelingu czy ofercie towarzyskiej?

– Już ustaliliśmy, że to eufemizm. Tytuły miss albo okładki w „Playboyu" ustawiają twoje pracownice jedynie na półce cenowej.

Jej twarz powoli rozjaśniał uśmiech.

– W skali miasta czy regionu?

– Kraju.

– Powiedzmy, że konkurencja musi się ze mną liczyć – odparła oględnie. – Dlatego uprowadzenie mojej córki traktuję jak zamach stanu.

⁂

– Więc uważasz, że porwanie córki inspektora Kowalczyka może być rodzajem wyzwania rzuconego byłemu komendantowi policji i szefowej burdeli oraz wcale nie łączy się z działaniem zabójcy sióstr Sapieg i Abioli Rosołowskiej?

– Łączy się niezaprzeczalnie – zaoponował Sobieski i spojrzał na żonę kręcącą się po ich prowizorycznej kuchni. – Może to próba przejęcia imperium Piorunki, za którą, jak się okazuje, od lat stoi Kowal? Ofiary pracowały dla Edyty Piorun, miały kontakt z córką Kowala, a wszystkie trzy znaleziono w okolicy miejsca zamieszkania Beaty.

– No cóż, dobrze, że już wiesz, gdzie znajdziesz zakładniczkę, i kończysz tę sprawę.

Iwona nałożyła na talerze krokiety i wlewała do kubków czerwony barszcz. Pachniało obrzydliwie. Jakub nie miał wątpliwości, że wiktuały pochodzą z pobliskiego spożywczaka. Kiedy podjechał na działki po swoje rzeczy, zdziwił się, że żona posprzątała. Przyglądał się jej błyszczącemu od oliwki ciału i z trudem hamował pożądanie. Strój kąpielowy, który miała na sobie, był nadzwyczaj skąpy, na dodatek w jego ulubionym turkusowym kolorze. Ubóstwiał masywne, umięśnione uda i wąską talię żony. Siedział teraz z kubkiem barszczu Łowicza w ręku i nie czuł jego smaku, bo myślał o tym, co mógłby ssać zamiast tej paćki z pasztetem o smaku zmielonych żołędzi, którą mu podała, ale za godzinę miał spotkanie z prostytutką, która nadzorowała pracę Lei i Poli w agencji, więc nawet nie zbliżał się do części sypialnej przyczepy.

– Nie byłbym taki pewien, że to Moro porwał Beatę – dodał. – Kowal coś za szybko mi tę informację sprzedał. Konkurują ze sobą od lat, ale z jakiejś przyczyny akurat teraz handlarz narkotyków stał się niewygodny.

– Sądzisz, że inspektor próbuje cię wykorzystać do usunięcia rywala? Dlaczego akurat ciebie? Facet taki jak on ma profesjonalnych kilerów na wyciągnięcie ręki.

Sobieski się wzdrygnął. Zabolało go, że żona w niego nie wierzy.

– Jeszcze na stanowisku roztoczył nad Piorunką parasol ochronny. Zabezpieczał się przed odejściem na emeryturę, a może faktycznie planował zakładać z nią rodzinę, na co liczyła.

– Nie wierzę. To pragmatyk. Ale utrzymywał z nią kontakt przez te wszystkie lata, więc była mu do czegoś potrzebna.

– Wygląda na to, że interes się kręcił. I to na całego. Można powiedzieć, że zrobił ją prezesem zarządu.

Iwona upiła łyk barszczu i natychmiast wychyliła się z przyczepy, pryskając czerwoną cieczą na trawę.

– Ale gorące! Nic nie mówiłeś.

– Wyborna strawa. – Siorbnął głośno i się roześmiał.

Iwona mu zawtórowała.

– Gdybyś zadzwonił wcześniej, zamówiłabym pizzę.

– Nie było czasu. – Odstawił barszcz i krokiety na stół. Przytulił żonę. – Pomieszkam u Piorunki przez kilka dni. Poradzisz sobie?

Zmarkotniała.

– Nie mogę cię zabrać, przecież wiesz – zastrzegł. – Może za kilka dni, gdy się rozeznam, jak to działa. Hej, przecież to ty mnie w to wkręciłaś! – Zaśmiał się nerwowo.

– Spoko.

Wstała, opłukała twarz w misce i naciągnęła na kostium jego T-shirt z Putinem. Wciągnęła bojówki, zaczęła wiązać trapery.

– Zmarzłaś? – mruknął pod nosem, podnosząc ramiona i wąchając się pod pachami. – Takich upałów w maju nie pamiętam. A ty?

– Idę postrzelać. Nudzę się.

Włożyła gumkę między zęby i zbierała pasma dłońmi, formując kucyk. Mrugnął kilka razy, by zapamiętać ten moment. Na twardym dysku pamięci miał już setki mentalnych zdjęć żony. Pomagały mu przetrwać za każdym razem, kiedy odchodziła.

– Jestem w tobie totalnie zakochany – szepnął, sięgając ponownie po kubek.

– Bosko – zaśmiała się. – Jakbyś skończył dziś wcześniej, to daj znać, przyjadę albo ty przyjedź. W razie czego mogę odstawić się na modelkę albo stewardesę.

Parsknął i omal nie zalał sobie ubrania zupą.

– Chcę ci coś pokazać, ale to musi zostać między nami – rzekł, zanim to przemyślał.

Spojrzała na niego zaskoczona.

– Komu miałabym powiedzieć?

– To zamknij nasze gniazdko, bo jak ktoś ukradnie twojemu tacie dmuchany materac, wścieknie się nie na żarty. – Sięgnął po ostatni kęs garmażeryjnego krokieta i wstał. – Gotowa? Podrzucę cię na strzelnicę do Otwocka.

– Umówiłam się na Woli.

– Z kim? – Spłoszył się.

– Z instruktorem. Całe życie będziesz zazdrosny?

– Zostało mi już tylko pół. Tę drugą połowę zamierzam tak właśnie spędzić.

Wziął ją za rękę i poprowadził do samochodu. Dłoń miała miękką, nie oddawała uścisku. Czuł, że jest spięta, choć udawała, że jest inaczej.

– Wszystko w porządku?

– Pewnie.

– Nic się nie wydarzyło?

– Nic.

Zawahał się. Od początku czuł, że coś przed nim ukrywa. Wziął jej twarz w dłonie i spojrzał w oczy. Chciał zapytać o Cykora, zawody i dlaczego tak naprawdę przyjechała, ale odezwała się pierwsza.

– Tata nie jest szczęśliwy, że do ciebie wróciłam.

– I?

– I wiesz co.

– Nie wiem.

– Nie mamy forsy – wypaliła. A potem nabrała powietrza i dodała: – Dziś rano Cykor zadzwonił do ojca, że jeśli chcę wracać, to jest dla mnie miejsce w samolocie. To ultimatum.

– Mówiłaś, że masz przepustkę do szóstego.

– Kłamałam. – Pochyliła głowę. – Zwiałam z jednostki. Tylko Cykor wiedział, bo mieliśmy razem ścigać się na Kobrze. Jak nie wrócę, raport o zwolnienie albo dezercja. Będę wtedy w takiej samej sytuacji jak ty.

– Gorszej – zauważył.

Zacisnęła usta ze złością, a potem uśmiechnęła się krzywo.

– Nie będę miała nawet porucznika.

– Zawsze możesz wziąć zlecenie od inspektora Kowalczyka i wozić ze mną koks – mruknął, by ją rozbawić, ale pozostała poważna.

– Nawet tak nie żartuj.

Pocałował ją. Przylgnęła do niego, spletli się ramionami. Kiedy się rozłączyli, Sobieskiemu kręciło się w głowie. Pogładził bagażnik, sięgnął do klamki i już miał otworzyć, by pokazać jej torbę na sprzęt do golfa, ale zrezygnował. Wyjął ze schowka kopertę z pieniędzmi, wręczył żonie.

– Co to jest?

– Przelicz.

Szybko zajrzała i zaraz ponownie ją zamknęła.

– Pięćdziesiąt tysięcy – powiedział. – To na nasze mieszkanie w Wilanowie.

– Nikt nie da ci kredytu, Kubuś – westchnęła.

– Ale ty, zanim odejdziesz z woja, możesz wziąć. – Znów ją przytulił. – Dobrze schowaj i nie martw się. Zdobędę więcej.

– Jak? – fuknęła. – Napadniesz na bank?

– Nie myśl o tym. Załatwię to. Starczy, żebyś przestała chodzić na pasku Cykora.

Nie odzywała się. Oczy miała wielkie jak u sowy.

– Pod pryczą w przyczepie jest pudełko z moim starym waltherem – dorzucił. – Tam jest druga partia. To forsa, którą zarobiłem na robocie u Ozia. Złóż je razem i nie zostawiaj więcej otwartych drzwi.

Tym razem Iwona nie okazała zdziwienia.

– Widziałam je. Tam jest osiemdziesiąt tysięcy!

– Wiesz, że modelki Piorunki po jednym wyjeździe do księcia Gantu przywoziły taki plik gotówki, że starczało na kawalerkę na Bemowie? Dwieście, trzysta tysięcy… Abioli Rosołowską stać było na stumetrowy apartament przy Łazienkach.

– Chcesz, żebym się zaciągnęła? – Iwona wyszczerzyła się łobuzersko. – Taka chata warta jest ze dwie bańki. Albo i trzy, lekką rączką.

Zaciskała w dłoni kopertę z pieniędzmi, a po dawnym smutku nie było już śladu.

– Ani mi się waż! – Pokiwał jej żartobliwie palcem. – Kosiarz cię wypatrzy i utnie tę seksowną kitę.

Chwycił ją za kucyk i przyciągnął do siebie. Wymknęła mu się, ale posłała buziaka.

– Nic dziwnego, że całowały ją po piętach, żeby znaleźć się w tej stajni.

– Nie wierzę, że było tak różowo.

– Nigdy nie jest różowo. – Urwała. Potrząsnęła kopertą. – Jesteś pewien?

– Czy znów ci ufam? – Uśmiechnął się. – Będzie tak, jak chciałaś. Nie mam innych marzeń poza kochaniem ciebie.

Wtuliła się w niego i wyszeptała ledwie słyszalnie:

– Nie rób tego.

Zaniepokoił się.

– Chcesz wyjechać?

Pokręciła głową, ale jej nie podniosła. Bał się, co zobaczy w jej oczach.

– Z kim widzisz się na strzelnicy? – spytał, starając się opanować narastający gniew.

Nie odpowiedziała.

– Iwona! – Potrząsnął nią. – Co się dzieje?

– Będę miała dziecko – wyszeptała. – Jestem w ciąży.

***

Trzymała się za brzuch, kiedy wstawała, a drugą ręką podtrzymywała się w krzyżu. Na stole rozłożono pisma o zdrowiu noworodków. Obok leżała szydełkowa robótka w pastelowych barwach. Sobieski nie mógł zebrać myśli, a jego wzrok wciąż wędrował do wystającego guziczka w miejscu jej pępka, bo bluzka, którą dziewczyna miała na sobie, była tak opięta, że bez trudu wyobrażał sobie detale jej ciała. Ines, bo tak się przedstawiła, zerkała na Piorunkę buszującą w kuchennych szafkach w poszukiwaniu herbaty.

– Woda wystarczy – powtórzył. – Opowiedz mi jeszcze raz o Lei i Poli.

– Były nierozłączne. Ta młodsza opiekowała się starszą. Nie wiem, która była która. Nadały sobie imiona Elza i Anna, jak z tej bajki. Uważały, że to zabawne. Sądziłam, że obie są pełnoletnie. Żałuj, że nie widziałeś ich w akcji. Wymalowane i ubrane jak rasowe kurwy potrafiły rozkręcić każdą imprezę. Ta młodsza to był istny żywioł. Nieobliczalna, pewna siebie, przezabawna. Potrafiła śpiewać w głos, a za chwilę płakać. Na początku bardzo ją lubiłam. Ta druga – Anna, nigdy Ania – naśladowała siostrę we wszystkim. Brały zawsze razem jednego klienta, bo Elza twierdziła, że siostra się wstydzi. Pierwsza skucha była, jak odmówiły klientowi czystego ręcznika. Mamy taką zasadę, że zarówno dziewczyna, jak i klient kąpią się przed i po. Potem prasujemy prześcieradło, chyba że jest bardzo zużyte... One były brudaskami. Zwróciłam im uwagę, to dostałam w odpowiedzi wiązankę przekleństw. Potem Elza mnie popchnęła, aż upadłam na krzesło. Przestraszyłam się, a później wściekłam. Zadzwoniłam do Ozia. Nie chciałam zawracać głowy pani Edycie – tłumaczyła się. – Przyjechał z chłopakami, zabrali gdzieś te małolaty. Myślałam, że nimi potrząsną, ale wróciły zadowolone, rozchichotane jak po dobrym ćpaniu i zamiast pracować, włączyły sobie *Żony Hollywoodu*. Nie chodziło nawet o ten telewizor, tylko klienci nie lubią, kiedy ktoś siedzi w salonie. Nie chcą być rozpoznani, wiesz, o co mi idzie? Elza powiedziała, że zobaczymy, kto wyleci pierwszy. One, młode laski, czy ja, weteranka z brzuchem. Wkurzyłam się, bo faktycznie nie mam po co wracać do domu. Już wcześniej było krucho, a teraz jeszcze druga gęba do wykarmienia. Mam już jedno dziecko w rodzinie zastępczej. Kiedyś myślałam, że odzyskam córkę, ale jakoś się nie składa... Pani Edyta była w podobnej sytuacji i dużo rozmawiałyśmy, gdy zaszłam. Chciałam iść na zabieg, ale mnie przekonała, żeby jednak urodzić. Awansowała mnie na menedżerkę i jestem jej za to wdzięczna. Więc odkrzyknęłam im coś, zaczęłyśmy się szarpać, no i się zaczęło... Musieliśmy robić remont, bo lokal był zdemolowany.

Ines spojrzała bojaźliwie na Piorunkę, która udawała, że zamyka ostatnią szafkę. Cały wywód dziewczyny była skupiona i nie uroniła ani słowa.

– Wyjdę kupić ci koper włoski – oświadczyła. – Jestem pewna, że były trzy paczki.

– Dziękuję, ale naprawdę nie trzeba.

Ines mówiła przymilnym tonem niewolnicy. Sobieski wiedział, że dziewczyna jest na łasce pryncypałki i nie dowie się od niej niczego, czego nie zaakceptuje Piorunka.

– To ja skoczę do sklepu – zaoferował się. – Skoro źle się czujesz, dokończymy innym razem.

Trzasnęły drzwi. Zostali sami. Ines wpatrywała się w Sobieskiego przestraszona.

– Słyszałaś, że w mieście grasuje zabójca? Bierze na celownik dziewczyny z branży towarzyskiej.

Starał się być delikatny, ale dziewczyna siedziała zmartwiała, trzymając się za brzuch, jakby spodziewała się ciosu. Włosy miała wystrzyżone w krótką, asymetryczną fryzurę, w której było jej całkiem do twarzy.

– Znałaś Abioli, tę czarnoskórą modelkę?

Kręcenie głową. Mruganie sztucznymi rzęsami, wydymanie napompowanych warg.

– Te młode diablice przyprowadziła Becia, córka pani Edyty – zaczęła nagle. – Tylko dlatego tolerowałyśmy je tak długo. W moim stanie nie mogę sobie pozwolić na zmianę agencji. Powiedziałam ci wszystko, co wiem. Piorunka to dobra kobieta. Nigdy od nikogo nie otrzymałam tyle dobra, co od niej. Nie pozwolę jej skrzywdzić. – Uderzyła się w pierś i sięgnęła po robótkę.

Na szklanym stoliku Sobieski dostrzegł resztki białego proszku. Ines dyskretnie je strzepnęła. Spotkali się spojrzeniem, a prostytutka uśmiechnęła się porozumiewawczo. Odwróciła głowę w kierunku zamkniętych pokoi.

– Facet bierze pamiątki – powiedział. – Ma fetysz z kosmykiem włosów. Spotyka się wpierw z dziewczyną, a dopiero po jakimś czasie ją zabija. Był ktoś taki u was?

– Nie, ale słyszałam o nim. Jak Sapiegi znaleziono martwe, w mieście zawrzało.

– Co słyszałaś?

– Mamy tajną grupę na Facebooku. Któraś napisała, że Kosiarz pojawiał się już wcześniej. Jednej amatorce wystrzygł gniazdo na środku czoła. Kiedy wyszła ze swojego pokoju po robocie, dziewczyny miały z niej bekę. Musiała wieczorem przeczytać o nim w prasie, bo więcej się nie pojawiła.

– Kiedy to było i w którym lokalu?

– Adres poda ci Piorunka, bo ja nie znam. Tej dziewczyny też na oczy nie widziałam – zapewniła pośpiesznie. – Post opublikowano przedwczoraj.

Sięgnęła po komórkę i znalazła wątek na stronie.

– O, zniknął – syknęła. – Treść jest już niedostępna.

– Jak nazywała się prostytutka, która o tym pisała?

– Używa pseudonimu Cleo. Na social mediach znajdziesz ją jako Klementynę Jankisz. Twierdzi, że skończyła medycynę w Bawarii, była modelką i reprezentantką Chanel na Polskę, ale to lipa. Cleo od zawsze przyjmowała prywatnie, a teraz się wywyższa, bo udało jej się złapać bogatego męża. Nie sądzę, by chciała rozmawiać.

Pokazała profil czarnowłosej kobiety po trzydziestce, która na zdjęciu profilowym wypina pupę w falach morza.

– Wyszła za mąż i nadal pracuje?

– W czym to przeszkadza? Czasami facet wie o tym i zgadza się dla kasy. Innych to kręci, a reszta jest oszukiwana. Cleo jest droga. Bierze tylko dobre zlecenia. Nie musi tyrać na osiedlu jak ja, Ruth czy Sabrina.

Sobieski przejrzał profil Cleo, który był zakamuflowaną ofertą usług seksualnych. Wśród jej znajomych nie znalazł żadnej kobiety, która byłaby kompletnie ubrana. Komentarze pod postami nie pozostawiały złudzeń. Sobieski zdziwił się, że Facebook jeszcze jej nie zablokował. I dwóch tysięcy jej „znajomych"!

– Co to znaczy dobre zlecenia?

– Pięćset euro za wieczór. Dobry hotel, prezenty, a czasem kolacja. Ma wysoką punktację na Garsonierze. No i robi dużo szumu w social mediach.

– Opłaca się Piorunce czy komuś innemu?

– Nie ma jej obecnie na Odlotach. Czy pracuje dla Edyty – nie wiem.

Przerzucała zdjęcia Cleo, jakby w ten sposób starała się uniknąć niewygodnych pytań. Sobieski znosił to cierpliwie. Kątem oka zerkał w ekran jej telefonu. Kiedy zatrzymała się na fotce Cleo z uśmiechniętym lowelasem w żółtych lustrzankach, który nadużywał wosku do włosów, przysiadł się bliżej.

– Kto to jest?

– Cleo przedstawia go jako swojego małżonka – odpowiedziała Ines i zaczęła cmokać: – Faktycznie ciacho!

Sobieski znalazł w swoim telefonie profil Klementyny Jankisz i wyświetlił stronę jej męża. Sylwester Jankisz miał tylko jedno wyretuszowane zdjęcie. Pozostałe posty stanowiły skany gier i udostępnienia półnagich zdjęć Cleo.

– To może być jej mąż? Czy raczej opiekun?

– Nie wiem – wykpiła się od odpowiedzi. – Nie znam ich osobiście, ale jedno nie wyklucza drugiego.

Na dłuższą chwilę zapadła cisza.

– A ty? Co o tym wszystkim sądzisz?

– O czym?

– O Kosiarzu. Gadacie przecież o tym…

– Sapiegi mogły z nim wsiąść do auta i pojechać choćby i na Ukrainę, ale pod warunkiem, że gość nie wyglądał jak dziad. Przystojnym, dobrze ubranym dawały dupy za kilka gramów plus nocleg. Elza zachowywała się czasem, jakby nie miała mózgu. Wciąż powtarzała, że będzie modelką jak matka. Nie wiem, czy to prawda, ale jej stara była kiedyś wicemiss Parowozów czy czegoś takiego. Pokazywały mi jakieś zdjęcia i zawsze miały ładne ciuchy. Markowe – podkreśliła. – A do lokalu takiego jak nasz gogusie nie przychodzą. Tęczowy Zakątek ma profil osiedlowy: postrzępione spodenki, kucyki, strój kąpielowy… Rozumiesz? Piorunka mi przydzieliła małolaty, bo w lepszym sorcie by sobie nie poradziły.

Sobieski sięgnął po jedną z rozłożonych gazet. Na brzegu zapisał numer swojego telefonu. Między kartki włożył dwa banknoty stuzłotowe.

– Na pieluchy – rzekł. – Gdybyś coś słyszała, daj znać. I lekkiego porodu.

Skierował się do wyjścia, ale w drzwiach zderzył się z Piorunką. Obrzuciła spojrzeniem Ines, a potem zwróciła się do Sobieskiego:

– Masz już wszystko? Bo Ines przez jakiś czas nie będzie pracować. Wkrótce idzie na macierzyński.

Podała dziewczynie siatkę z zakupami. Sobieski był pewien, że wewnątrz nie było ani jednego pudełka z herbatą, tylko kilka paczek chipsów, ptasie mleczko i małpka wódki. Ines błyskawicznie przesunęła reklamówkę z pola jego widzenia.

– Dawno byłaś u fryzjera? – Odwrócił się i zagaił do ciężarnej. – U kogo?

Spłoszyła się. Nerwowo poprawiła włosy. Zaciekle milczała.

– Twoje koleżanki też są ostrzyżone. To jakaś nowa moda?

– Latem tak jest wygodniej – odpowiedziała mu Piorunka i pociągnęła Sobieskiego na klatkę schodową. – Używamy peruk. Jest większa różnorodność.

Drzwi do lokalu wciąż były jednak otwarte. Sobieskiemu przyszło do głowy, że sutenerka zrobiła to specjalnie, by Ines miała szansę ich podsłuchiwać.

– Wystarczająco się boją – obsztorcowała go. – Nie widzisz?

– Zastanawiam się, dlaczego facet wycina twoim dziewczynom włosy, a ty nie puszczasz za nim ludzi – przygadał jej. – Niby dlaczego wszystkie są ogolone na zero? Ines, jako jedyna, może je chociaż założyć za ucho.

Piorunka zmarszczyła się brzydko.

– Przeginasz.

– A może facet jest ci znany? Jak ten od gówna, którego foty Sapiegi wrzuciły do sieci.

Przekrzywił głowę i czekał na reakcję. Bez skutku. Chwilowy szok minął. Kobieta znów była opanowana.

– Nie wiemy, kim jest ani jak wygląda – zapewniła. – Gdyby było inaczej, policja dawno miałaby jego namiar. Włosy strzygę dziewczynom osobiście. Relaksuje mnie to i, nie chwaląc się, jestem w tym świetna. Przyszły, poprosiły, więc się zgodziłam. To, że widziałeś kilka z krótkimi, to czysty przypadek. Regularnie podcinam im fryzury.

Sobieski wskazał paprotkę pod sufitem.

– Nagrania też przeglądasz regularnie i osobiście. Naprawdę nic nie zauważyłaś?

Piorunka odwróciła się i zerknęła na Ines, która siedziała jak wryta. W milczeniu wskazała Sobieskiemu drzwi, a potem dokładnie je zamknęła.

– Co sugerujesz? – spytała, kiedy wyszli już na korytarz.

Wyjął komórkę. Pokazał jej zdjęcie Sylwestra Jankisza.

– Znasz tego klienta? Co możesz o nim powiedzieć?

Piorunka podniosła brew w niedowierzaniu, jakby odpowiedź była oczywista.

– Przecież to Moro – odparła. – Trzy razy w tygodniu wozisz jego koks.

***

Wciągnęła pierwszą w życiu ścieżkę koksu, bo Ines zapewniała, że pomoże jej przetrwać całą noc, a za to zlecenie płacono ekstra. Po kliencie, który wyciął jej garść włosów na czubku głowy, zarzekała się, że jej noga więcej w Tęczowym Zakątku nie postanie, ale to, co zarobiła, rozeszło się jednego dnia. Na szmaty, kosmetyczkę, buty, nowy telefon dla niej i ekspres do kawy dla mamy. Kilka ostatnich setek dołożyła do czynszu, czym jeszcze bardziej uszczęśliwiła rodzicielkę. Zrobiła też zakupy. Pierwszy raz od lat jadły w dzień powszedni tort, piły włoską kawę z kapsułek i śmiały się do telewizora. Widziała, że mama była odprężona, i nawet nie zapytała, skąd pochodzi gotówka. Jola napomknęła o pracy asystentki w Royal Wilanów, a mamę interesowało tylko, czy córka będzie miała własny pokój, czy posadzili ją przy kontuarze recepcji. Darek wprost oszalał na punkcie jej koronkowej bielizny.

Kiedy więc Ines zadzwoniła z pytaniem, czy w drodze wyjątku Jola pojedzie dziś do hotelu Cosmos, bo klientowi spodobały się jej zdjęcia – zgodziła się. Potrzebowała tego tysiąca euro. Obiecywała sobie, że to naprawdę ostatni raz.

– Idź do windy spokojnie, pewnym krokiem – poinstruowała ją Ines, wręczając nieduży kuferek z dziurkami pokryty welurem. Wewnątrz coś zachrobotało. – Nie patrz na recepcjonistów i nie zaglądaj do środka. Jak będziesz na miejscu, od razu zrzucaj łachy i nie przestawaj się uśmiechać. Skrzynki nie wypuszczaj z rąk! Dalej rób to, co inne dziewczyny. Będziecie we trzy. Poradzisz sobie.

Przyszła kilka minut po czasie, bo źle wybrała autobus. Wejście do hotelu ją onieśmieliło – wgapiała się w obrazy na ścianach, podziwiała lampy na suficie, jakby trafiła do kościoła. Nie wierzyła, że całą noc spędzi w tak luksusowych warunkach i jeszcze jej za to zapłacą.

Zza pleców dobiegło ją chichotanie. Odwróciła się. W lobby, na wzorzystych szezlongach, wylegiwały się smukłe i wysokie jak modelki dziewczyny w jej wieku. Jedna z nich miała skórę w kolorze mlecznej czekolady. Była zachwycająco piękna. Jola na jej widok poczuła się gruba jak kartofel, niedomyta i niedoprasowana. Zauważyła, że obie niosą w rękach podobne kuferki przykryte welurem, więc poczuła się bezpieczniej. Przyszły na zlecenie, jak ona. Patrzyła z zazdrością na ich buty nabijane kolcami i skórzane bransoletki do kompletu, które wyglądały na drogie.

– Pierwszy raz? – zagaiła Mulatka.

Jola skinęła głową. Zarumieniła się.

– To się trzymaj, nowa. – Objęła ją ramieniem. – I nie wrzeszcz za bardzo, bo wszystko popsujesz. Uprawiałaś kiedyś jogging?

Znów potwierdziła bezgłośnie.

– Kondycja ci się przyda.

Ruszyły do wind. Całą drogę do pokoju znacząco milczały, wymieniając jedynie porozumiewawcze spojrzenia.

Drzwi otworzył im grubawy mężczyzna w hotelowym szlafroku. Poza nim w apartamencie było jeszcze kilku innych. Wychodzili z kolejnych pomieszczeń, jakby dziewczyny ich zaskoczyły i nie byli gotowi na zamówione przyjęcie. Wyglądało na to, że wszyscy się tutaj dobrze znali. Całowali się familiarnie w policzki lub usta. Dziewczyny od razu zdjęły płaszcze, pod którymi miały tylko eleganckie gorsety.

– To jest Jola. Dziewica – zaanonsowały ją.

Panowie podeszli do niej i zaczęli jej dotykać, rozbierać. Uśmiechała się, bo dwaj z nich byli naprawdę przystojni. Jeden szkaradny próbował zabrać kuferek z jej rąk i rzucił ją brutalnie na łóżko, ale nawet kiedy brał ją od tyłu, trzymała skrzynkę mocno. Bardzo to wszystkich ubawiło.

Po pierwszych igraszkach zasiedli w salonie. Ktoś włożył jej do rąk ciężką szklankę wypełnioną złocistym płynem. Upiła pierwszy łyk i wykrzywiła się – tak bardzo mocny był ten alkohol. Ale smakował jej. Od razu poczuła gorąco rozlewające się od przełyku aż do piersi. Pili jakiś czas i rozmawiali o bzdurach. Jola praktycznie się nie odzywała, lecz z każdym kolejnym łykiem śmiała się coraz głośniej razem ze wszystkimi.

Kiedy kwadratowa butelka z alkoholem została w połowie opróżniona, grubawy facet w szlafroku klasnął w dłonie. Jej bezimienne koleżanki poderwały się jak na hejnał i zaczęły otwierać swoje kuferki. Białe myszki rozpierzchły się po pokoju w różne strony.

Modelki wyginały się chwilę w erotycznych pozach, a potem ruszyły za nimi w pogoń. Starały się dopaść gryzonie obcasami, dusiły swoimi skórzanymi bransoletkami albo po prostu gołymi dłońmi. Krew skapywała na drogą wykładzinę. Wnętrzności bryzgały na ściany i piękne meble. Nie było to zadanie łatwe. Myszy uciekały, a dziewczęta z zajadłością drapieżników próbowały je złapać i zamordować. Nie minęło kilka minut, a obie były spocone i zaczerwienione z wysiłku.

Jola dłuższą chwilę nie była w stanie się ruszyć. Wpatrywała się w mężczyzn, którzy pokładli się na łóżkach, sofach oraz szezlongach i obserwując wysiłki dziewcząt, zawzięcie się onanizowali. Z otępienia wyrwał ją cios zadany przez białą modelkę, która – czerwona na twarzy i z zakrwawionymi dłońmi – otworzyła klatkę Joli i wysyczała:

– Napierdalaj! Przyniosłaś dwadzieścia pięć sztuk i tyle masz złowić.

***

Wiadomość wpadła przed północą, a Sobieski z ulgą zamienił widok spółkującej pary na ekran swojego telefonu. Zachowania klientów były raczej typowe. Przychodzili po seks i go dostawali. Nikt nie ścinał dziewczynom włosów. Prawie żadnych aktów brutalnych. Panowie przychodzili, kąpali się, robili swoje, znów się kąpali i regulowali należność. Prostytutki w większości nie były tak atrakcyjne jak na zdjęciach w internecie, a osiedlowe porno wynudziło i zmęczyło Sobieskiego. Zamknął klapę laptopa, potarł skronie. Marnował czas. Był już pewien, że Piorunka pozwoliła mu to oglądać, bo wiedziała, że tym sposobem nie znajdzie żadnego tropu. Skoro chciała, żeby znalazł jej córkę, dlaczego nie współpracowała?

Napisał kolejny raz do kuriera Mora, ale i tym razem nie otrzymał odpowiedzi. Niepokoiło go to. Zwykle dostawał lokalizację natychmiast po złożeniu zapotrzebowania. Jechał, odbierał przesyłkę i przekazywał ją dalej. Nigdy dwukrotnie nie spotykał się z tym samym człowiekiem, choć miejsca się powtarzały.

„Wrrr... Nie ma cię" – pisał Oziu.

„Spóźnię się" – wstukał Sobieski. – „Dam znać, jak podjadę".

„Za ile?"

„Czekam na strzałę od M. 2.00 najwcześniej. Albo jeszcze później".

„2.00 najpóźniej" – wpadła wiadomość. A potem następna: – „Żółta kartka za lewiznę z K. Pogadamy".

„Kk" – odpisał Sobieski. A po namyśle dodał: – „Wsadź sobie w dupę twoją żółtą kartkę, zdrajco".

Oziu nic więcej nie napisał.

Sobieski rozejrzał się po kanciapie ochroniarzy, a potem zdecydował się wyciągnąć na brudnym materacu i zebrać myśli.

Pomieszczenie było nieotynkowane. W kącie Piorunka trzymała niepotrzebne graty, więc wylosował jakiś taboret, na którym ustawił sprzęt. Zastanawiał się, jaki jest sens tutaj przesiadywać i czy nie lepiej byłoby pokręcić się po mieście, zagadać z dziewczynami w klubach albo wrócić na działki do żony, ale po obejrzeniu tylu agencyjnych nagrań ostatnim, na co miał ochotę, był seks.

Zamknął oczy. Spróbował odtworzyć przebieg wydarzeń w noc, kiedy spotkał młodszą córkę Kowala. Jej kłótnia z Oziem, przekazanie towaru, przejęcie pieniędzy. Bliźniaczki Rosołowskie w towarzystwie mężczyzny w garniturze, którego Oziu niewątpliwie znał, a Piorunka uważała za Mora. Na Facebooku facet nosił nazwisko Jankisz i podawał się za męża prostytutki Cleo.

Piorunka wcześniej nie rozpoznała go na nocnym zdjęciu, a kiedy Sobieski jej to wytknął, wykpiła się, że nie miała optycznych okularów i była zdrowo wypita. Powtórzyła, że wszyscy w branży uważają Sylwestra Jankisza za Mora, choć on sam temu zaprzecza, a Kowal w to nie wierzy.

Sobieski obejrzał jeszcze raz zdjęcia, które zrobił z ukrycia, i porównał je z profilem Jankisza w mediach społecznościowych. Nie miał wątpliwości, że to ten sam człowiek. Powinno mu ulżyć, że przynajmniej jedną zagadkę ma rozwiązaną, ale wietrzył podstęp. Ujawnienie narkotykowego bonza, na którego polują wszyscy włącznie z wydziałem operacyjnym policji, nie mogło być takie proste. Dlaczego Piorunka wrabia Jankisza? I czy wie, kim naprawdę jest Moro?

Przesłuchał wszystkie dziewczyny, które tego dnia nie pracowały, i wywiedział się, że Jankisz nie jest zwykłym alfonsem. Większość wyrażała się o nim z respektem, jakby należenie do jego stajni było zaszczytem, a wręcz podnosiło prestiż prostytutki w branży. Inne zapewniały, że stręczenie kobiet to dla Sylwka rodzaj hobby. Mógł sobie pozwolić na prowadzenie wyłącznie pięknych i drogich dziwek, które osobiście werbował przez Instagram. Sprawdzał ich umiejętności, a w razie potrzeby szkolił i rozkochiwał w sobie do tego stopnia, że dobrowolnie tatuowały sobie na lędźwiach rodzaj logotypu: „J. MÓJ PAN I WŁADCA". Oficjalnie Jankisz był właścicielem holdingu firm zbierających dane z sieci. To od lat dawało mu przewagę nad innymi przestępcami z branży. Wiedział o ludziach buszujących w internecie tak dużo, że nigdy nie był nawet zatrzymany. Cleo okazała się jego formalną żoną. Piątą z kolei, bo poprzednie po niespełna roku składały papiery o rozwód. Nigdy nie orzeczono wyroku z jego winy i wszystkie nadal dla niego pracowały. Na każdą z zaślubionych prostytutek Jankisz zarejestrował inną spółkę, które tworzyły konsorcjum zajmujące się pozyskiwaniem danych z sieci. Sobieski obstawiał, że byłe żony pełnią rolę słupów. To rodzaj zabezpieczenia w razie aresztowania. Przed czym jednak zabezpieczał się Jankisz, skoro jego kartoteka była czyściutka? Żadnego mandatu karnego, ani jednej notatki w policyjnych aktach.

Sobieski wiedział, że przeprawa z tym facetem może być jedną z trudniejszych. Nie chciał spalić dojścia przez nową żonę Jankisza, więc na razie do niej nie pisał. Stworzył fałszywy profil i powysyłał zaproszenia do większości „koleżanek" Cleo.

Czy czarnoskóra modelka zaginęła tej samej nocy co Beata? Wiele dałby za możliwość przesłuchania jej matki i siostry, ale dom Rosołowskich nieustannie otoczony był gwardią policji. Bez odznaki albo innego glejtu nie miał szans przedostać się za ich próg. Media publikowały fragmenty przesłuchania siostry Abioli i były to lukrowane informacje: wspominki osiągnięć ofiary lub rejestracja rozpaczy bliskich. Porządny dom (czterdzieści metrów na Ursynowie), wykształcona matka (nauczycielka), ojciec inżynier na placówce w RPA (ani słowa, że zniknął zaraz po narodzinach bliźniaczek), ambitne córki (modelka i stewardesa – ani słowa o zleceniach seksualnych u Piorunki).

Abioli była przedstawiana jako czarnoskóra księżniczka, której życie przedwcześnie zakończyło spotkanie z mordercą. Sobieski przejrzał Instagram dziewczyny i nie znalazł niczego podejrzanego. Głównie reklamy perfum, ubrań i żywności z jej udziałem; rozkładówki z gazet, ale żadnych rozbieranych sesji. Do tego obowiązkowe selfiaki z siłowni albo dzióbki z egzotycznych wakacji. Ile takich kobiet znał lub widział na plakatach i ile z nich dorabiało sobie na rautach dla VIP-ów, oferując seks? Dlaczego sprawca jako kolejną ofiarę upatrzył sobie właśnie luksusową Abioli? Choć policja tego nie potwierdziła, dziennikarze nie mieli wątpliwości, że zbrodni dokonał ten sam człowiek, który zabił siostry Sapiegi na Kabatach. Wskazywały na to rana cięta na szyi, upokarzająca pozycja i zbezczeszczenie zwłok po śmierci. Obrażenia Abioli były jednak poważniejsze – zabójca tym razem okazał się bardziej brutalny. Zwłaszcza w pastwieniu się nad zwłokami. Zatajono przed mediami informację o tapecie ze zdjęć martwych kobiet na ścianie, które Sobieski widział z Adą. Po co sprawca je przykleił? Czy to rodzaj sceny jak zaaranżowany piknik w przypadku zbrodni na Lei i Poli? Mocowanie tych fotografii musiało zająć więcej czasu niż sama zbrodnia. Po co zawiesił folię w korytarzu? Czy miejsce zdarzenia zostało przygotowane wcześniej? Śluza w korytarzu, oklejona ściana, zwierzęca krew na łóżku, na którym położył ofiarę... Przypominało to spektakl wyreżyserowany na potrzeby organów ścigania. Co zabójca chce im w ten sposób przekazać?

Czy zwabił modelkę do domu Beaty pod byle pretekstem, uwięził, zamordował i pastwił się nad jej ciałem po śmierci? A może córka Kowala była świadkiem mordu? Czy dlatego została uprowadzona? Również nie żyje? Dlaczego nikt nie słyszał krzyków, jakiegokolwiek hałasu? A może sprawca zabił modelkę w innym miejscu i przetransportował ciało dopiero po przygotowaniu scenografii? Mało prawdopodobne – zganił się w myślach. – Ktoś by to spostrzegł. Ofiara była ciemnoskóra. Zwracała uwagę.

Czy miał pomocnika? Co nim kieruje? Czy dziewczyna zginęła przed zniknięciem córki Kowala, czy po nim? Dlaczego wreszcie znaleziono Abioli w mieszkaniu Beaty, skoro obie matki twierdzą, że dziewczyny nigdy się nie widziały? Czy tak było w istocie? Pani Rosołowska mogła nie mieć pojęcia o dorywczych zleceniach córki, ale Piorunka znała prawdę. Dlaczego kłamie? Skąd sprawca miał klucz do mieszkania Beci? Po co wycina kosmyki włosów i dlaczego zostawia je jak zapowiedzi kolejnych zabójstw? Dlaczego okalecza ciała dziewczyn po śmierci? Jaki przyświeca mu motyw, skoro ich nie gwałci? Co chce w ten sposób powiedzieć światu?

Tych pytań było znacznie więcej.

Sobieski czuł się bezsilny, że nie stoi za nim struktura, jakikolwiek urząd, który zmusiłby ludzi do rozmowy. Nie miał dostępu do dokumentów. Nie mógł porozmawiać z ekspertami, skonsultować swoich hipotez. Żałował, że Ada odsunęła go od swojego śledztwa i że obraził się na nią jak panienka. Co odkryła? Czy Artur Szlachta może być Kosiarzem? Czy ten facet faktycznie istnieje? Może nie żyje, wyjechał za granicę, siedział w więzieniu? Co działo się z nim przez te trzynaście lat? W dzisiejszych czasach zniknięcie bez śladu jest praktycznie niemożliwe, ale jeśli kupił sobie nową tożsamość, jedyna droga to analiza porównawcza.

Wyrzucał sobie, że uciął poranną rozmowę z Adą. Jeśli znajdą Becię martwą, do końca życia będzie się czuł współwinny. Ale też policjantka zachowywała się jak furiatka. Na zmianę przyciągała go i odpychała. Czy jej ojciec faktycznie ma rację, żeby uprowadzenie Beaty kwalifikować jako atak na siebie? Dlaczego ktoś miałby się w ten sposób mścić? Jakiego konkurenta Kowal chce załatwić jego rękoma i co ma do tego śledztwo w sprawie Kosiarza?

Nic się nie składało.

Wstał i powyjmował wszystkie kable z gniazdek. Sprawdził designerski elektryczny czajnik, bo Piorunka wspaniałomyślnie podarowała mu własny.

Toaleta składała się z muszli klozetowej i pochyłego kawałka podłogi. Kiedy brał prysznic, woda kapała aż na materac, bo drzwi ani żadnej rolety nie wstawiono. Sutenerka podkreślała, że i tak wykazała się dużą zdolnością przewidywania, skoro w kanciapie ochroniarzy zleciła zrobienie łazienki. Sobieski ubrał się, rozejrzał ostatni raz. Do czego tak naprawdę służy im to pomieszczenie? Taśmy ogląda się online, a te, które dostał, były bezwartościowe. Poza mało znaczącym aktorem reality show ani jedna twarz nie była rozpoznawalna. Materiały kompromitujące znajdują się gdzieś w kasie pancernej w apartamencie Piorunki, zabezpieczone dodatkowym kodem – był tego pewien.

Dlaczego Kowalczyk domaga się głowy Mora? W co z nim pogrywają? Sobieski wziął zaliczkę i nie zamierzał jej oddawać. Potrzebowali z Iwoną tych pieniędzy. Rozwiąże tę zagadkę. Nie bał się, że polegnie. Pierwszy raz od roku czuł się na swoim miejscu.

Zgasił światło. Za stertą szmat na parapecie ulokował małą kamerkę, włączył czujnik ruchu. Sprawdził, czy jest zsynchronizowana z jego komórką. Ciemnym korytarzykiem wyszedł wprost do garażu.

Clio stało w tym samym miejscu, gdzie je zaparkował, z tym że teraz było ciasno otoczone innymi wozami. Ledwie wyjechał z parkingu, kierując się do centrum, a w lusterku wstecznym widział jeszcze sokowirówkę oświetloną na biskupi fiolet, gdy telefon dał mu znać, że kamera się uruchomiła.

Zatrzymał wóz, włączył awaryjne i kliknął w podgląd.

Nieproszony gość miał w ręku latarkę. Przeszukiwał jego rzeczy metodycznie, z wprawą. Jeśli sądzić po sylwetce, była to kobieta. Sobieski w pierwszej chwili obstawiał Piorunkę, lecz kiedy postać odwróciła się bokiem, zobaczył wielki ciążowy brzuch.

***

Wrzucił kierunkowskaz i zwrócił na ciągłej. W tym momencie jego komórka się rozdzwoniła. Numer niezidentyfikowany. Wahał się, czy odebrać, ale to mógł być człowiek od Mora. Kliknął zieloną słuchawkę.

– Śpisz? – Usłyszał zachrypnięty szept Ady.

– Nic ci nie jest? – wydukał.

– Wszystko okay. Zdejmiesz mnie z Zachodniego?

– Oszalałaś? Pół Polski cię szuka!

– Miałam nadzieję, że cała. – Próbowała żartować, więc Jakub uznał, że nic jej nie grozi. – Martwię się, że ktoś mnie rozpozna i doniesie mediom. Musimy pogadać.

– Gdzie jesteś?

– Stoję na przystanku autobusowym. Przy kiosku z gazetami.

– Nie ruszaj się – wszedł jej w słowo. – Jadę po ciebie.

Znów zawrócił. Przejechał na czerwonym, dodał gazu.

– W Łukęcinie – dokończyła. – To jest nad morzem. Autobus do Warszawy podjeżdża za pół godziny. Jak dobrze pójdzie, będę na dworcu jutro przed ósmą. W tę stronę jechałam siedem godzin. Sorry, że robię ci kłopot.

– Sprawdzę rozkład. Nie wychylaj się.

– Będę miała na sobie kamizelkę spottersa i twoją czapkę z daszkiem. Zostawiłeś u mnie, jak się ostatnio widzieliśmy.

– Twój dom jest pod obserwacją – zaczął, ale mu przerwała:

– Zadzwonisz do mojej mamy? Weź klucze do wejścia od podwórka. Chyba już wiem, dlaczego Kosiarz wycina dziewczynom te włosy. Znalazłam ciotkę Szlachty.

– Rozmawiałaś z nią?

– Krótko, bo zaraz wygnała mnie za próg, ale i tak mam kwadratową głowę.

– To witaj w klubie – syknął.

– Po prostu po mnie przyjedź – poprosiła. – Ciotka Szlachty jest demonologiem.

– Kim?

– Świeckim egzorcystą. Wygania z ludzi złe duchy i uważa, że jej bratanek jest opętany.

Duch

21 września 2011, Łukęcin, Zachodniopomorskie

Facet stojący obok niego wywraca białkami, a kobieta, chyba jego żona, podtrzymuje go z całych sił, by nie grzmotnął o ziemię. Jakaś dziewczyna bełkocze, choć oni uważają, że to Bóg przemawia przez jej usta obcymi językami. Artur stoi, przyglądając się z zaciekawieniem strużce śliny spływającej z kącika jej warg, i nie może się nadziwić, dlaczego poza nim nikogo to nie śmieszy. Pozostali śpiewają, tańczą albo stoją ze wzniesionymi ramionami, nucąc pod nosem wesołe pieśni, a jedyne dwa słowa, które on rozumie, to „Jezus" i „żyje". Wreszcie wybucha głośnym śmiechem, tak głośnym, że aż zasycha mu w gardle. Przymyka oczy, powoli zaczyna się kołysać. Nie będzie pląsał, nie zacznie wrzeszczeć w ekstazie jak oni, ale i tak doskonale się bawi.

Nagle czuje dotknięcie. Palce ciotki zaciskają się na jego ramieniu mocniej i on już wie, co nastąpi potem, więc tym bardziej zaciska powieki. Wyobraża sobie ten gest, nim ona zdecyduje się go wykonać. Jest jak cios nożem, ale on zrobiłby to stanowczo, pewnie i już bardzo za tym tęskni. Tylko nieznacznie otwiera oczy, by upewnić się, że ten cień to kropidło, a to, co spływa mu po twarzy, to kropelki święconej wody.

Ciotka staje na szeroko rozstawionych nogach i charczy przez nos szeleszczące zaklęcia. Z całych sił, obiema rękoma, jakby broniła się przed gwałtowną burzą, ściska monstrualny krucyfiks. Arturowi już nie chce się śmiać. Przeciwnie – ogarnia go niepohamowana wściekłość. Rzuca się na krzyż, stara się go wyrwać z rąk ciotki. Szarpią się, ale ona nie puszcza. Kopie ją z całych sił i drapie do krwi, rozrywa jej sukienkę, aż wszyscy mogą zobaczyć jej białe obnażone ciało odziane jedynie w przebarwiony biustonosz. Ktoś chwyta go za ręce, wykręca je do tyłu. Inny unieruchamia mu kolana. Artur nie może się ruszyć, choć targa nim furia, kiedy trzymają go jak w kleszczach.

Ciotka wykrzykuje modlitwy głośniej i głośniej. Powtarza po trzykroć te same frazy, a do jej głosu dołączają inne, mocniejsze. Artur słyszy zgodny chór, a werbel tych głosów sprawia, że słabnie. Milknie muzyka z magnetofonu, gaśnie światło. Ból w plecach nad lewą łopatką staje się tak nieznośny, jakby ktoś wbijał mu w to miejsce kołek. Odruchowo ogląda się za siebie, by przegonić agresora, ale stwierdza, że wokół niego jest pusta przestrzeń.

Ludzie stoją w oddaleniu, trzymając się za ręce. Tworzą ciasny, nieprzerywalny krąg. Ciotka mantruje teraz ciszej. Rzęzi, dławi się. Wreszcie z jej ust dobywa się ledwie słyszalne syczenie. Ma szeroko otwarte oczy, uśmiecha się triumfująco, choć jest wykończona, jakby stoczyła wygraną bitwę.

Zszokowany Artur stwierdza, że jest całkiem wolny. Nikt go nie trzyma, nie dotyka. Wierni stoją w bezpiecznej odległości, a jednak on nie jest w stanie się poruszyć. Nie może nawet odkręcić głowy. Wyszczerza zęby jak wściekły pies. Spluwa ciotce w twarz, ale plwocina nie dolatuje na miejsce. Zatrzymuje się i spływa po krzyżu. Zawisa na nogach Chrystusa, którego rzeźbiarz formował chyba po pijaku albo był ślepy. Nie przypomina to przecież człowieka ani lalki! – wścieka się Artur.

Gniew sprawia, że czucie w członkach powoli wraca, krew znów krąży w żyłach. Pochyla się i zgina, jakby ktoś strzelił mu w brzuch. Czołga się do drzwi.

Ciotka idzie za nim, wciąż go zaklinając. Artur zatyka uszy.

Ta cisza jest błogosławiona! Już wie, co należy zrobić, bo widzi promień światła w szczelinie między futryną a drzwiami wejściowymi. Tłum nagle się rozstępuje. Artur zrywa się i ucieka.

***

Biegnie, ile sił w nogach i powietrza w płucach.

Sam nie wie, jak to się stało, ale zatrzymuje się w sosnowym lesie, na wydmach, i kuśtyka brzegiem morza. Ma tylko jeden trampek, jego koszula jest rozpięta. Klatka piersiowa unosi się i opada. Zatrzymuje się, zdejmuje powykrzywiane okulary, które przetrwały walkę z ciotką i jej armią, a potem zanurza twarz w słonej lodowatej wodzie. Chłód przywraca go do żywych.

Znów może myśleć, czuje się sobą, głęboko oddycha. Jakby to, co się wydarzyło w kościele, było koszmarnym snem. Zapina koszulę, choć słońce praży niemiłosiernie, i idzie dalej. Muszle, kamienie, kawałki szkła i zwykłe śmieci ranią bosą stopę do krwi, ale nie zatrzymuje się. Zanurza się w bólu i z lubością patrzy, jak ciepła, czerwona krew wsiąka w piasek. Wracają obrazy z pola słoneczników. Pati drżąca w jego dłoniach. Jej stygnące ciało. Rana na szyi rozchodząca się jak poły płaszcza. Wkłada rękę do kieszeni. Sprawdza, czy ma ze sobą swój nóż.

Dalej już nie może iść. Drogę zagradza mu bambusowy parkan. Czyta umieszczoną na nim tabliczkę: „Wszyscy mile widziani – byle rozebrani". Nie ma bramki wejściowej, tylko łuk z gałęzi, przez który widzi smażących się na matach naturystów. Waha się. Ciotka przestrzegała go wiele razy przed tym miejscem, mówiąc o szatanie i jego sługach, lecz choć próbował, nigdy nie udało mu się dotrzeć do tej plaży. Ponieważ studiował na tę okoliczność mapę, wie, że przebiegł kilka kilometrów. Jakim sposobem? Nie ma pojęcia.

Odwraca się. Widzi podjeżdżającą furgonetkę i wydaje mu się, że wysypują się z niego ciotka i jej współwierni, ale to tylko robotnicy przywieźli okna do wymiany. Taszczą je na budowę. Idą wolno, utyskując. Powietrze drga od gorąca.

Artur przypomina sobie, że powinien być czujny, możliwe, że pościg za nim już tutaj zmierza. Przekracza próg plaży nudystów. Pośpiesznie ściąga z siebie ubranie, zajmuje miejsce między małżeństwem podstarzałych hipisów a kilkoma samotnymi, niezbyt atrakcyjnymi mężczyznami. Jego spojrzenie zatrzymuje się na parze kompletnie ubranych nastolatków, którzy dopiero w tym momencie przestają się całować.

Dziewczyna przygląda mu się z zainteresowaniem. Artur patrzy na jej zgrabne opalone nogi, króciutką spódniczkę oraz top od bikini przysłaniający miniaturowe piersi, i orientuje się, że rozebrał się niepotrzebnie. Jego dłoń kieruje się ku przyrodzeniu, ale ona widziała już, co miała zobaczyć, bo chichocze. Wtedy ją rozpoznaje. To Irena, była ćpunka, która przyjechała na odwyk z Warszawy. Dwa tygodnie temu Artur widział ją na wyznaniu wiary. Twarz jej towarzysza też nie jest mu obca. Chłopak ma oliwkową skórę, czarne oczy i jest wręcz obraźliwie piękny, ale nie o jego urodę Artur jest zazdrosny. Świadectwo pięknisia tak poruszyło przyjaciół ciotki, że omawiali je przez kilka kolejnych dni. On sam nigdy nie odważy się wystąpić przed publicznością, by wyznać grzechy. Nie dlatego, że nie chce. Po prostu skrywane fantazje pozwalają mu trwać. Żyje tylko dzięki nim. Nic innego właściwie nie ma sensu.

Słuchał wyznania gogusia uważnie. Przyglądał się jednak nie jemu, ale reakcjom ludzi na jego słowa. Rejestrował, jak działa na słuchaczy płacz, niemoc, gniew, a także uśmiech, bezradność, prośba. Sam nie potrafi czuć zbyt wiele, więc chętnie obserwuje innych. Uczy się i stara naśladować mimikę, gesty, sposób patrzenia. Nie przejął się zbytnio wyznaniem chłopaka, chociaż wie, że ćpał, dilował, kradł i kłamał. Ze wszystkich grzechów nie popełnił tylko jednego. Tego, który Artur ma już na koncie. Ale to, co go zainteresowało podczas sławetnego wystąpienia lalusia, to przydatne fakty: gość jest dziany i może się przydać. Jego ojciec jest dyrektorem prywatnej szkoły, a matka dofinansowuje kościół, w którym udziela się ciotka. Artur usilnie próbuje sobie przypomnieć, jak nieznajomy ma na imię. Wie to, tak samo jak wiedział, że długonoga laska to Irena. Mruży oczy, prostuje się i zakłada okulary, a potem wstaje. Ciuchy bierze do ręki. Trampek porzuca. I tak już na nic się nie przyda. Podchodzi do nich.

– Macie jakiś hajs? – pyta zaskakująco mocnym głosem, który prawie nie ujawnia drżenia.

Wstyd, że jest całkiem goły, gdzieś uleciał i nie doskwiera mu, chociaż nudyści gapią się na nich. Słuchają każdego słowa.

– *Maybe yes, maybe no. Maybe, baby, I don't know.* – Chłopak Ireny zdejmuje żółte lustrzanki Ray-Bana. Wyszczerza się w zawadiackim uśmiechu. – A co, ciotka nie daje ci kieszonkowego, młody?

– Wiem, gdzie ciotka trzyma pieniądze z tacy. Nie są zamknięte. Idziecie na piwo?

Tamten wstaje. Daje znak Irenie, która podnosi się z wahaniem.

– A ja wiem, gdzie i u kogo możemy załatwić coś lepszego – mówi laluś. – Potrzebujemy tylko samochodu.

– Moja ciotka ma starego poloneza – oferuje Artur. – Może kluczyki są tam, gdzie kościołowa forsa? – Puszcza do pozera oko, bo w tym momencie sobie przypomina.

On ma na imię Sylwester. Sylwek Jankisz.

Część 4
PRZECHWYCENIE

Nierozłączni

czwartek (3 czerwca)

Pisk i radosne skomlenie słychać było na klatce schodowej, zanim jeszcze Ada otworzyła drzwi. Następnie przez kilka minut leżała skulona na podłodze, głaszcząc i całując swojego pieska. Sobieski stał za jej plecami, starając się znosić potępiające spojrzenie pani Kowalczyk, która blokowała wejście niczym mityczny Cerber.

– Była grzeczna, jadła?

Ada zarzuciła matkę gradem pytań.

– Tylko szynkę i moje pięć par butów.

Matka odwróciła się wreszcie w kierunku salonu.

– Myślę, że tęskniła. Gdybyś zawiadomiła mnie wcześniej niż swojego kolegę, przyjechałybyśmy po ciebie na dworzec i nie musiałabym sprzątać całej podłogi. Jak nie możesz wyjść z psem, kładź chociaż podkłady. Ten parkiet jest do cyklinowania. Niech tylko babcia to zobaczy – narzekała.

Sobieski przyglądał się lodowato przystojnej kobiecie i nie mógł uwierzyć, że z takim spokojem zwraca się do córki, za którą posłano właśnie czerwony alert do mediów. Głowił się, czy żona Kowala jest głęboko wtajemniczona w sprawę, czy to po prostu typ socjopatki.

– Martwiłam się. – Nagle złagodniała, jakby czytała mu w myślach, a potem z gracją podążyła do kuchni. – Oraz cieszę się, że nie mnie jedyną oszukujesz.

Ada odłożyła wreszcie psa na fotel.

– Ojciec niepotrzebnie wszczął alarm.

– Gdybyś pozwoliła mi powiedzieć tacie, co zamierzasz, nie byłoby tego cyrku! Jak planujesz to wyjaśnić?

– Niczego nie będę mu wyjaśniać – zirytowała się Ada. – I ty też nie powinnaś. Biorę udział w tajnej operacji, więc niech chociaż jeden raz zostawi moje życie w spokoju. Swoje ma wystarczająco zabagnione, nie uważasz? Starczy mu porządków do śmierci.

Pani Kowalczyk wyglądała tak, jakby na końcu języka miała wyjątkowo ostrą ripostę, ale powstrzymała się od komentarza. Nie spuszczała wzroku z Jakuba i o nic go nie pytała.

– To właśnie aspirant sztabowy Sobieski – przedstawiła kolegę Ada. – Rozmawialiście przez telefon. Pracujemy razem.

Kobieta wahała się dłuższą chwilę. W końcu wytarła dłonie o plisowaną spódnicę, jakby to był krochmalony fartuch, i zbliżyła się z wyciągniętą ręką.

– Janina Kowalczyk. – Uśmiechnęła się. – Jestem matką tej wariatki.

– Jakub Sobieski i nie jestem już w służbie – odparł, oddając uścisk. Obrzucił spojrzeniem pokój. – Wykonała pani herkulesową pracę. Ostatnio zastałem stan po tornado.

– Córka nie ma czasu na takie drobiazgi jak sprzątanie – mruknęła z przekąsem Janina. – A co gorsza, ma liczne obsesje. Tylko kiedy wyjeżdża, udaje mi się namówić panią Halinkę, żeby przywróciła tutejszy świat do ładu.

Wskazała sofę, na której nie było już skotłowanej pościeli, akt, sprzętów elektronicznych i popielniczek z niedopałkami, jakby to ona była gospodynią.

– Kieliszek *chablis*?

Sobieski zerknął na zegarek i pokręcił głową. Za to Ada potwierdziła z ochotą.

– On pije tylko trzaskowiankę – rzuciła wesoło.

– Ty lepiej idź się wykąp – zarządziła matka. – Mamy z panem Sobieskim do pomówienia.

Ada podporządkowała się matce bez słowa. Zdjęła czapkę, podała Jakubowi i dopiero wtedy spostrzegł, że obcięła włosy. Krótka fryzura wyostrzyła jej tylko rysy, lecz bez trudu można ją było rozpoznać. Ada wierzyła najwyraźniej, że jest inaczej. Zachowywała się swobodnie i była jeszcze bardziej pewna siebie niż do tej pory.

– Z krótkimi było ci do twarzy, kiedy byłaś dzieckiem – skomentowała matka. – Na szczęście to tylko włosy. Odrosną.

Sobieski pożałował, że zajął pozycję siedzącą. Czuł się jak w sztabie dowódcy po złapaniu na ucieczce z walizką służbowej broni.

– Więc pomaga pan mojej córce zniszczyć sobie doszczętnie życie? – zagaiła, upijając łyk *chablis* i przyglądając mu się znad oprawek bursztynowych okularów.

– Mówi pani o życiu moim czy córki?

Podniósł hardo podbródek.

– Pańskie sprawy mnie nie interesują.

Uśmiechnął się z przekąsem, bo Janina i Piorunka, choć o tak różnych życiorysach, były tym samym typem kobiet: zadziorne, pozornie silne, ale wewnątrz drżące i z pewnością namiętne w łóżku.

Jakby Wiktor Kowalczyk je sobie sklonował.

– Nie jestem pewien, czy córka chciałaby, aby się pani włączała.

– Mów mi po imieniu – rozkazała. – A ty jak wolisz: Kubusiu czy może Jakubie?

– Reaguję na obie formy. – Wzruszył ramionami.

Kobieta uśmiechnęła się, a potem nagle wstała. Podeszła do okna.

Zwrócił uwagę, że zasłony i firany ponownie nawleczono oraz ukarbowano w regularne fałdy. Nie był pewien, czy nie zostały wymienione na nowe. Pokój sprawiał wrażenie odnowionego, a może i został przemalowany.

– Skoro córka wezwała mnie, żebym pod jej nieobecność zajmowała się psem, którego traktuje jak niemowlaka, wygląda na to, że grzęznę w tej zabawie po pachy – powiedziała po pauzie Janina. – Działacie poza prawem. Co będzie, jak to wyjdzie?

– Nie chcesz, by córka mieszała się do sprawy Kosiarza, czy chodzi o Mora? – odpowiedział pytaniem na pytanie.

Odwróciła się gwałtownie.

– Wiktor wszystko mi powiedział – dorzucił.

– Szczerze? Nie mogę się zdecydować. Z jednej strony wolałabym, żeby wyrzucili ją w końcu z tej cholernej policji i żeby od nowego semestru wróciła na studia. A z drugiej... – Urwała. – Wiem, że to jej marzenie i dopóki się nie sprawdzi albo nie polegnie – nie odpuści. Pamiętam, jaką obsesją była dla Wiktora praca. Jeszcze zanim awansował na szefa komendy, całymi tygodniami nie bywał w domu. Potem zrobiło się tylko gorzej. Nie chcę takiego życia dla córki. Jest kobietą.

Sobieski zastanawiał się, dlaczego Janina mówi o małżonku, jakby nie żył albo zakwalifikował się do jej byłych. Wypił do dna swoją kranówkę i odstawił szklankę.

– Powinna wyjść za mąż, rodzić dzieci? – zakpił. – Bo ty takiego życia chciałaś?

Nie odpowiedziała. Zacisnęła tylko szczelniej usta.

– Ada wpadła na trop, którego prowadzący dochodzenie nie biorą pod uwagę – dodał. – Sprawdzamy go w miarę naszych możliwości. Nie łamiemy prawa.

– Jesteś żonaty?

Skinął nieznacznie głową.

– Twoja żona w pewnych kręgach jest sławna.

Poczuł nagłe gorąco w piersi. Nie chciał z tą kobietą mówić o Iwonie.

– W bardzo niszowych – odparł.

– Jest pilotem śmigłowca, znanym jako Nocna Furia, ale słyszałam, że w tym roku nie startuje w manewrach. To byłby pierwszy raz w jej karierze.

– Z twoją córką łączą mnie jedynie sprawy zawodowe.

Janina roześmiała się złośliwie.

– Radzę ci, by tak zostało.

Z łazienki dobiegał syk rozpryskującej się wody, a chwilami słychać było też podśpiewywanie. Sobieski nie mógł się doczekać, aż Ada wróci i poprosi matkę, by opuściła ten lokal, oraz opowie mu w końcu, czego się dowiedziała. W aucie siedziała cicho jak trusia, a pod koniec przysnęła. Martwił się, czy dobrze się czuje, ale teraz była dla odmiany w iście szampańskim humorze. Nie wypadało mu komentować sytuacji i zresztą nie chciał dzielić się spostrzeżeniami z tą wężycą.

– Włosy są nośnikiem informacji – rzekła nagle Janina i zajęła miejsce na sofie, tym razem tak blisko Sobieskiego, aż poczuł delikatny zapach jaśminu. – Jestem z wykształcenia antropologiem. Dawniej ludzie wierzyli, że to siedlisko duchów przodków. Symbol mocy i odwagi. Obfite, dobrze utrzymane włosy są gwarantem powodzenia seksualnego i życiowego, a nierzadko przypisywano im też właściwości magiczne. Mnich i wojskowy będą nosić gładkie, krótko ostrzyżone, długie zaś kojarzą się z buntem, wolnością. Zastanawiałeś się, dlaczego obiekt, którego poszukujecie, zabiera jako trofeum kosmyki zabitych dziewcząt? To jego ofiara. Mit o Dalili i Samsonie z pewnością nie jest ci obcy.

– To chyba uproszczenie – burknął. – I nadal niewiele mówi o tym człowieku.

– Niewiele? – zdziwiła się. – Moim zdaniem ujawnia jego prawdziwą motywację. Dalila kradnie siłę Samsona. Robi to za pieniądze, choć przecież twierdzi, że go kocha. Tak właśnie wygląda kobieca zemsta. Miłość czasami popycha słabszą płeć do zbrodni. A w gruncie rzeczy to pragnienie władzy.

Sobieski przyjrzał się jej z politowaniem.

– Sugerujesz, że Kosiarz to kobieta?

– Ty to wykluczasz? – zapytała z przymilnym uśmiechem. – Żadna z ofiar nie została zgwałcona. Uważasz, że jakikolwiek facet oparłby się boskiej Abioli?

– Dewiant czerpiący przyjemność z samego aktu zbrodni. Impotent. Nekrofil. Gej – wymieniał.

– Albo kobieta – dopowiedziała. – Choć pewnie zaraz powiesz, że motyw seksualny nie oznacza spełnienia w akcie spółkowania, lecz w chwili mordu.

– Bawisz się w psychologa czy to jakiś test?

– Po prostu umilam ci czas rozmową, póki czekasz na Adę. Trochę myślałam o tym wszystkim, kiedy umierałam ze strachu o córkę, wiesz? Możesz puszczać mimo uszu to, co ci powiem, a może coś ci się odblokuje. Z mężem robiliśmy czasami takie burze mózgów. Ludzie od wieków zachowują się tak samo. W mitach jest mądrość i te historie nie różnią się wcale od współczesnych seriali.

Spojrzał na nią zaskoczony.

– Chętnie posłucham – rzekł łagodniej. – Nie chciałem cię urazić.

Podziękowała skinieniem.

– Kiedy grecki bóg śmierci Tanatos pojawiał się przy umierającej osobie, obcinał jej pukiel włosów, który składał w ofierze władcom podziemnego świata. Golenie głowy na znak żałoby jest praktykowane w wielu kulturach. Celtowie wierzyli, że jeśli ptak utka sobie gniazdo z ludzkich włosów, ich właściciel umrze w ciągu roku.

– I o czym to może świadczyć w przypadku seryjnego sprawcy?

– Z tego, co wiem, zabójcy tego typu nie przywiązują się do ofiar. Nie chcą znać ich imion, traktują je przedmiotowo. Dopóki osoba jest lalką, na której może odgrywać swoje rytuały, spełniają się jego fantazje. Jego, bo nadal nie dowiedziono, że występują seryjne kobiety zabijające z motywów seksualnych.

– W tej materii zdania są podzielone.

– Zamordowane dziewczyny nie były zgwałcone – powtórzyła Janina. – Bestialstwo Kosiarza polega na bezczeszczeniu zwłok. Kaleczy je, przycina piersi, harata gardła. Zwykle seksualni zaspokajają się za pomocą ciał, nad którymi zapanowali. Przed zbrodnią, w trakcie albo po niej. Potrzebują zabić, żeby poczuć totalną władzę. Ściana z wytapetowanymi zdjęciami martwych kobiet też jest nośnikiem informacji. Czy dziewczyny na fotografiach były prostytutkami?

Sobieski gwałtownie odwrócił głowę w jej kierunku. Nie wierzył, że Ada opowiadała matce, co widzieli na miejscu odkrycia ciała modelki. A jednak tak być musiało. Ta informacja została uznana przez policję za poufną.

– Nie udało się wszystkich zidentyfikować, ale jest taka hipoteza – przyznał. – Co właściwie próbujesz mi powiedzieć? Że ofiary nie są przypadkowe? I na tej podstawie podważasz teorię o sprawcy seksualnym?

– Zwracam tylko uwagę, że wszystkie zabite dotąd kobiety mają długie, imponujące włosy – podkreśliła. – Zarówno te zamordowane, jak i te, które dołączył jako publiczność na obrazkach w pokoju Beaty, przyrodniej siostry mojej córki.

Sobieski zacisnął szczęki. Nie była w stanie użyć własnego nazwiska w połączeniu z imieniem młodszej córki męża. Wydało mu się to ciekawe. Nie była tak silna, jak starała się zaprezentować.

– Włosy są nie tylko nośnikiem mocy. Mogą być też symbolem odkupienia win – kontynuowała. – Samson był nazirejczykiem, co oznaczało, że złożył śluby pełnego poświęcenia się Bogu. Zobowiązywał się tym samym do niepicia alkoholu, niestrzyżenia włosów i brody oraz nie miał prawa zbliżać się do zwłok. W Starym Testamencie był przedstawiany jako sędzia. Zagwarantowano mu szczególne traktowanie. A jeśli ktoś podał mu na przykład wino – podniosła kieliszek i upiła łyk, odstawiła – podlegał karze. Czasami nawet karze śmierci. W Biblii opisywane są nagłe przypadki uderzenia takich osób piorunem albo dach własnego domu zawalał im się na głowę.

– Dalili nic takiego nie spotkało.

– Spotkało ją coś innego. To oczywiście tylko metafora.

Jakub przyjrzał się matce Ady.

– Nadal nie rozumiem, co te przypowieści mają wspólnego z Kosiarzem z Kabat.

Kobieta chwilę zastanawiała się nad odpowiedzią.

– W przypadku naruszenia zasad nazireatu musi on zostać przerwany i unieważniony. Po złożeniu odpowiedniej ofiary i oczyszczeniu ślub może być złożony na nowo. Kosiarz osądza te dziewczyny i zbawia. Uważa się za anioła, który ukazał się ojcu Jana Chrzciciela. Zabijając je, spełnia swoją wizję oczyszczenia ich z grzechów. Wiadomo przecież, że wszystkie trzy zajmowały się nierządem.

– Nie wystarczyłoby, gdyby odcinał im kępki świętych włosów? – zadrwił Sobieski. – Nie musiałby ich zabijać.

– Tak jak powiedziałam, on ma się za sędziego. On lub ona – podkreśliła. – Osądza te nierządnice, karze i na koniec zbawia. Odcięcie włosów nie kończy rytuału, lecz go zaczyna. To dlatego policja znajduje je na kolejnym miejscu zdarzenia. Tych ofiar będzie więcej. I sądzę, że kiedy go znajdziecie, wskaże miejsca ukrycia innych ciał. Gdybyś prowadził jego przesłuchanie, kiedy już go złapiecie, radziłabym to wykorzystać do budowania taktyki.

– Dzięki za radę. Chwilowo jest zbędna.

– Założę się, że przed siostrami z Kabat i modelką była cała kolejka kandydatek do zbawienia. Może już macie ich zdjęcia na ścianie w mieszkaniu Beci?

– Ciekawa teoria i dzięki za wykład – mruknął Sobieski oględnie. – Jak więc wyjaśnisz, że wcześniej ukrywał ciała, a teraz zostawia je na widoku? Jeśli, rzecz jasna, ta teoria nie byłaby tylko teorią.

Nie zawahała się nawet chwili.

– Coś się wydarzyło w jego życiu prywatnym. Coś, co nakazało mu wyjść z cienia.

Sobieski zaśmiał się gromko.

– Rozumiem, że kierujesz się przeczuciem, intuicją? Coś koło tego?

– Wiele razy rozmawiałam z mężem, kiedy szukał sprawcy. Kosiarz chce się przyznać. Chce być ujawniony. To dlatego zaczął pokazywać ciała. I nie musisz mnie obrażać. Próbuję wam pomóc.

– Przecież nie chcesz, żeby Ada mieszała się do tej sprawy.

– Nie chcę, ale mam świadomość, że siłą jej nie powstrzymam. Gdybyś jednak mógł coś wskórać, byłabym ci zobowiązana. Nie podoba mi się, że Ada tak się angażuje. Kolaboruje z Drabikiem, jeździ po jakichś kościołach nad morzem, odwiedza czarne chaty na Mazowszu…

Sobieski kolejny raz był w szoku, że policjantka zwierza się matce ze wszystkiego.

– Ten Kosiarz to sprawca zorganizowany, typ misjonarza, a tacy są bardziej niebezpieczni od zwyczajnych gwałcicieli, którymi kieruje popęd i fantazje. On lub ona realizuje projekt. Zrobi wszystko, by dopiąć celu. I lubi się bawić ze służbami w kotka i myszkę. Właściwie tylko to chciałam ci powiedzieć. Nie słuchaj mediów i tego, co wypisują na portalach. A najlepiej odpuśćcie, zostawcie sprawę zawodowcom. To nie jest zabawa dla dwójki dzieciaków bez doświadczenia.

– Dlaczego wciąż powtarzasz, że zabójcą może być kobieta?

– Opowiedziałam ci mit o Samsonie i Dalili. Chyba nie słuchałeś uważnie.

Urwała, bo w drzwiach pojawiła się zarumieniona od kąpieli i pachnąca Ada. Na sobie miała czarny T-shirt i dżinsy. Z mokrych włosów skapywała woda.

– Pewnie chcesz odpocząć. – Janina wstała. Sięgnęła po smycz. Założyła Grace obrożę. – Przejdziemy się.

Niczego nieświadoma Ada cmoknęła matkę w policzek. Przytuliła się do niej i szepnęła kilka słów do ucha.

– To przyjaciel. – Sobieski usłyszał fragment zdania i spotkał się z Janiną spojrzeniem.

Po kręgosłupie przeszedł mu prąd.

Zastanowił się, czy zna kobietę, która mogłaby zadać innej takie rany jak te, które widział na ciele Abioli. Folia była przybita do futryny krzywo i być może nie wynikało to z braku czasu, lecz nienadmiernej siły fizycznej, by porządnie umocować gwoździe. Zdjęcia natomiast wyklejono precyzyjnie niczym dekorację w teatrze. Zdawały się ważniejsze niż ciało ofiary. Dla kobiet ozdoby są ważne. Ważniejsze czasem niż meritum, czyli zwłoki. A ten ktoś zadał sobie sporo trudu, by zdobyć krew psów i oblać nią łóżko Beci, na której potem ułożył modelkę. Miał klucz do jej mieszkania. Wszedł i wyszedł niezauważony. Wszystkie ofiary miały we krwi substancje psychoaktywne, więc mogły nie stawiać wielkiego oporu. Zabójca nie musiał być siłaczem. Skuteczne podcięcie gardła to głównie technika. Nie zgwałcił żadnej z nich. Janina mogła mieć rację. Czy Kosiarz jest kobietą?

***

– Irena chodziła na nabożeństwa do tego samego kościoła. Była ćpunką.

Ada zaczęła opowiadać, kiedy tylko zostali sami.

– Sylwek też przyjechał na odwyk. Artur trafił pod opiekę ciotki po śmierci ojczyma. Ta trójka spotkała się nad morzem, a potem już byli nierozłączni. Zrabowali kościelne pieniądze, ukradli samochód ciotki Szlachty i dwa tygodnie poźniej odnaleziono go doszczętnie spalony w lesie koło czarnej chaty w Giżycach. Ostatni trop to dworzec. Byli widziani we trójkę. Nikt nie wie, do jakiego pociągu wsiedli. Od tamtej chwili słuch o nich zaginął.

– Sprawdzałaś listy Itaki? Skąd to wiesz?

– Małgorzata Samosiejka współpracuje z komendami w całym kraju. Pod pseudonimem Ariel prowadzi działalność świeckich egzorcyzmów i jasnowidzenia. Jest jednocześnie wierzącą katoliczką, choć z tego, co o niej słyszałam od miejscowych, bliżej jej do charyzmatycznych ruchów niż skostniałych struktur. Na jej stronie są zarówno rekomendacje od księży i biskupów, jak i certyfikaty różnych komend policji. Wiemy oboje, że podziękowań za pomoc w dochodzeniach nie wydaje się ot tak. Jakiś zwierzchnik podpisuje się swoim nazwiskiem, a jego szef przybija pieczątkę. Nie wydaje mi się, żeby Ariel była wariatką. A tę sprawę ma dogłębnie zbadaną, bo to był jej przyszywany bratanek. Młodzi obrabowali jej kasę pancerną i spłacała ten dług następne lata. Były to środki na budowę nowego kościoła, który zresztą powstał w innej miejscowości. No i uciekli jej autem. Niektórzy z Łukęcina wierzą, że dzieciaki zaginęły, bo Bóg ich pokarał.

Sobieski szybko wyszukał w internecie stronę, o której mówiła Ada. Przeleciał wzrokiem referencje.

– Nie znaleziono ciał, tropów?

– Zupełnie nic – zapewniła. – W miejscu, gdzie spłonęło auto, ślad się urywa. Policjant, który przy tym pracował, jeszcze żyje, ale powiedział mi tylko to, co ci referuję. Ariel opisała tę sprawę na swojej stronie. Bez nazwisk, zmieniła miejscowości, ale bazuje na zaginięciu tej trójki. No wiesz, rodzaj uduchowionej opowieści o sile Ducha Świętego.

– Sprawdziłaś, kim byli Irena i Sylwek?

– Ona miała być księgową. Przez dragi wyleciała ze szkoły. Sylwester miał za sobą epizod w poprawczaku, ale ojciec go wyciągnął. Pochodził z zamożnej rodziny i już w liceum uważano go za zdolnego chemika. Trochę też hakował. Zgarnęli go, kiedy sprzedawał pijanym turystom z zagranicy dopalacze własnej produkcji jako czystą kokainę. Mówił płynnie po angielsku, więc póki nie trafił lokalnego klienta, był bezkarny. Zamknęli go, zarekwirowali towar. Ponoć robił go w szkolnym laboratorium podczas wakacji. Żeby było ciekawiej, dyrektorem tego liceum był jego tatuś.

– Czyli mamy trójkę nastolatków z problemami, które zwąchują się w wakacje nad morzem i ruszają w tango.

– Wiadomo tylko, że jeździli po kraju. Ciotka dostała plik mandatów karnych do uregulowania. Była tam też grzywna za trzy bilety kolejowe do Warszawy w dniu, kiedy zaginęła Katarzyna Chudaś. I tutaj trop się urywa.

Sobieski się zamyślił.

– W Giżycach nikt nie wspominał, że Artur Szlachta ćpał.

– Jego ciotka twierdzi, że początkowo też niczego nie zauważała. Cieszyła się, gdy niechciany bratanek zakumplował się z młodymi z kościoła. Wcześniej miała z nim same kłopoty. Regularnie odprawiała na nim egzorcyzmy i jest ponoć kupa świadków tych misteriów. Rzucał się, wpadał w szał.

– Może zachowywał się tak, bo był napruty?

– Dziś ciotka dopuszcza taką ewentualność. Pił, szprycował się, czym się dało. Ona wierzyła w opętanie, ale pewne jest tylko to, że bywał wobec niej agresywny. Szczególnie podczas wyznań wiary i uzdrowień. Pamiętaj, że to był czas odnowy. Wielu ludzi przyjeżdżało wtedy na spotkania z przywódcami duchowymi i pastorami z zagranicy.

– Należeli do jakiejś sekty?

– W żadnym wypadku. – Ada pokręciła głową. – Byłam w tym kościele. Piękna, skromna świątynia. Sądzę, że nawet ktoś, kto nie wierzy, mógł poczuć się w niej odprężony. Ksiądz, który jest tam teraz szefem, bardzo dobrze wypowiada się o Małgorzacie Samosiejce. Nie używa imienia Ariel – to media ją tak przezwały. Ksiądz twierdzi, że Sylwester żyje i przyjeżdża co roku w rocznicę ich zaginięcia do Łukęcina. Nie jest pewien, nie legitymował go, ale wydaje mu się, że go poznaje. Pokazywał mi przynajmniej sześć osób na Facebooku o tym nazwisku. Jeden figuruje jako właściciel spółki o profilu informatycznym. Ksiądz twierdzi, że ludzie tak bardzo się nie zmieniają. Zwłaszcza piękni ludzie, a ten, o którym mowa, to istny adonis. Za każdym razem zjawia się z inną kobietą i dwiema córkami. Mieszkają w Konstancinie, rokrocznie przyjeżdżają do parafii na wakacyjny odpust. Sylwester zawsze zostawia ofiarę na kościół. Przez cały ten czas ksiądz myślał, że Sylwka trawi poczucie winy, ale nigdy nie przyszedł do spowiedzi. Raz go zagaił, ale facet szybko wsiadł do samochodu i odjechał. Ta ostatnia jego kobieta księdzu wybitnie się nie spodobała. Mówił, że wyglądała jak nierządnica.

Urwała, przyjrzała się blademu jak ściana Sobieskiemu.

– I co o tym wszystkim sądzisz?

– Jeszcze nic – mruknął, ale wyjął telefon z kieszeni i położył go na podorędziu.

– Nie wierzysz mi?

Pokręcił głową.

– Wiem, że historia dzieciaków wydaje się zbyt odległa od sprawy, która toczy się na naszych oczach – kontynuowała

Ada. – Ten facet od księdza to nie musi być Kosiarz. Ale sam pomyśl, jeśli Szlachta zabił Sylwestra i zabrał mu tożsamość, powinniśmy go szukać pod przybranym nazwiskiem. Możemy go znaleźć i to zweryfikować! – Zapaliła się. – Zabezpieczono DNA sprawcy, więc łatwo wyeliminujemy Sylwka albo włączymy go do sprawy. Dalej można by już działać zgodnie z procedurą. Z takimi danymi mogę iść do Drabika.

– Za wcześnie. – Sobieski był sceptyczny. – Gdybyś przyszła z tą baśnią do mnie, doradziłbym ci pisanie scenariuszy i poważnie się zastanowił, czy potrzebna mi wariatka w wydziale.

Ada nadęła się obrażona.

– Dlaczego od razu zakładać zbrodnię? – zastanawiał się. – A może to był wypadek? I wcale nie musi być tak, że Szlachta jest oszustem. Może to Sylwester przeżył, a Artur zginął w pożarze?

– Dane Artura Szlachty urywają się zaraz po przeprowadzce do Ariel – powtórzyła. – Nie występuje w dokumentach, nie złożył podania o nowy dowód, nigdy nie występował o kartę kredytową. Nie studiował, nie pracował. Nie istnieje.

– Co z Ireną?

– Jej dokładnie nie zdążyłam sprawdzić. Może ukryła się, bo jest świadkiem?

– Czego?

Ada zawahała się.

– Albo też nie żyje.

– Skoro przez wszystkie lata tych dwoje nie odnaleziono, jakim sposobem my mamy to zrobić bez środków i jakiegokolwiek wsparcia? W tamtych czasach łatwo było zniknąć. To nie to co dziś: komórki, programy szpiegujące, ciasteczka na stronach zbierające dane, karty kredytowe, wszechobecny monitoring.

– Jeśli chcesz naprawdę zniknąć, możesz tego dokonać bez trudu – zaprotestowała. – Nie ma zaginięć bez śladu. Zawsze zostaje jakiś trop.

– Niby jaki? Spalony samochód? Rodzina tych dzieciaków? Znów chcesz dokądś jechać, żeby twój ojciec wszczął alarm na cały kraj? A może sama będziesz udawała zaginioną? Na twoim miejscu zastanowiłbym się, jak wyjść z twarzą z tego klopsu, który zgotowaliście w mediach. Kogo twój naczelnik chce w ten sposób sprowokować?

Nie słuchała go.

– Chata Artura Szlachty w Giżycach – wypaliła. – Ktoś wciąż płaci za nią podatek i dba o to, by legenda o nawiedzonym domu nie została zapomniana. Rozpytywaliśmy ludzi o Szlachtę, więc może czas sprawdzić ich pod kątem znajomości z Sylwestrem? Akta z USC Ireny nie zaszkodzą. Dobrze by było prześledzić jej historię, ale potrzebuję do tego policyjnego komputera oraz zgody prokuratora.

– Podaj mi ich nazwiska. – Sobieski wyjął komórkę. – Wyślę je do Nika. Może załatwi coś swoimi kanałami.

– Sylwester Jankisz i Irena Kaźmierczak.

– Jankisz? – powtórzył. – Jesteś pewna?

– A co? – Ada znów się nafuczyła.

Pokazał zdjęcia męża prostytutki o imieniu Cleo.

– To może być jeden z tych, których profile pokazywał ci ksiądz?

– Może? – szepnęła, a potem długo milczała.

Kiedy się odezwała, była zaskakująco spokojna, aż Sobieskiego to przeraziło.

– Co jeszcze przede mną ukrywasz?

Opowiedział jej o zdjęciu, rozmowie z Ines i rozpoznaniu mężczyzny przez Edytę Piorun.

– Było niewyraźne. Nie sądziłem, że to może mieć znaczenie – kluczył.

– Myślisz, że to jest nasz człowiek? Kosiarz...?

– Nie naginajmy faktów do teorii. Musimy być ostrożni.

– Tyle sama wiem. – Zawahała się. – Ale ten zbieg okoliczności przydaje mojej baśni wiarygodności, przyznasz?

– Przyznam, przyznam. – Uśmiechnął się. – I masz rację. To może być już coś... Nie wierzę w takie zbiegi okoliczności.

Przewinął profil Jankisza.

– Facet ma żonę dziwkę i mieszka w Konstancinie.

Siedzieli chwilę w ciszy, zastanawiając się nad następnym ruchem.

– Nie możemy tego spalić – odezwała się Ada. – Trzeba go dobrze podejść. Zważywszy, że w młodości był z niego taki lisek, teraz gość może być w klasie mistrzowskiej.

– Jeśli to w ogóle nasz człowiek – zaznaczył Sobieski. Wysłał nazwiska Nikowi i schował komórkę. – Załatwione. Jeśli coś znajdzie, trzeba wujowi odpalić kilka setek.

Skinęła głową.

– Dzwoniłaś do eksa Aliny Sapiegi? – spytał, żeby zmienić temat i ochłonąć. – Nie jest tak późno. Moglibyśmy go wziąć na warsztat dla rozruchu.

– Niby kiedy?

Spojrzała na zegarek, chwyciła się za głowę i zerwała się, jakby przypomniała sobie, że jest spóźniona.

– I dziś już raczej tego nie zrobię. Za dwadzieścia pięć minut mam spotkanie z Drabikiem. Podrzucisz mnie?

– Turkus?

– Nie inaczej. – Zaśmiała się nerwowo. – Wiesz, tak sobie myślę, czy w obliczu tego, co wspólnie znaleźliśmy, nie warto by było zakończyć zabawy w detektywów amatorów. Wskóralibyśmy więcej z Jankiszem, gdyby udzielili nam wsparcia. Jak sądzisz? Uwierzą nam?

– To porządna robota wywiadowcza, a nie jakiś dogmat. Jankisz ewidentnie łączy sprawy. Gratulacje, aspirant Kowalczyk! – Uśmiechnął się.

– Doszliśmy do tego razem – zaoponowała. – Więc jak? Dzielimy się danymi z Drabikiem czy kontynuujemy na partyzanta? Bez wsparcia firmy to może być trudne…

– Cholernie trudne. Może nawet awykonalne.

– A najgorsze, co można teraz zrobić, to spłoszyć klienta – dodała.

– Sam nie wiem. Ty najlepiej znasz swojego naczelnika. – Sobieski się wykrzywił. – Oceń, na ile facet jest przychylny, a na ile wodzi cię za nos, by w razie sukcesu przypiąć sobie twój order. Mnie jako cywila wyeliminują na starcie, więc od razu możemy zacząć się żegnać. Co do ciebie? Już mu się spowiadałaś. Co z tego wyszło, wiemy oboje. Zostałaś zawieszona w swojej jednostce...

– Teraz sytuacja jest inna.

– Przynajmniej nie znaleźliśmy kolejnego ciała.

– Wybadam go – zadecydowała i nie zwracając większej uwagi na Sobieski, rozpięła bluzkę.

– Nie gap się tak! – obsztorcowała go. – Nie kazałam ci wychodzić, bo chcę dokończyć gadać. No już, odwróć się. To nie darmowy striptiz.

– Szkoda. – Zaśmiał się, ale wykonał polecenie.

Patrzył teraz w ścianę, ale przed oczyma miał jej rozpięte guziki i nie był w stanie logicznie myśleć. Nie rozumiał tego. Kochał Iwonę, a Ada miała przecież kochanka. To pewnie przez to śledztwo.

– Rób jak chcesz. – Poddał się wreszcie. – Tylko może nie mów mu na razie o demonologach i zaginionych dzieciach, co? Zacznijmy od rzeczy namacalnych. Kosmyk w szufladzie, faceci Sapiegi, remont i drogie szmaty w szafach. Możesz też wspomnieć o tym zamazanym zdjęciu. W tym czasie ja spróbuję umówić się z konkubentem Sapiegi, żebyś nie traciła czasu na ślepe zaułki.

– Koniec pokazu. Możesz się odwrócić.

Stała przed nim ubrana w kombinezon khaki zapięty pod szyję, w którym wyglądała jak w mundurze wojskowym. Aż mu zaparło dech w piersiach.

– Ładnie – rzekł. Przełknął ślinę. – Naczelnik się ucieszy.

Zachichotała i przesunęła w jego kierunku karteczkę z zanotowanymi numerami od Aliny Sapiegi.

– Jest jeszcze jedna sprawa... – Zawahał się. – Twój ojciec.

– Co z nim?

Chciał jej powiedzieć o torbie na kije golfowe w bagażniku i pieniądzach, które pobrał jako zaliczkę za znalezienie Mora, ale się powstrzymał.

– Ufasz mu?
– To przecież mój ojciec.
– Okay. Pytam, bo wydaje mi się, że jest w to umoczony. To cichy wspólnik Piorunki. Masz tego świadomość?
– Już nie fantazjuj – obruszyła się. – Matka by mi powiedziała.
Wzniósł ręce w przepraszającym geście i by go więcej nie rozpytywała, postanowił zadzwonić do byłego partnera Aliny Sapiegi. Gdy tylko wstukał ostatnią z dziewięciu cyfr, na wyświetlaczu pojawił się kontakt, który znajdował się w pamięci jego komórki. Wpatrywał się w litery OZIU PRIV, jakby widział je pierwszy raz w życiu, i czuł, że krew odpływa mu z twarzy, a gardło zasycha na pieprz. Rozłączył się, nie przyłożywszy telefonu do ucha. Skupił się, by Ada nie zauważyła jego nagłego zdenerwowania, ale nie wyszło.
– Oszukała nas? – Zezłościła się. – Numer nie istnieje?
– Sprawdzę to – zapewnił grobowym tonem. – Podwiozę cię i będę leciał. Daj potem znać, jak poszła narada.
Byli na ulicy, kiedy jego komórka zawibrowała. Sobieski odczytał wiadomość.
„Dzwoniłeś na priv!!!!" – pisał Oziu. – „Co się, querwa, wykluło?"
„Musimy się spotkać".
„Teraz nie. Mam robotę".
„Za godzinę. Gdzie jesteś?"
Ponieważ Oziu nie odpowiadał, dopisał szybko:
„Kocioł".
„OK, ale podrzucisz mnie do hotelu Cosmos. Czekam na chacie. Tylko nie wyskakuj z majtek przed moją żonką".

***

Żona Ozia ucieszyła się na widok Jakuba i mocno go wyściskała. Lubił tę spokojną, drobną kobietę i podziwiał jej cierpliwość do narwanego męża. Wsiedli do auta oboje, więc całą drogę konwersowali o dzieciach Orzechowskich i ich rodzinnych planach na wakacje. Sobieski z trudem trzymał nerwy na wodzy. Najchętniej najpierw przylutowałby kumplowi w mordę, a dopiero potem wypytał. Póki jednak w samochodzie była kapitanowa, silił się na grzeczności.

Orzechowska wysiadła na Świętokrzyskiej i życząc im dobrego spotkania, pobiegła do metra. Sobieski patrzył za nią, a w gardle rosła mu gula. W głowie miał mętlik.

– Co się tak spieniłeś? – zagaił Oziu, przeciągając się i jednocześnie ziewając. Wyglądało na to, że niczego nie podejrzewał. – Zrąbany jestem jak skurwysyn. Gdzie cię nosiło?

– Alina Sapiega – powiedział Sobieski.

Oziu zasłonił usta i spojrzał na kumpla nagle stuprocentowo skupiony.

– Zawracałeś dupę matce zabitych sióstr. Zdradzałeś z nią Asię. Ciekawe, czy Sapiega wie, że jesteś żonaty.

– Co to ma być? – roześmiał się Oziu. – Nieudolny szantaż?

– To dlatego małolaty jeździły do ciebie po towar. Dymałeś ich matkę, a jej dzieci wciągnąłeś w dragi. Pewnie uważasz, że niezły z ciebie lambrozo?

– Uspokój się, Kubuś! Co cię ugryzło?

– Opowiedz mi o tym.

– Nie ma o czym gadać. – Oziu machnął ręką. – Stara historia. Krótka i bardzo dramatyczna. A z tą panią nie chcę mieć nic wspólnego.

– Zwłaszcza że jej córki zostały zamordowane. Śmierdząca sprawa, fakt. Ciekawe, dlaczego nie zająknęła się o tobie psom. Musi nadal cię lubić. Albo się boi.

– I ja ją trochę lubiłem – odparł lekko Oziu. – Kiedyś. Pomagałem jej, jak mogłem, ale nasze koleżeństwo zakończyło się, bo Ala za bardzo się angażowała.

Oziu wyjął iqosa, Sobieski sięgnął po swoje papierosy. Wysiedli z auta.

– Co się tak uczepiłeś? – Oziu uśmiechnął się krzywo. – Mam się spowiadać ze wszystkich dup, które rucham na boku? Jakie to ma znaczenie, że trochę kolegowałem się z Alą?

– O to miała do ciebie pretensje Beata Kowalczyk? Znała panią Sapiegę, przyjaźniła się z jej córkami. I pewnie średnio jej się podobało, że dostarczasz towar dziewczynom.

– Sama z nimi brała – burknął Oziu. – To dzięki Beci poznałem Alę. Wydzwoniła mnie, przyjechałem z koksem, a dostałem ciacho z jagodami i tyłek gorącej mamuśki. Wszystko jednego wieczoru. Uwierz, że na początku wcale nie chciałem.

Urwał, widząc wykrzywioną twarz Jakuba.

– Mówiłeś, że nie znasz Beci.

– O tyle, o ile. Kupowała u mnie zioło. I inne rzeczy, swego czasu całkiem sporo...

– To jeszcze nic. Wciągnąłeś małolaty do burdelu Piorunki. Zrobiłeś z nich kurwy! A może córeczki też przeleciałeś?

Oziu chwycił Sobieskiego za gardło, przycisnął.

– A ty co, bawisz się w detektywa? O co kaman, bo czas ucieka? Chyba wiesz, ile mi zawdzięczasz! Jeden mój cynk i idziesz siedzieć. Myślisz, że co, taki jesteś kryształowy?

Puścił. Sobieski charczał, pluł na chodnik.

– Kłamałeś – wychrypiał. – Cały czas ściemniasz. Spotkałeś się z małolatami tej nocy, kiedy zginęły.

– Tak, były u mnie. Najpierw próbowały wcisnąć mi lewą piko, ale forsy nie chciały. Proponowały barter na koks.

– Skąd miały piko? – zdziwił się Jakub.

– A co ja informacja? – ryknął Oziu. – To była lewizna. Sam wiesz, że w tamtym czasie nie było dostaw. Cena była najwyższa w sezonie.

Sobieski zmarszczył brwi, nie dowierzał Oziowi.

– Ostatecznie dałem im towar na krechę. Dziś żałuję tej piko, bo musiała być prawdziwa, skoro rano znaleziono je w takim stanie... Straciłem forsę, wpisałem to w koszty i nie zawracałem głowy ich matce, a to nie była wcale mała kwota. Siedem tysi. Żeby tyle zarobić, kwartał będziesz dymał na taryfie. Co z tego, że sprzedałem im proch? Połowie Warszawy sprzedaję.

– Ich telefony – rzucił Sobieski. – Policja uważa, że kelner z Matrixa je znalazł. To nieprawda. Ty miałeś je cały czas.

– Zabrałem jako zastaw – potwierdził Oziu. – Tego wieczoru chciały zamówić naprawdę sporo, a od dawna miały długi. To były zaawansowane narkomanki. Przed nimi była równia pochyła i Ala to widziała, ale kontrolę nad sytuacją straciła dużo wcześniej. Sama piła jak ruski kolejarz. Człowieku, gdybym płakał nad każdą zaćpaną siksą, tygodnia nie utrzymałbym się w interesie.

Pochylił głowę. Zniżył głos do szeptu.

– Nie czuję się z tym najlepiej, bo dziewczyny nie żyją, ale co ja mogę? Nie uratujesz ćpuna, jeśli sam nie chce o siebie zawalczyć. Z Alą zerwaliśmy w styczniu. Do marca się kotłowaliśmy: wracaliśmy, rozstawaliśmy się, a potem nagle zamilkła. Nie chciała mnie znać. Za to dziewczyny lgnęły do mnie od samego początku. Przyłaziły pogadać, kupić towar, poimprezować. Nigdy ich nie przypucowałem. Mieliśmy sztamę. Kiedy Beata odmówiła pomocy w kontakcie z Piorunką, wstawiłem się za Polą. Pajacowały – ratowałem je z opresji. Nikt poza tobą nie wiedział, że raz na jakiś czas grzałem łóżko ich matki, bo do tego sprowadzała się ta cała zdrada. To nie było nic poważnego. – Zatrzymał się. – A ty? Jak na to wpadłeś?

– Długa historia. – Sobieski wciąż patrzył na Ozia wilkiem. – Tamtej nocy, kiedy odjechałem z Foksal, widziałem cię z dwiema Mulatkami. Jedna z nich to Abioli Rosołowska. To już drugi raz, kiedy dziewczyna z twojego towarzystwa następnego dnia zostaje znaleziona nieżywa. Miałeś klucz do lokalu Beaty? Gdzie ona jest?

– Pogięło cię? – Oziu się roześmiał . – Myślisz, że mam coś wspólnego z tym zbokiem z Kabat?

– Dokąd wtedy poszliście?

– Do Nany. Posiedzieliśmy, popiliśmy i odwiozłem dziewczyny do domu. Tego dnia nie pracowały.

– A gość, który był z wami? Pojechał z nimi?

– Jaki gość? – Oziu się spłoszył.

– Goguś w garniaku. Żółte lustrzanki, drogie buty. Widziałem was. Zrobiłem zdjęcie.

– Lepiej nikomu nie pokazuj tej foty – syknął Oziu. – I odpierdol się od tej historii. Wciąż dobrze ci życzę.

– Beata za wami pobiegła.

– O mamo, uczepił się jak rzep.

– Piorunka o tym wie?

– Że tej nocy widziałem jej córkę? Od razu jej zameldowałem. O Beci, spotkaniu z tobą i prywatnym rżnięciu w Nanie, bo to właśnie robiliśmy. To burdel, a siostry Rosołowskie wiedzą, że by dostawać lukratywne zlecenia, trzeba szefom raz na jakiś czas dawać za darmo. Żadne media tego nie wyjmą, ale wiedz, że czarne księżniczki robiły wiele za regularne dostawy kryształu. No cóż, widziałeś je, żal było nie skorzystać. Więc korzystałem. I przyznam, że trochę mnie zakurwiłeś tego wieczoru, bo nie dowiozłeś piko.

– Masz się za szefa? Czy mówisz o facecie w garniaku?

– Nic nie kombinuj, Kubuś, bo nie ugrasz, a możesz przegrać wszystko. Myślisz, że dlaczego Kowal wynajął akurat ciebie i to za pięćdziesiąt koła? Człowieku, mało mamy fachowców do poszukiwania ludzi? Piorunka do dziś zachodzi w głowę, co łączyło cię z Becią i dlaczego dziewucha z tobą gadała. No właśnie, dlaczego? – Oziu schował iqosa do urządzenia i niecierpliwie czekał, aż znów się naładuje.

– Bez powodu. – Sobieski wzruszył ramionami. – Chciałem ją tylko podrzucić.

– Farmazony! – Oziu się skrzywił.

– Powiedz lepiej, dlaczego za wami pobiegła – zaatakował Sobieski. – Co zaszło?

– Była nudna – parsknął Oziu. – Wypytywała dziewczyny o Kosiarza i małe Sapiegi. Posłałem ją do wszystkich diabłów, bo nieczęsto Kiti daje za darmo, a chciałem skorzystać. I tyle ją widziałem. Ot, cała historia.

– Następnego dnia Becia zaginęła. To już kolejna – skwitował Sobieski. – Coś za dużo przypadków w twojej okolicy.

– To małe miasto. – Oziu schował iqosa i podszedł do bagażnika. Wyjął wiadro wypełnione detergentami, rolkę ręczników papierowych i paczkę jednorazowych rękawiczek. – Biorę swoje zabawki, bo my tu gadu-gadu, a tej roboty nikt za mnie nie zrobi. Idź, prześpij się, odpocznij, bo bredzisz jak w malignie. Przemyśl dobrze, czy opłaca ci się mieć w jedynym przyjacielu wroga. Dotąd stałem za tobą murem. Przez wzgląd na stare czasy. Ale widzę, że zamiast wdzięczności mam teraz przy nodze szczekającego psa – dokończył, po czym zaskakująco żwawo ruszył do hotelu. Sobieski pobiegł za nim.

– Chcesz mi pomóc? – Oziu odwrócił się, ale twarz miał wykrzywioną złością. – Jeszcze się pobrudzisz.

– Kim jest ten facet?

– Stały klient. Nie znam nazwiska. Ale gość ma rezon w mieście. Na twoim miejscu bym z nim nie zadzierał.

– To Moro?

Oziu parsknął szczerze ubawiony.

– Na mózg ci się rzuciło? Mówię przecież, że klient. Lampy mu stręczę.

– Lampy?

– Najlepsze dziewczyny. Modelki – wyjaśnił Oziu. – Dobrze płaci.

Wsiedli do windy.

– Z nim poszła Beata?

Oziu wahał się. Wreszcie skinął głową, a zaraz potem wzruszył ramionami.

– Może? Nie bardzo pamiętam. Spiłem się i zgrzałem tej nocy jak świnia. Sam nie wiem, kiedy zniknęli z pola widzenia. Odetchnąłem z ulgą, bo Becia gadała jak ty. Bałem się, że zacznie pyszczyć matce i zrobi się z tego sajgon, a jeszcze coś dotarłoby do Asi…

Minęli recepcję, wsiedli do windy. Sobieski chwycił kilka pakunków z detergentami. Oziu podziękował mu wzrokiem.

– Nie jestem dumny z tego romansu – oświadczył łagodniej. – I musisz wiedzieć, że od tamtej pory nie zdradziłem żony, bo płatne kurwy się nie liczą. – Zaśmiał się chrapliwie, pokrywając stres. – Czasem sobie myślę, czy nie spotkać się z Alą. Pewnie jej ciężko... Ale nie jestem w stanie. Mam nauczkę na całe życie.

Dalszą drogę pokonali w milczeniu. Gruby dywan tłumił ich kroki. Na końcu korytarza Oziu wyjął z kieszeni kartę magnetyczną, przyłożył ją pod klamkę. Drzwi odskoczyły. Sobieski poczuł odór niewietrzonego pomieszczenia i metaliczny zapach. Pierwszą plamę krwi zobaczył już na dywaniku wejściowym. Cofnął się, odruchowo wytarł framugę, której dotknął rękawem.

– Witamy w naszym świecie. – Oziu się roześmiał. – Nie pękaj. To tylko laski bawiły się myszkami.

Wtedy na wykładzinie koło łóżka Sobieski zauważył rozgniecione szczątki. Rozejrzał się. Były niemal wszędzie. Oziu spokojnie rozkładał swoje przyrządy i naciągał gumowe rękawice na dłonie oraz foliowe ochraniacze na buty. Podobny zestaw podał Jakubowi, a potem skierował się do łazienki, by napełnić wiadro wodą.

– Wybaczę ci te gorzkie i niepotrzebne wyrzuty, jeśli teraz nie stchórzysz. – Zaśmiał się wesoło, ale zaraz wypadł stamtąd jak z procy.

Pacnął Sobieskiego po ramieniu. Pośpiesznie chwycił wiadro i myjki.

– Spierdalamy – syknął. – W wannie jest ciało.

W tym momencie do pokoju zajrzała pokojówka. Odepchnęli ją i ruszyli do schodów ewakuacyjnych.

⁂

Ada przyjechała pod hotel Cosmos w ciągu dwudziestu minut. Towarzyszył jej barczysty pięćdziesięciolatek, który mógłby być jej ojcem, i nawet bez prezentacji Sobieski domyślił się, że ma przed sobą jej przyszłego szefa i aktualnego kochanka.

Zaraz potem do hotelu zjechała się połowa komendy, w tym technicy, medyk sądowy i prokurator. Wejście okupowali dziennikarze, którzy kręcili przejście Sobieskiego i Ozia, kroczących po monumentalnych schodach z wiadrami wciąż pełnymi detergentów, do suki policyjnej. Tylko ze względu na znajomość z Adą, która za nich poręczyła, nie założono im kajdanek.

– Kto to był? – wyszeptał Sobieski, kiedy czekali na odjazd radiowozu. – Kolejna dziewczyna?

– Morda w kubeł!

Oziu pośpiesznie wyjął kartę ze swojej komórki, a potem ją przełamał. To samo zrobił z telefonem przyjaciela.

– I tak się z tego nie wywiniemy – mruknął Sobieski. – Sprawdzą billingi, przejrzą kamery w hotelu. Znajdą powiązania. Wezmą nas na czterdzieści osiem. A potem areszt na trzy miechy, jeśli nie dłużej.

– Gdybyś nie zawracał mi dupy pogaduszkami, zdążyłbym posprzątać.

– To chyba nasz najmniejszy problem, Oziu. Potrzebujemy łebskiego adwokata.

Za kierownicę wsiadł mundurowy. Po chwili miejsce obok niego zajęła Ada.

Rzuciła porozumiewawcze spojrzenie w kierunku pasażerów. Obaj jak na komendę odwrócili głowy do okien.

– Na razie macie status świadków – oznajmiła. – To się raptownie zmieni, jeśli zaraz się nie dowiem, po jaką cholerę przyjechaliście tam z tymi wiadrami.

***

Jola wstała późno i przeciągała się jeszcze w łóżku, kiedy dobiegły ją głosy bębniącego telewizora.

„Ciało siostry Abioli Rosołowskiej zamordowanej kilka dni temu na Ursynowie leżało w wannie wypełnionej wodą zmieszaną z krwią ofiary. Jak Kiti wydostała się z chronionej rezydencji? Co robiła w hotelu Cosmos? Kosiarz z Kabat atakuje w Śródmieściu. Policja jest bezradna".

Dziewczyna natychmiast wyskoczyła z łóżka i wbiegła do salonu. Wpatrywała się w zdjęcie Mulatki, którą poprzedniej nocy widziała w hotelu, i nie mogła uwierzyć, że ta piękność, przy której czuła się jak kocmołuch, nie żyje. Mama, w fartuchu służbowym i z torebką na ramieniu, wstawiała właśnie garnki do lodówki.

– Zrobiłam ratatuj – szczebiotała. – Podgrzejesz sobie po południu. Właśnie przestygło. O której wróciłaś?

– Przed drugą – szepnęła dziewczyna i starała się nie zerkać w ekran telewizora, ale jej wzrok wciąż wędrował w tamtym kierunku.

Dziennikarz maszerujący po placu Powstańców nawoływał świadków, by zgłosili się na przesłuchanie do najbliższej komendy.

– Co się w tym kraju dzieje? – narzekała matka Joli.

Chwyciła już swój pielęgniarski czepek i stanęła przy drzwiach.

– Uważaj na siebie, słonko. Mówią, że te dziewczyny, na które poluje Kosiarz, prostytuowały się. Jakie życie, taka śmierć. Przyjdziesz dziś do hospicjum? Nasi staruszkowie bardzo cię polubili, a pani dyrektor ma dla ciebie niespodziankę. Jesteś jej ulubioną wolontariuszką.

Córka bez słowa pokiwała głową, choć ostatnie słowa mamy ledwie do niej docierały. Myślami wciąż była w zakrwawionym pokoju luksusowego hotelu Cosmos i myślała, że to mogła być ona. Leżałaby teraz martwa w wannie i na nic by jej się nie przydały te tysiące euro, które Kiti zarabiała jako dziwka.

– No to do zobaczenia po południu.

Matka cmoknęła Jolę w czoło i po chwili już jej nie było.

W programie informacyjnym mówiono teraz o podatkach, więc dziewczyna wyciszyła głos i usiadła na wersalce, zbierając myśli. W pierwszej chwili chciała biec na policję. Opowiedzieć o wyciętym kosmyku, podać rysopis dziwnego klienta, a potem zwierzyć się ze wszystkiego, włącznie z zabijaniem myszy. Zrzucić z siebie ten ciężar, oczyścić się i zapomnieć. Potem jednak uświadomiła sobie, że nikt jeszcze o tym nie wie i nie musi się dowiadywać. Może z tym skończyć choćby dziś. Ale tę pracę wykonała sumiennie, choć w trakcie rzygała i kilka razy próbowała uciec. Tysiąc euro należy się jej jak psu buda. Nagle zdenerwowała się, czy w tej sytuacji jej zapłacą.

Wykręciła numer Ines. Poczta głosowa. Wahała się, czy się nie nagrać, ale jeśli policja dotarła do stręczycielki i ją aresztowała, w ten sposób znajdą i Jolę. Wszystko się wyda. Rozłączyła się.

Podeszła do swojej torebki, by policzyć napiwki. Nie było tego więcej niż dwieście złotych, ale na taksówkę w dwie strony starczy. Mimo że po powrocie prawie godzinę stała pod prysznicem, a ciuchy uprała i gruntownie wyczyściła buty z krwi, na pasku torebki dostrzegła brunatną kropeczkę. Pośliniła palec i szybko starła obciążający ślad. Przyniosła płyn dezynfekujący, spryskała nim całą torbę, choć żal jej było markowego dodatku, bo przecież alkohol znacząco osłabi skórę, a jeśli nie wróci do burdelu, nieprędko będzie ją stać na podobny luksus.

Umalowała się, ubrała i zdecydowała, że odbierze pieniądze osobiście. Jeśli nie zechcą jej wypłacić, zagrozi, że pójdzie na policję, choć czuła, że byłoby to najgorsze, co musiałaby zrobić. Wszyscy dowiedzieliby się, że kłamała o pracy w biurze, a pieniądze, którymi się dzieliła z bliskimi, pochodziły z nierządu. Złamałaby serce mamie, Darek by ją rzucił. Wstyd przed sąsiadami i dalszą rodziną. Nawet nie chciała o tym myśleć.

Komórka zawibrowała. To Ines. Uradowana Jola odebrała po drugim dzwonku.

– Nic ci nie jest? – Prostytutka odetchnęła z ulgą. – Mam nadzieję, że nie wpadłaś na pomysł, by komukolwiek się zwierzać?

– Nie. Dziś przyniosę kuferek.

– Pozbądź się go jak najszybciej. Umyj dokładnie i wrzuć do jakiegoś odległego kontenera. Przez kilka dni się nie pojawiaj. Dam znać, jak sytuacja się zmieni.

– Chcę swoją forsę.

Po drugiej stronie panowała cisza.

– Tysiąc euro. Tyle mi wisisz.

– Są bezpieczne. Przecież ci ich nie zjem – żachnęła się Ines. – Niedobrze by było kontaktować się dzisiaj. W naszym mieszkaniu gliny były już trzy razy. Robią naloty i legitymują wszystkich. Chcesz ryzykować?

– Przyjadę dziś po moje pieniądze – powtórzyła twardo Jola. – Więcej mnie nie zobaczysz.

Ines rozłączyła się.

Jola wpatrywała się w wyświetlacz i nie mogła w to uwierzyć. Ta suka chce ją wyrolować! Była tego pewna. Pobiegła do swojego pokoju. Z kąta szafy wyjęła klatkę na myszy. Opryskała ją tym samym detergentem, wytarła szmatą, a potem zapakowała do starej torby podróżnej i postawiła przy drzwiach.

Zanim wyszła z domu, przejrzała wiadomości w internecie. Wszystkie komunikatory pisały o zabójstwie stewardesy Kiti Rosołowskiej. Przesłuchano pracowników hotelu, ale dopiero na jednej z niszowych stron znalazła informację, która ją zmroziła. Policja zabrała nagrania z kamer. Wszystkie osoby, które były tego dnia w budynku, proszono o zgłoszenie się i złożenie zeznań. Poszukiwano dwóch koleżanek Kiti Rosołowskiej, w których towarzystwie widziała ją recepcjonistka.

Jola poczuła, jakby ziemia osuwała się jej spod stóp.

⁂

– Oczywiście, że je znałem. Z widzenia. Przychodziły, imprezowały w Matrixie. Były piękne. Takich lamp jak księżniczki Rosołowskie trudno było nie zauważyć – powtórzył Oziu i spojrzał na Adę. – Skąd mam wiedzieć, co zaszło w nocy w tym pokoju? Mnie tam nie było.

– Nie pytam cię teraz o twoje relacje z bliźniaczkami. Interesuje nas, co robiłeś z Sobieskim dzisiejszego ranka w zakrwawionym pokoju z baterią detergentów pod pachą.

Oziu wzruszył ramionami.

– Czasami sytuacja wymyka się spod kontroli. Myszki to nowa moda. Co cię będę oszukiwał, są gusta i guściki. Układ jest taki, że po robocie ktoś przychodzi sprzątać. Tak się złożyło, że dziś wypadło na mnie.

– Nazwiska klientów.

– Ja tylko czyszczę wykładziny. Masz przecież człowieka, na którego wynajęto pokój i opłacono z jego karty. Jest jego komórka.

Ada westchnęła ciężko.

– To bezdomny. Słup. A kartę zasilono tylko na tę okoliczność. Obsługa twierdzi, że gość nie dojechał na nocleg. Nie meldował się.

– Ktoś wydał mu klucz. Może jego spytajcie?

– A ty skąd miałeś klucz uniwersalny?

– Kiedyś tam nocowałem i karta mi została. Znajomy podrasował mi wejściówkę.

– Nazwisko tego znajomego.

– Nie pamiętam. Chyba wyjechał z miasta.

Ada uderzyła się dłońmi o uda.

– Nie pierdol, Oziu. Podaj nazwiska świadków: dziewczyn i facetów, którzy byli tej nocy w numerze. I tak ustalimy ich personalia.

– To ustalajcie. Czemu zawracasz mi głowę?

– Nie bądź taki chojrak, bo przymknę cię za nasze sprawy – pouczyła go łagodnie.

– Nie znam nazwisk. Wiesz przecież – poddał się.

– Potrzebuję tylko małej podpowiedzi, żeby pchnąć śledztwo na tory – zachęciła go. – Hotel jest pod stałym obstrzałem kamer. Wiemy, ile razy opuszczano pokój, co zamawiano. Człowiek od rezerwacji też będzie znaleziony. Choćby ukrywał się w kanałach, wydobędziemy go.

– Przykro mi, Ada, nic więcej nie wiem.

W pokoju zapadła cisza.

– Wypuszczę cię – oświadczyła policjantka po długiej pauzie. – Ale bądź pewien, że nie spuścimy cię z oka.

– Nie zrobię niczego, czego mógłbym się wstydzić.

– W końcu zrobisz. Kryj go dalej, a nie wyjdziesz przez najbliższe lata. Zadbam o to, by prokurator zakwalifikował to jako wspólnictwo.

Rzuciła na stół zdjęcia z oględzin. Z wanny wypełnionej czerwoną wodą wystawała tylko czekoladowa wypielęgnowana dłoń. Twarz znajdowała się pod powierzchnią. Włosy rozpłynęły się w makabryczny wachlarz. Reszta ciała dryfowała w drugim końcu zbiornika.

– Tym razem zrobił to inaczej – powiedziała. – Podciął jej nadgarstki i odrąbał głowę. O tyle dobrze, że nie cierpiała. Była tak naćpana i pijana, że mogła stracić przytomność wcześniej. We krwi miała prawie dwa promile.

– Po co mi to mówisz?

– Żebyś wiedział, kogo chronisz. To monstrum. I nie przestanie. Wiemy to oboje. Dlaczego zabija tylko dziewczyny z waszej stajni?

– Kiti nie była prostytutką – powtórzył kolejny raz Oziu. – W liniach lotniczych pracowała pięć lat. Kończyła studia, a w wolnych chwilach pozowała do sesji.

– I chciałaby, aby na świecie zapanował pokój oraz zniknęła dziura ozonowa – parsknęła rozzłoszczona Ada. – Już byś odpuścił sobie te pierdoły. Na stronie twojej pryncypałki dziewczyna figuruje jako hostessa. Wiemy, że obie zamordowane siostry brały zlecenia na płatne wyjazdy za granicę. Co niby tam robiły?

– Może odpoczywały?

– Na leżąco?

– Ja zwykle pozostaję na leżaku w tej pozycji. A ty?

– Mnie za urlop nikt nie płaci trzydziestu patyków.

– Niestety mnie też nie. – Oziu się rozpromienił. – Ale nie wyglądam tak jak ty. Jeszcze się może zastanów.

Zacisnęła pięści, ale nic nie powiedziała.

– To kiedy mnie puścisz? – Obejrzał się za siebie. Mundurowy wciąż stał przy drzwiach. – Bo nic więcej nie wiem. Jak będę coś miał z miasta, dam znać. Słowo.

– I nie pomogłeś wczoraj Kiti wymknąć się z domu? – Ada przekrzywiła głowę. – Mamy świadka, który cię widział.

Sięgnęła po arkusz papieru.

– Otyły trzydziestolatek, w dresach i szarej marynarce. Na głowie miał kaptur – odczytała.

– To może być każdy.

– Ale nie jest. To ty wyprowadziłeś Kiti z mieszkania pod nieobecność jej matki. Wsadziłeś dziewczynę do taksówki i to był twój błąd. Trzeba było tyle nie pić i zabrać ją własnym wozem. Takiej lampy jak księżniczka Rosołowska trudno nie zauważyć – wyrecytowała jego słowa z protokołu. – Dziś wieczorem stawisz się na konfrontację. Zabieram ci paszport i nakazuję meldować się w komisariacie każdego dnia między szóstą a siódmą trzydzieści. Nastaw sobie budzik. – Pomachała jakimś papierkiem. – Spóźnisz się, mam gotowy nakaz aresztowania.

– Na jakiej podstawie?

Podsunęła mu pod nos ten sam dokument. Postukała w miejscu złożenia podpisu.

– Tylko pod tym warunkiem mogę cię puścić.

– Co z Kubą?

– Dostał te same warunki współpracy. Też będzie zwolniony.

Oziu wpatrywał się w nią w napięciu.

– Nic nie powiedział – dorzuciła. – Tak jak mu kazałeś.

Wstał, zapiął swoją przedpotopową marynarkę.

– Pilnuj swoich dziewczyn – rzuciła mu na odchodne. – A gdybyś zmienił zdanie i faktycznie miał dla mnie coś ciekawego, wiesz, gdzie mnie szukać.

– Uważasz, że dzięki tej sprawie zostaniesz w wydziale?

– Taką mam nadzieję – odparła z powagą. – Więc uważaj, bo nasz układ może stracić aktualność. A jak będę chciała awans, wezmę się do ciebie.

***

Sobieski czekał na niego przed komendą. Oziu minął go i nie odezwał się słowem. Jakiś czas Sobieski jechał wzdłuż chodnika, ale przyjaciel uparcie go ignorował. Jakby nagle ogłuchł i oślepł.

– Długo będziesz się tak wkurwiał? – Pierwszy pękł Jakub.

Oziu obejrzał się za siebie. Cywilny radiowóz stał zaparkowany po drugiej stronie ulicy. Policjant zamachał do niego i rzucił niedopałek przez okno. Włączył silnik.

– Chuj z tym. – Oziu machnął ręką i obszedł dookoła clio Sobieskiego. Kiedy wsiadał, zawieszenie aż zatrzeszczało. – Nie dadzą nam teraz żyć.

– Nic nie powiedziałem – oświadczył Sobieski. – Wiesz dlaczego?

– Jesteś durniem albo zgrywasz honorowego przyjaciela.

– Jestem twoim przyjacielem. A ten gość to Moro. I ty dla niego pracujesz.

Oziu ukrył twarz w dłoniach. Chrząkał, parskał, jakby zamierzał udusić się ze śmiechu. Kiedy odsunął ręce od twarzy, był aż czerwony z gniewu.

– Długo to kminiłeś?

– Robisz na dwa fronty. Nie jesteście z Morem skłóceni.

– Jeśli już, to na trzy. Zapomniałeś o psiarni. Myślisz, że córka Kowala wypuściłaby cię tak łatwo z aresztu, gdyby nie nasz układ?

– Chcę spotkać się ze Morem. Załatw mi audiencję.

– Nie znam gościa. Myślisz, że gdybym miał takie wejścia, brałbym ciebie na kuriera? Pogięło cię?

– Myślałem o tym w areszcie i powiem ci, że to mi się nie klei. Po co ci pośrednik? Nie musiałbyś się dzielić kasą.

– I jedyne, co ci przyszło do głowy, to współpraca?

– Żeby odsunąć podejrzenia.

– Człowieku, mnie interesuje tylko hajs i święty spokój. Zarabiam, wracam do domu, pogadam z żonką. Czasem sobie bzyknę, coś zjem, pooglądam mecze. Żaden ze mnie mafioso.

– I nie martwi cię, co się dzieje w mieście?

– A co się niby dzieje?
– Jakiś zbok morduje wasze dziewczyny.
– Nasze, wasze... Taka branża! – prychnął zirytowany Oziu. – Raz na jakiś czas zawsze trafia się jakiś Ted Bundy albo inny Chuj Rozpruwacz. Ten akurat lata z kosą i podcina gardła.
– Ostatnią zdekapitował. I tym razem nie zostawił warkoczyka.
– Tego nie wiesz.
– Jak to w ogóle mogło przebiegać? Hotel jest pod obstrzałem kamer. Wokół pełno patroli. To miejsce przypomina twierdzę, a ten gość nie tylko zrobił to, co miał zrobić, ale jeszcze oddalił się niezauważony. Ma gość czapkę niewidkę? Śmierdzi mi to na kilometr.
Sobieski zatrzymał się na parkingu przed McDonaldem. Wyciągnął papierosy. Tym razem nie kazał Oziowi wysiadać. Zapalili w aucie.
– Myślę, że obserwował ją od śmierci siostry – rzekł Oziu. – Wizyta Kiti w hotelu Cosmos to jedyny moment, kiedy była sama.
– Przecież nie była sama. Do numeru poszła z dwiema innymi dziewczynami, a wewnątrz czekało już kilku klientów. Bo było ich kilku? – Sobieski przyjrzał się Oziowi. – Czy znów ściemniałeś?
– Pięciu – potwierdził Oziu. – Każda z dziewczyn miała po dwadzieścia pięć myszek, a to liczba dla pięciu zboków. Chcieli mieć po jednej dziwce, ale jest recesja, a w mieście grasuje Kosiarz, więc Piorunka zdołała zgodzić tylko trzy kurwy. W tym jedną amatorkę. Uwierz, Kubuś, nikomu nie jest na rękę, że sytuacja tak się rozwija.
– Daj mi kontakt do pozostałych dziewczyn.
– Ukryły się. Nie będą chciały gadać.
– Nie pytam cię o pozwolenie. Daj mi do nich telefony – powtórzył Sobieski.
– Miałem tylko do Kiti – zapewnił Oziu i nagle posmutniał. – Szkoda dziewuchy. Ciało miała jak z bazaltu. Lubi-

łem ją bardziej niż Abioli. Czarnoskóre księżniczki były totalnymi lampami Matrixa, ale Kiti nie była tak wyniosła jak siostra. Mam z tego tytułu zgagę, bo wczoraj po południu osobiście wyprowadziłem ją spod kordonu glin pod domem. Może gdyby nie była taka pazerna, dalej by się kurwiła na bankietach… – Urwał i potarł oko.

Sobieski przyglądał się przybitemu koledze zaskoczony. Czyżby nagły przebłysk litości, współczucia?

– Powiedz mi, dlaczego siostra zabitej kilka dni temu modelki bierze zlecenie, na dodatek tak makabryczne?

Oziu wzruszył ramionami.

– Nalegała, mówiła, że ma dosyć więzienia. Chciała się rozerwać.

– Zabijając myszy?

– Może chciała odreagować? Przypomnieć sobie, że wciąż żyje? Sam nie wiem. Dałem jej od firmy porcję koksu. Zaraz poprawił się jej humor. Próbowałem ją jakoś wesprzeć, no wiesz, w miarę swoich możliwości. Ale cały czas gadała o piko. A jak wiesz, nie miałem. Właśnie, kiedy podwieziesz obiecany towar?

– Jesteście kopnięci – parsknął Sobieski. – Więc nie podasz mi numerów do pozostałych dziwek? Mnie wesprzeć nie chcesz?

Oziu nabrał powietrza, jakby starał się zebrać na odwagę. Wreszcie wypalił:

– Operację Cosmos koordynowała Ines. Sam możesz zdobyć namiary na te dwie pozostałe. To było typowe zlecenie noir prestiż. Płatne ekstra i z dodatkowym zabezpieczeniem anonimowości. Ponieważ jednak wszystko tak się rozjebało, że Kiti skończyła w wannie, a proceder z myszkami nie został uprzątnięty, za co ja odpowiadam, jestem na cenzurowanym. Zrozum, Kubuś, moim najmniejszym problemem jest teraz gliniarski ogon. Jak zacznę rozpytywać o dwie bezimienne, zrobię sobie dodatkowy ogień koło tyłka. Tego chyba dla mnie nie chcesz, bracie?

Sobieski patrzył na kumpla z powątpiewaniem.

– Kim były te dwie? – powtórzył. – Skoro odpowiadałeś za prawidłowy przebieg operacji Cosmos, musiałeś je widzieć. Znam cię. Pajacujesz, robisz z siebie jebniętego misia, ale nawet naprany jak stodoła trzymasz rękę na pulsie.

Oziu westchnął ciężko. Pochylił głowę.

– Kiti do towarzystwa wzięła Sabrinę, z którą już bywała na podobnych robotach. Wysoka blondi z małymi cyckami i twarzą lalki. Trzeciej nie znam. Jakaś nowa.

– Jak wyglądała?

– Mała brunetka w typie Piorunki za młodu. Długie, bujne włosy do tyłka. Była trochę taka wsiowa, ale klienci to lubią. Wydaje im się, że wybrali się na prawdziwą randkę, a nie do prostytutki. Od razu było widać, że zaczęła niedawno. Twarz wiernej narzeczonej, tanie ciuchy. Popracuje dłużej, gęba jej schytrzeje, a szmaty zmieni na markowe i bardziej wyzywające. Już teraz jak oręż niosła nową torebkę z napisami. Jest łasa na hajs, dlatego się zgodziła. Zwykle takich nowicjuszek nie dajemy na myszki. To spora kasa, ale i odpowiedzialność. A dla nas ryzyko. Dziewczyna musi się wpierw wykazać, czy można jej ufać. Ines wzięła ją z musu, bo nikt inny nie chciał się zgodzić. Mówiłem ci, klienci chcieli pięć, a ledwie trzy udało się zwerbować. Przyciśnij Ines, dostaniesz ksywy i kontakty. Na twoim miejscu celowałbym w amatorkę. Sabrina nic nie powie. Kawał z niej suki, choć nie wygląda. No, chyba że się pomyliłem i nawet ta nowa nie zgłosi się po szmal. Na jej miejscu zaszyłbym się gdzieś i nie wyłaził bez potrzeby. Ponoć w mediach trąbią, że ich poszukują.

– Kobietę, która morduje myszy, chyba ciężko przestraszyć.

– To tylko praca.

– Dla Kiti też? Mówiłeś, że była na etacie w ParadiseAir. Po co szła zabijać myszy do hotelu Cosmos?

– Po śmierci siostry była zdruzgotana. Może nie chodziło tylko o pieniądze – bronił prostytutki Oziu. – Mówiła, że nie upilnowała Abioli i powinna była pójść z nią na tamto zlecenie. A może zboki od myszy mieli piko, której w mieście brakuje? Kto wie? Mówiłem ci, że one wszystkie to ćpunki.

– Więc Abioli tamtego wieczoru poszła na zlecenie?

– Tak powiedziała siostrze.

– Czyli nie spotkała się z Becią, córką Kowalczyka? Nie wyszła z nią i z tym gościem w lustrzankach?

Sobieski ugryzł się w język, by nie podać nazwiska Sylwestra Jankisza.

– Tego nie wiem – odparł Oziu. – Może miała zlecenie, a dopiero potem pojechała na Ursynów. Psiarnia w jej torebce znalazła sporo pieniędzy, więc to możliwe.

– Możesz się tego jakoś dowiedzieć?

– Dokąd pojechała Abioli?

– Czy było jakieś zlecenie i ile zarobiła – sprostował Sobieski. – Chyba się zgadzamy, że Kosiarz to klient.

– Spróbuję – przytaknął Oziu. – Ale to może być trudne. Nie prowadzimy rejestru zleceń. Wszystko odbywa się na gębę.

Sobieski skrzywił się w niedowierzaniu.

– Ktoś trzyma grafik. Ktoś pobiera prowizję. Dziewczyny opłacają się za każdą wykonaną usługę.

– Chyba że to było zlecenie na lewo – zauważył Oziu.

– To możliwe?

– Wszyscy kombinują. Luksusowe kurwy tym bardziej. W życiu nie zaufałbym prostytutce. Jeśli pracowała dłużej niż dwa miesiące, w DNA ma wdrukowane kłamstwo i chciwość. Zresztą niektórzy klienci też wolą omijać agencję. Właśnie po to są alfonsi, żeby to wszystko trzymać w garści. Tort do podziału jest jeden, a gęb do wykarmienia zawsze w nadmiarze.

– No dobra, a jak to było wczoraj? Kto obsługiwał zabawę w hotelu Cosmos?

– Zlecenie na myszki zostało złożone online.

– Online? Chyba żartujesz? Myślałem, że wszystko w tej branży odbywa się gotówkowo i bez pokwitowań. W sieci zawsze zostaje ślad.

– Online w darknecie – wyjaśnił zniechęcony Oziu. – O Odlotach pewnie wiesz. Dla klientów premium mamy Wybieg. Dziewczyny są pierwsza klasa i nie ma ich na Garsonierze ani innych ogólnie dostępnych forach. Piorunka nieustannie poluje na nowe panienki, bo klienci są wybredni i szukają świeżynek. Jedni wolą wysokie, inni filigranowe. Dziewczyny muszą trzymać jakiś poziom. To tip-top branży. Jest specjalna osoba przeszkolona w wyszukiwaniu kandydatek na Instagramie i Facebooku. Werbunek nie jest łatwy, bo takie laski nie muszą się kurwić. Wyglądają jak modelki, nie mogą opędzić się od adoratorów. Robią to dla pieniędzy. Dużych pieniędzy.

– Jak dużych?

– Wczoraj do hotelu zostały wysłane trzy lampy. Dwie doświadczone i jedna amatorka. Konto Wybiegu zasilono kwotą piętnastu tysięcy euro. Kiti i jej koleżanka zgodziły się na piątkę do podziału, plus tysiak dla amatorki. Obsługa kosztowała z piątkę. Z tego płacimy hotel, żarcie, alkohol i ochronę. Reszta na czysto idzie do budżetu Piorunki. Chcesz więcej danych – gadaj z szefową.

– Wczoraj tą ochroną za piątkę byłeś ty?

Oziu niechętnie potwierdził.

– Obserwujemy pokój dyskretnie. Opłaca się recepcjonistów, barmana, sprzątaczki i zawsze mam w ręku klucz uniwersalny. Klienci zwykle kimają w numerze do śniadania. Wczoraj zabawa skończyła się około trzeciej, a ponieważ było naprawdę grubo i sporo ćpania, wszyscy pospali się w tym samym pokoju. To dlatego przyjechałem sprzątać dopiero po obiedzie. Sam musiałem się zdrzemnąć. Układ jest taki, że czyszczenie krwi i flaków bierzemy na siebie. Hotel jest luks i z taką ofertą wychodzimy, więc choćby skały srały, robimy to na tip-top. Nierzadko kończy się na małym remoncie. Niektórzy ludzie są gorsi od zwierząt.

– Widziałeś dziewczyny wychodzące z pokoju?

– Wyszły wszystkie trzy, przysięgam! Najpierw nowa, a potem Kiti z kumpelą.

– A klienci?

– Nie podam ci ich nazwisk! – zapienił się. – Nie znam ich i nie zamierzam znać.

– O której opuścili pokój?

– Po śniadaniu. Zamówili do pokoju zestaw drugi. I najdroższego szampana.

– Jedli wśród mysich zwłok?

– Co jest gorsze: jeść jajecznicę w gnoju czy robić sobie dobrze na widok lasek mordujących gryzonie? To pogranicze nekrofilii i zoofilii. Plus sadyzm seksualny. Rzadkie połączenie.

– Ci faceci się znają?

– Nie moja sprawa. Nie gadam z nimi, staram się być niewidzialny. Pamiętam powtarzające się twarze. To wszystko.

– Rozpoznałbyś ich w razie czego?

– Tak – potwierdził Oziu bez wahania. I zaraz dodał: – I tylko gdyby to była sprawa życia i śmierci moich bliskich. Na tym etapie dochodzenia, kiedy nic nie macie, się nie przypucuję. Nie ściągniesz mnie też na konfrontację. Co to, to nie! Nie wiem, nie pamiętam, byłem pijany, zapomniałem okularów...

– Mówiłeś, że szkoda ci Kiti Rosołowskiej. Lubiłeś ją. Jeden z twoich klientów odciął jej łeb, a może i zabił poprzednie dziewczyny.

– Może to był któryś z nich, a może ktoś zupełnie inny – zaoponował Oziu. – Kiedy opuścili hotel, pokój stał pusty prawie sześć godzin. Byłby pusty przez trzy, gdybyś nie zapragnął mnie przesłuchać.

Sobieski się zamyślił.

– Dlaczego Kiti wróciła?

Oziu spojrzał na kolegę, zmarszczył się, nic nie rozumiejąc.

– Jesteś pewien, że widziałeś, jak wychodziły trzy?

– Były trzy! – Uderzył się w pierś. – Jak tylko wyszły, wsiadły do uberów, a ja odetchnąłem i pojechałem się kimnąć. Gdyby był jakiś kłopot, miałbym obowiązek wejść i wyciągnąć brakującą sztukę na ląd.

– A więc zawróciła. I musiała to zrobić po twoim odjeździe. Myślisz, że specjalnie czekała? Zna przecież twoje przyzwyczajenia. Z kim się spotkała?

– Nie wiem, ale musiało to być grubo po piątej. Odjechaliśmy kwadrans po. Świtało, jak pisałem meldunek dla Piorunki. Potwierdziła, że też idzie spać.

– Byłeś z kimś? – zdziwił się Sobieski.

– No przecież nie siedziałbym na takiej robocie sam. W razie przypału to niebezpieczne, a już zwłaszcza w dobie ataków tego zwyrodnialca.

– Kto z tobą był?

Oziu zawahał się, nim odpowiedział.

– Tym razem pojechał ze mną Wiktor, ojciec Beci. Podrzucił mnie do chaty i bądź pewien, że był trzeźwy jak niemowlę. Ale nie mów Piorunce, że ci go wydałem.

***

Piorunka drugi raz sprawdziła, czy drzwi są zamknięte. Dopiero wtedy otworzyła sejf i metodycznie wyjmowała płyty na stół. Były ponumerowane, a zawartość każdego nagrania miała opis wraz z kluczowymi scenami, które stanowiły jej zabezpieczenie na życie.

Sytuacja wymykała się spod kontroli. Nie ufała już Wiktorowi, że znajdzie Becię. Lada chwila policja zastuka do jej drzwi i musiała się przygotować, bo jak zaczną grzebać, to zawsze wygrzebią nie to, co trzeba. Straciła dwie świetne dziewczyny. Wyglądało na to, że te małe kurewki z Kabat były tylko przygrywką. Jakiś parafil, zboczeniec bawi się z nią. Atakuje jej stajnię. Musiała go zaskoczyć i pokazać siłę, a w razie gdyby policja połączyła ją z tą sprawą, powinna mieć pełne plecy. Skupiła się, by dobrze podjąć decyzję. Kto z jej dawnych klientów będących teraz u władzy ma moc, by zapewnić jej immunitet?

Sięgnęła po płytę numer 29, zdmuchnęła z niej kurz i ułożyła na stole. Resztę nagrań schowała, zamknęła kasę pancerną. Odwiesiła obraz Kalkowskiego na miejsce, wyrównała go i ruszyła do kuchni, gdzie pracowała Danka.

– Wypal z tego kopię i zadbaj, by trafiła do rąk własnych – poleciła, kładąc na blacie adres, który napisała odręcznie: Sylwester Jankisz, Sanatoryjna 5, Konstancin.

Patrzyła, jak asystentka zabiera się do pracy, i nie spuszczała z niej spojrzenia. Wśród papierów leżał przekaz pocztowy. Piorunka podniosła go i odczytała: Urząd Gminy Iłów? Za co to?

– Podatek za dom. Raz do roku robię przelew.

Przyjrzała się pracownicy wnikliwiej.

– Nie wiedziałam, że masz jakąś posiadłość.

– To znajomego. I płaciłam ze swoich.

Piorunka odłożyła dokument. Skupiła się na nagraniu.

– Skasuj kopię.

– Zgrałam bezpośrednio na dysk. Nie zostawiłam śladu. Żadnych duplikatów, jak zwykle – zapewniła rutynowo Danusia.

Zerknęła na karteczkę.

– Poleconym czy kurierem?

– Osobiście. Wszystko inne może zaczekać.

Dziewczyna chwyciła torebkę i wyszła bez słowa.

Właściwie ucieszyła się, że będzie miała wolne popołudnie. Stanęła na przystanku i sprawdziła rozkład. Autobus miała za siedem minut. Odeszła kilka kroków od przystanku i wyjęła papierosa. Przeszukała kieszenie, ale nie znalazła zapalniczki. Spojrzała na wejście do budynku i przez chwilę myślała, czy nie wracać, ale wiedziała, że Piorunka będzie zła, bo czeka, aż dostanie meldunek, że przesyłka została dostarczona. Poza nią na przystanku był tylko młody człowiek. Zajął miejsce na ławeczce, w uszach miał słuchawki, a oczy przyklejone do laptopa. Zdawało się jej, że czuje zapach marihuany. Podeszła do niego i spytała o ogień. Musiała powtórzyć dwukrotnie, zanim zwrócił na nią uwagę.

– Masz ogień – oświadczyła.

To nie było pytanie. Dostrzegła już skręta, który ukrył w zagłębieniu ławeczki, ale udawała, że jej to nie interesuje. Bez słowa podał jej zapałki. Skorzystała z nich i zwróciła mu paczkę. Nawet na nią nie spojrzał. Musiała położyć pudełko na ławce.

Odeszła na swoje miejsce, zastanawiając się, jak to się stało, że w wieku dwudziestu dziewięciu lat jest totalnie niewidzialna dla młodzieży. Dla wszystkich pozostałych w pracy była.

Wyjęła płytę, którą miała dostarczyć, i obejrzała ją z obu stron, jakby opakowanie mogło jej powiedzieć coś o zawartości. Przy Piorunce zapakowała ją w kopertę, ale jej nie zakleiła. Już w Nanie naszła ją ochota, by sprawdzić, kto tym razem idzie na stos. Czasu miała niewiele. Nie zdąży podjechać do domu, a w okolicy nie znała nikogo, kto mógłby pożyczyć jej komputer. Do pracy wrócić nie mogła. Znów zerknęła na nastolatka siedzącego obok.

– Pożyczysz przystawkę do dysków?

Tym razem podniósł głowę. Był zniecierpliwiony, ale nie przejmowała się tym.

– Chciałabym sprawdzić, czy to w ogóle działa. Możesz mi pomóc?

Ku jej zdziwieniu pogrzebał w plecaku i wyjął stację dysków, sprawnie podłączył do komputera. Podała mu płytę, usiadła obok, wymuszając na nim, żeby się posunął, po czym sięgnęła po jego skręta i wzięła sobie macha. Był prawie wygaszony, ale chłopak osłupiał. Uśmiechnęła się do niego łobuzersko.

Płyta ładowała się chwilę, a potem pojawił się obraz.

– Działa – oświadczył chłopak.

Wykonał ruch myszką, jakby chciał wysunąć dysk, ale Danka odchyliła się do tyłu, sugerując, że nie odda mu jego skręta, póki nie włączy filmu. Patrzył na nią jak na niezrównoważoną, wreszcie westchnął zniecierpliwiony i kliknął play.

Na ekranie pojawiła się scena domowego porno. Ledwie kilka sekund trzeba było czekać, by zobaczyć twarz mężczyzny uderzającego pięścią kobietę, z którą jednocześnie spółkował, ale to Danusi wystarczyło.

– Faktycznie, jest sprawna – oświadczyła i kliknęła, by wysunąć płytę. Z gracją odłożyła skręta w zagłębienie ławeczki, skąd go wzięła.

– Wie pani, kto to jest? – zdziwił się chłopak.

Pokręciła głową i zabrała płytę. Włożyła ją do opakowania.

– Ciii... – Przyłożyła palec do ust. – Nie mów nikomu.

Nadjechał autobus. Danusia wskoczyła do niego lekko jak kozica. Kiedy odjeżdżała, napawała się pełną uwagą nastolatka. Już nie była niewidzialna.

***

– Nie widział cię?

Piorunka udała, że ogląda wózek niemowlęcy za kilkanaście tysięcy złotych, a Ines chciało się płakać, bo wiedziała, że nigdy nie będzie ją na niego stać. W koszyku miała gryzak, butelkę na mleko i karuzelę do łóżeczka. Dziewczyna liczyła, że protektorka jej to wszystko kupi.

– Wlazłam tam, kiedy tylko wyszedł. Nic nie znalazłam. Żadnej broni, forsy, towaru. W torbie miał tylko owsianki w proszku i kilka sztuk brudnej odzieży. Nie zamierza u nas długo zostać. Myślę, że wieczór spędził na oglądaniu nagrań. Tylko skopiowałam te fotki, które ci przesłałam. Na szczęście bibliotekę zdjęć ma zintegrowaną ze wszystkimi urządzeniami.

– Dobrze się spisałaś – pochwaliła ją Piorunka. – Ślady Beci? Listy, pamiątki? Jakieś szpargały?

– Zupełnie nic. Myślałaś, żeby zainstalować mu program szpiegujący?

– Zobaczymy – odparła. – Dzięki, że zaryzykowałaś.

Ruszyła do kasy. Wyjęła kartę, zapłaciła za zakupy Ines.

– Dzwoniła Jola – odezwała się protegowana, kiedy wyszły już ze sklepu i deptakiem spacerowały w kierunku fontanny.

W Ogrodzie Saskim o tej porze było pełno matek z dziećmi. Ines przyglądała im się i myślała, czy kiedykolwiek będzie mogła marnotrawić czas na spacerach i usypianiu małej. Bo to, co miała w brzuchu, urodzi się dziewczynką. Będzie miała przerąbane jak ona, jej matka i jej starsza córka. Ines już prawie zdecydowała, że po porodzie odda dziewczynkę do adopcji. Może nie od razu, bo Piorunka by się obraziła. Byle tylko udało jej się odzyskać figurę sprzed ciąży. Inaczej nie wróci do pracy, a żyć z czegoś trzeba.

– Chyba jej nie zapłaciłaś?

– Jeszcze nie. Ale czuję, że ta laska nie odpuści. Wcale się nie przestraszyła.

– Wręcz przeciwnie. – Piorunka pokiwała głową. – Jest przerażona. I dlatego tym bardziej przyleci z szantażem. Zapłać jej połowę.

– Ma dzisiaj wpaść.

Piorunka zatrzymała się.

– Co to za dziunia?

Ines zawahała się. Jak miała to wyjaśnić pryncypałce?

– Zwyczajna pielęgniarka. Ładna, zgrabna. Ojciec zmarł, kiedy miała kilka lat. Mieszka z mamą, ma chłopaka.

– Piją?

– Nie bardzo.

– Szkoda. Może pójść zeznawać.

– Jak dostanie połowę kasy, tym bardziej pójdzie.

– Nie odbieraj telefonu. Wypieraj się wszystkiego.

– To o niej mówiłam, że klient wystrzygł jej gniazdo na głowie – oświadczyła nagle Ines. – Za pierwszym razem.

– Pamiętasz go?

– Zwyczajny teczkarz, ale całkiem przystojny. Był tylko raz.

– Słuchaj, z jakimi dziewczynami kumplowała się Becia?

– Z żadnymi. Gardziła nami, wiesz przecież.

– Współczuła wam. To mnie nienawidziła.

– Dlaczego tak uważasz?

– Boję się, że już jej nie zobaczę – wyznała nagle Piorunka i zawiesiła głos. – Tęsknisz za swoją córą?

Ines mechanicznie pokiwała głową. Czasami o niej myślała, ale czy tęskniła? Trudno powiedzieć. I tak nie byłaby w stanie zapewnić jej godnego życia. Wolała więc, by dziewczynka była szczęśliwa w rodzinie zastępczej, ale praw zrzec się nie umiała.

– Bardzo – wyszeptała, bo wiedziała, że takiej odpowiedzi spodziewa się Piorunka.

– Nie martw się, jak sobie nie poradzisz, przysposobię twoją córkę – zaoferowała nagle pryncypałka. – Nie mogę mieć więcej dzieci, a wnuków nie wiadomo, czy doczekam. Tylko mnie nie zawiedź.

– Co ty mówisz?! Jesteś dla mnie bliższa niż własna matka! – żachnęła się Ines. A potem otarła z kącika prawdziwą łzę, bo to była najczystsza prawda. – Dziękuję. To dla mnie duża rzecz. Jako twoje dziecko będzie miała dobre życie.

– Nędzy cierpieć nie będzie. Wybrałaś już imię?

– Myślałam o Zefirce, Wiktorii albo Grace.

Piorunka się skrzywiła.

– Wybieram Wiki, ale jeszcze mamy czas.

Spacerowały jakiś czas alejką w milczeniu. Przy fontannie się zatrzymały.

– Gdzie umówiłaś się z Jolą?

– U nas, w Tęczowym Zakątku. Pewnie już czeka.

– Pomówię z tą dziewczyną osobiście. I zadzwoń do Ozia, że mamy informację dla policji. Niech da cynk, komu trzeba. Aha, sprawdź, czy Danka załatwiła sprawę. Jak tylko potwierdzi, napisz mi wiadomość, bo mogę być niedostępna. Gdyby brali cię na przesłuchanie, wiesz, co masz mówić?

Ines powoli skinęła głową.

– Zrób sobie dzisiaj wolne. Zabaw się, poszalej. To ostatnie chwile, kiedy nie masz na głowie bachora. Tylko uważaj, z kim imprezujesz. – Przyjrzała się Ines dziwnie. – Nie chciałabym, żeby ten zboczeniec cię pociął. Przyzwyczaiłam się już do twojego pięknego brzuszka.

***

Jola usiadła na białej sofie, ale wciąż była onieśmielona. Wpatrywała się w przystojną kobietę, która – jak ją zaanonsowała Ines – jest samą właścicielką agencji Piorunka.

– Podobno spotkałaś Kosiarza. Mordercę – zaczęła Edyta. – I uszłaś z tego cało.

– Ja? – zdziwiła się dziewczyna.

Piorunka położyła przed nią tysiąc euro. Z rozmysłem wymieniła walutę na drobne nominały, by sprawiały wrażenie większej ilości gotówki. Joli na ten widok aż rozbłysły oczy.

– Twoja gaża. Chciałabyś przeliczyć?

Jola pokiwała głową i sięgnęła po pieniądze, ale Piorunka była szybsza. Przesunęła plik banknotów bliżej siebie.

– Chyba nikomu nie mówiłaś o tym, co robiłaś w hotelu Cosmos?

– Nie! – Jola uderzyła się w pierś. – Może mi pani wierzyć.

– To błąd. Trzeba pomagać policji. Wiesz, że ten, który zrobił ci krzywdę, poluje na inne dziewczyny?

– Tak naprawdę nie zrobił mi krzywdy – jąkała się dziewczyna. – Poprosił tylko o kosmyk włosów. Zapłacił za nie.

– Chciałabym, żebyś złożyła zeznanie.

– Z nazwiska?

– Możesz poprosić o utajnienie swoich danych. To możliwe.

– Moja mama i narzeczony nie wiedzą…

– A moja córka została uprowadzona. Podejrzewam, że przez tego samego sprawcę. Masz dzieci?

– Nie.

– Ciesz się. Człowiek robi rzeczy wbrew sobie tylko po to, żeby chronić swoje pisklę.

– Przykro mi z powodu pani córki.

– Jak wyglądał ten człowiek? Co mówił?

Jola opowiedziała, jak przebiegało spotkanie.

– Miałaś z nim orgazm? – zapytała nagle Piorunka.

Jola zawahała się, ale potwierdziła.

– Szczęście nowicjuszki. Ja od trzydziestu pięciu lat nie miałam orgazmu. Leczyłam się. Byłam na terapii. Bez skutku.

Dziewczyna nie wiedziała, co odpowiedzieć.

– To był on? – Piorunka podsunęła jej telefon pod nos. Przewijała zdjęcia, które Ines wykradła z komputera Sobieskiego.

Jola przyglądała im się ze zmarszczonym czołem.

– Są bardzo niewyraźne – zaczęła. – Ubranie jakby to samo. Okulary, buty. I ta teczka... Ale nie, to nie jest twarz tamtego klienta. Był przystojny, ale ten to chyba jakiś model.

– Pójdziesz teraz na policję i złożysz zeznanie.

– Co mam im powiedzieć? – zdziwiła się dziewczyna.

– Prawdę.

– O myszach też? – wyszeptała Jola i nagle się rozpłakała. – Boję się. Wszyscy się dowiedzą. Moja mama tego nie przeżyje. Taki wstyd...

Piorunka nie zmieniła pozycji. Jej twarz długo pozostała nieruchoma.

– Pokażesz im to zdjęcie i powiesz, że on ci to zrobił. – Wskazała odrastający kosmyk na czubku głowy Joli.

– Przecież to nieprawda – zaoponowała dziewczyna. – Nie spotkałam tego faceta.

– Każdy ma swoją prawdę – powtórzyła z naciskiem Piorunka. – Jak nie wiesz, jaka jest twoja, to ją wymyśl.

Przesunęła w kierunku Joli pieniądze, a z kieszeni dołożyła gruby rulon spięty recepturką. Wciąż jednak trzymała na nich rękę.

– Wrócisz po nie, jak cię spiszą. To mój warunek – zaznaczyła. – Znajdę ci lepsze miejsce. Na przykład zajmiesz stanowisko Ines, jak urodzi.

– Ale... – dukała dziewczyna.

– Jeśli się wstydzisz, zabieraj się stąd i znajdź sobie normalną robotę.

***

Sylwester Jankisz uznał, że wystarczająco się już dziś napracował. Sprawdził kursy walut, zlecił sprzedaż akcji i trzy razy wchodził na swoje konto, by upewnić się, czy ociągający się klienci uregulowali faktury. Nie uregulowali. To zawsze go wkurzało. Otworzył Facebooka i stwierdził, że ma nowe zaproszenie do grona znajomych. Pamela Reddy (Jankowska) była urodziwa w ostentacyjny sposób, czyli dokładnie w jego typie. Wszedł na jej profil, na którym miała tylko kilka zdjęć, i zdziwił się, że jest połączona z kilkoma kontami, które prowadził, w tym z jego żony Cleo.

Jako motto ustawiła banał, na dodatek nadużywała wykrzykników: „Idę powoli, ale nie cofam się nigdy!!! Odwaga to panowanie nad strachem, nie brak strachu…". Obejrzał jej zdjęcia w bikini i zaśmiał się, kiedy przeczytał jej *dossier* pełne literówek: Lek. med. kardiolog w: Własna działalność gospodarcza (Self-Employed) Prywatny Gabinet Lekarski Danziger CardioHealth M. Jankowska, Model w: Art Professional Modelling Agency Crimson Sunrise, Poprzednie stanowisko: Dokter w Szpital Dzieciący – Polanki Gdańsk; Studiowała w Wydział Lekarski na Uniwerstet Medyczny w Gdańsku. To samo było przetłumaczone na rosyjski i niemiecki.

Jak nic, kurwa prosząca się o werbunek – ucieszył się. Potwierdził zaproszenie i w tym samym momencie otworzyło się okienko czatu.

„Elo, masz piękne oczy. Może się spotkamy?"

Nie owijała w bawełnę.

„Piękne oczy to mają szczeniaki" – odpisał.

„Przystojniak z ciebie".

Może i niezła z niej sztuka, ale debilka.

„Z ciebie też ostra lufa" – wstukał.

„Hhhhh. Chyba już nikt tak nie mówi".

Zwinął komunikator. Zastanawiał się. Konto było nowe, zdjęcia zbyt idealne. Pobrane z internetu? A dziś w hotelu Cosmos znaleziono ciało Kiti. Gliny?

Wrzucił dane Pameli Reddy (Jankowskiej) do swojej wyszukiwarki lokalizacyjnej, by za kilka godzin mieć dostęp do urządzenia, z którego wysyłano wiadomości. Program napisał sam, a raczej zhakował go od Chińczyków lub Rosjan (autorzy kłócili się o to od lat) i przystosował na własne potrzeby zbierania danych z sieci.

„Wieczorynka o 23?" – dorzucił na wabia.

„Od razu wieczorynka... :/ A kawa, spacery?"

„Możemy też pospacerować. Przed Matrixem?"

„Oki :D"

Wzdrygnął się, kiedy wybrzmiał dzwonek przed wejściem. Zwinął czat, pozamykał wszystkie okna, ukrył lokalizator i zahasłował go odpowiednio, i dopiero wtedy podszedł do drzwi. Przez wizjer zobaczył młodą kobietę, za której plecami stało dwóch mundurowych.

– Sylwester Jankisz?

– To ja.

Otworzył szerzej drzwi, ale tylko policjantka przestąpiła próg. Pokazała mu odznakę. Podała stopień i numer komendy, ale zapamiętał jedynie nazwisko, bo było znajome. Kowalczyk. Zmroziło go.

– Gdzie był pan dzisiejszej nocy?

– W domu.

– Ktoś może to potwierdzić?

– Żona – odchrząknął. – Jak wróci z pracy.

– A w noc z dwudziestego ósmego na dwudziesty dziewiąty maja?

– Nie wiem, nie pamiętam. Musiałbym sprawdzić.

– Lepiej, żeby pan wiedział. Skoro żona daje panu alibi na tę noc, może pan od razu spytać ją i o tamten termin.

– Jest w delegacji na Karaibach. O co chodzi?

– Na Karaibach? – Kobieta wydęła wargi w pogardliwy grymas. – I potwierdzi pana alibi na dzisiejszą noc?

– Rozmawialiśmy przez Skype'a. A raczej uprawialiśmy seks. Mam to nagrane.

Skrzywiła się.

– Godzina albo dwie to nie jest alibi.

– Nie zna pani moich możliwości – odpowiedział zimnym uśmiechem. – Nagranie trwa osiem godzin.

– Proszę je przygotować – odparła chłodno i wyciągnęła z torby podkładkę biurową, do której przymocowano kilka zdjęć.

Pokazywała mu je kolejno, w milczeniu. Były to fotografie z sekcji zwłok i miejsc oględzin. Na końcu znajdowały się twarze ofiar za życia. Jankisz pojął, że chodzi o zabójcę z Kabat.

– Nadal nie rozumiem.

– Przynajmniej dwie z tych kobiet pan znał.

– Być może.

Uśmiechnęła się.

– Więc nie będzie pan miał nic przeciw, jeśli pobierzemy próbkę DNA?

Odpowiedział podobnym uśmiechem.

– Jeśli sprawi to pani radość, będę ukontentowany.

Z satysfakcją patrzył, jak policjantce rzednie mina.

– Ma pan pozdrowienia od Artura Szlachty – powiedziała nagle.

Zachował spokój.

– Nie kojarzę nikogo o takim nazwisku.

– A pseudonim Moro? Mówi to panu coś?

– Zupełnie nic.

– Pamięć wróci panu na komendzie.

– Ma pani nakaz aresztowania?

– Zabieramy pana jako świadka – odparła. – Gdyby jednak przyszło panu na myśl uciekać, dom jest otoczony.

Kiedy prowadzili go do radiowozu, spostrzegł kobietę ubraną w szary kostium. Stała na poboczu, nieudolnie ukryta za drzewem. W dłoni zaciskała coś, co przypominało przesyłkę. Wgapiała się w niego, jakby spojrzeniem chciała mu przekazać pilną wiadomość. Odwrócił wzrok i wsiadł do auta, uprzednio zapinając pierwszy guzik marynarki.

– Kto to jest? – zwróciła się do niego policjantka, która także zauważyła postać ukrytą w gęstwinie drzew.

– Nie znam jej. Może pracownica firmy kurierskiej?

– Moi listonosze też chowają się w zagajnikach – skomentowała policjantka.

Uniosła podbródek i dała znak towarzyszącym jej funkcjonariuszom, by dyskretnie zdjęli osobę w szarym kostiumie. Ruszyli natychmiast, ale kobieta musiała spostrzec to pierwsza. Wychyliła się zza drzewa i ruszyła wprost do Ady, która dowodziła akcją. Nie odezwała się nawet słowem. Wręczyła policjantce kopertę, którą dotąd kurczowo trzymała w rękach, i dopiero wtedy zaczęła uciekać.

***

Jola wybiegła z komendy i gnała, ile sił w płucach, jakby chciała zgubić samą siebie. Nienawidziła się za to, co robiła w agencji, ale pomówienie nieznajomego faceta o zbrodnię było czymś znacznie gorszym niż seks za pieniądze. I tu, i tu chodziło o zarobek. Gardziła sobą. Podpisując protokół, sama na siebie wydała wyrok. Może i otrzyma gażę, ale już nigdy nie będzie potrafiła spojrzeć sobie w oczy. Oto została regularną kurwą. Tak to się właśnie odbywa: kiedy z ciebie samej nie zostaje nic prawdziwego, myślała.

Przecięła park szybkim truchtem i zatrzymała się na przystanku autobusowym. Usiadła na ławeczce, łapiąc dech. Komisarz Drabik, który ją przesłuchiwał, zapewnił, że nie podadzą jej personaliów do prasy. Obiecywał, że załatwi jej ochronę, a może i matka nie dowie się o nierządzie, jeśli szybko złapią Kosiarza. Jola mu zaufała, bo wyglądał trochę jak jej zmarły tata i podobnie pachniał. Gdyby przyszedł do agencji, z przyjemnością by się z nim położyła.

Opowiedziała mu historię swojego życia, lecz skłamała na temat fetyszysty włosów, dlatego drżała teraz, kiedy jej nazwisko wypłynie do internetu. Trzymali ją na komendzie dobre siedem godzin. Kazali jej oglądać tysiące zdjęć poglądowych i uprzedzili, że nie wyjdzie przed okazaniem. Drabik liczył zapewne, że Jola skutecznie rozpozna sprawcę. Już nie było odwrotu. Musiała kłamać dalej.

Wreszcie usłyszała rwetes na korytarzu, a za lustrem fenickim zobaczyła, jak go prowadzą. Ustawili go w rzędzie pod ścianą, dali mu do rąk tablicę z numerem trzy. Wskazała go, choć serce wyrywało się z piersi i chciała krzyczeć, że jest niewinny. Wtedy powiedzieli jej, że nazywa się Jankisz i jest stręczycielem, jak Piorunka. Głupio jej było wycofywać się z raz złożonego zeznania i właściwie dopiero w tym momencie pojęła, że została wykorzystana w grze, której nie rozumiała. A to było gorsze niż gwałt. Jednocześnie sprawiało, że strach zatykał jej gardło, wstręt do siebie prowokował torsje. Bo przecież Jola wiedziała, że facet jest niewinny. Kiedyś wyjdzie, dowie się, kto na niego doniósł, a ona nie miała nic na swoją obronę.

Podjechał wreszcie autobus. Wsiadła i zajęła miejsce na samym końcu. Całą drogę do hospicjum patrzyła w okno i starała się uspokoić, by mama nie zauważyła zmian na jej twarzy. Zamierzała dziś zostać w placówce do późna i przyrzekła sobie, że będzie tam chodzić przynajmniej dwa razy w tygodniu. Staruszkowie ją lubili, traktowała ich z troskliwością i powagą. Nawet w oczach tych terminalnie chorych widziała wdzięczność. Wolała siebie jako wolontariuszkę, która czyni dobro, niż tę obcą osobę, która oszukuje dla pieniędzy.

– Jolu kochana!

Dyrektorka ośrodka wybiegła jej na powitanie.

– Twoja mama zapewniała, że dziś do nas przyjdziesz. Czekam na ciebie od popołudnia.

– Nie udało mi się w ciągu dnia wyjść z pracy. Zamykaliśmy bilans. Trzeba było dokończyć ważną prezentację – tłumaczyła się gęsto Jola, jednocześnie skromnie spuszczając powieki. I zaraz oblała się rumieńcem wstydu, bo pojęła, że kłamstwo zaczyna jej wchodzić w krew. Przestraszyła się, że jej życie będzie teraz spiralą krętactw i niegodziwości. – Zostanę, ile będzie trzeba – zapewniła pośpiesznie. – Niech pani się nie boi. Poradzę sobie.

– Masz takie dobre serce. – Szefowa hospicjum się rozpromieniła i zaprosiła dziewczynę do swojego gabinetu.

Jola się zdziwiła. Zajęła miejsce petenta, ale dyrektorka natychmiast przesadziła ją na fotel. Przesunęła w kierunku dziewczyny dyplom, pudełko czekoladek, a z wazonu wyjęła monstrualny bukiet kwiatów. Wręczyła go Joli uroczyście, jakby odznaczała ją medalem.

– To dla ciebie. Od naszych pacjentów. Po prostu cię kochają.

Jola zaczerwieniła się aż po czubki uszu.

– Nie trzeba było... – wydusiła.

– Ależ trzeba. Proszę, nie zaprzeczaj. Wiem, że masz świetną pracę biurową, więc nie proponuję ci stanowiska, chociaż wczoraj się zwolniło. Ale gdybyś chciała, zawsze znajdziemy dla ciebie jakiś wakat – zapewniła.

Jola podniosła głowę znad pachnących lilii.

– Jesteś taka młoda, śliczna... I czuję, że tobie mogę powiedzieć... Bo ty zrozumiesz... – Dyrektorka wiła się na krześle, jakby dostała owsików.

Jola odłożyła kwiaty.

– O co chodzi?

– Ten pacjent, młody chłopak... Za miesiąc kończy dziewiętnaście lat.

– Wiem który. Michał z Podkowy Leśnej.

– No właśnie. – Dyrektorka odetchnęła z ulgą, jakby sprawa była już jasna. – On umrze w ciągu tygodnia.

– Tak mi przykro. – Jola miała łzy w oczach. – Myślałam, że mu się uda.

– Niestety. – Dyrektorka zawahała się. – Michał wie, że to koniec, i jest pogodzony. Odbyliśmy wiele rozmów na ten temat. To wyjątkowo inteligentny chłopak.

Złożyła ręce w koszyczek. Pochyliła głowę. Kiedy mówiła, ani razu nie spojrzała na Jolę.

– Bo widzisz, czasami kiedy ludzie odchodzą i wiedzą o tym, staramy się spełniać ich ostatnie życzenia. Nie wolno ci nikomu tego powiedzieć, ale to moja osobista idea. Żeby ludzie umierali spokojni. Jedni chcą ulubione ciastko, inni zobaczyć ocean. Jeszcze inni spotkać całą rodzinę w komplecie. Pomagamy im w tym... – Zatrzymała się. – Życzeniem Michała jest kochać się z dziewczyną. Całe życie był chory i nigdy nie zasmakował seksu. Pomyślałam, że nam pomożesz.

– Ja? – Jola się przeraziła.

Oczyma wyobraźni widziała już nagłówki gazet i hejterskie komentarze na swoim profilu fejsbukowym. A więc Drabik ją jednak wydał. Skłamał i ujawnił jej nazwisko mediom, panikowała. Wszyscy wiedzą, że jest dziwką!

– No przecież nie osobiście! – Dyrektorka zaśmiała się w głos. – Ale może masz jakieś kontakty albo koleżankę, która chciałaby zarobić. Chodzi o to, żeby Michał odszedł jako mężczyzna. Zapewnimy anonimowość tej osobie. Nikt nie zobaczy jej twarzy. Zrobiliśmy składkę i od wszystkich pensjonariuszy udało się zebrać prawie trzysta złotych. To będzie nasz prezent urodzinowy dla niego, bo on własnych z pewnością nie dożyje. Nie wiem tylko, czy ktokolwiek podejmie się zadania za te pieniądze... – Przerwała.

Jola podniosła głowę i poczuła nagłą iluminację, jak zdarzało się, kiedy była mała i chodziła z tatą do kościoła. Czyżby los dawał jej szansę na odkupienie win?

– Znam kogoś takiego – odparła pewnym głosem. – I może się to odbyć nawet dzisiejszej nocy.

Puściła oko do dyrektorki.

– Tylko niech pani nie mówi o naszym pakcie mojej mamie. I wymyśli coś mądrego, dlaczego zostanę w hospicjum na noc. Osobiście tej operacji przypilnuję. Tak się składa, że jutro mam wolne w pracy.

– Jesteś wspaniała! – ucieszyła się dyrektorka.

Przesunęła w kierunku Joli stos banknotów o niskich nominałach i moniaków zapakowanych w foliową saszetkę.

– Jak będziesz kontraktować tę panią, podziękuj jej, proszę, od nas. Obdarowanie Michała miłością to wielki, piękny gest. Niech ten chłopiec odejdzie szczęśliwy.

***

Piątą dziewczynę znajdziesz w swoim własnym domu. Choć mam nadzieję, że nie od razu. Nie chciałbym, żebyś popsuła sobie niespodziankę. Wrócisz zmęczona po ciężkiej służbie i zawołasz Grace. Nie odpowie szczekaniem, a na komodzie zobaczysz otwartą torebkę, więc pomyślisz, że twoja matka wyszła z nią na spacer. Zapalisz światło. Poczujesz, że ktoś tutaj był, ale to będzie tylko przebłysk. Torebka będzie markowa i zupełnie nowa, wcale nie w staroświeckim stylu, jaki preferuje twoja mamuśka. Raczej ucieszyłaby się z niej pani Piorun, rywalka i znienawidzona przez ciebie metresa Kowala. Może rozrzucę jakieś drobne przedmioty przy drzwiach? Zaniepokoi cię to, ale znów uznasz, że to tylko szczeniak bawił się bibelotami. Wejdziesz do mieszkania, obiegniesz pokoje. A potem sięgniesz po telefon, zadzwonisz do matki. Nobliwa pani Kowalczyk będzie szczerze zadziwiona. Zaczniesz zapalać światła, szukać swojego pieska. I wtedy w łóżku odkryjesz zwłoki.

Zostawię też kosmyk, jak zwykle. Ucieszysz się, bo to włosy twojej siostry. Cieszysz się czy się boisz? Jeśli jeszcze nie czujesz strachu, to przyjdzie.

PS Aha, zmieniłem swoje plany. Grace leży już w krzakach. Wcześniej czy później zostanie znaleziona. Nasze spotkanie zbliża się nieuchronnie.

Część 5
TOTEM

Moro
piątek (4 czerwca)

Minęła pierwsza i Sobieski stracił już nadzieję, że spotkanie z Jankiszem dojdzie do skutku. Zastanawiał się, co mogło się wydarzyć. Konto, które utworzył jako Pamela Reddy (Jankowska), było mało wiarygodne, ale dziewczyny ze stajni sutenera miały podobne profile. Kiedy czatowali, facet sprawiał wrażenie nagrzanego. Sobieski liczył, że przyjdzie albo wyśle kogoś na zwiad, przynajmniej po to, żeby sprawdzić teren. Ulica przed Matrixem powoli się wyludniała. Ci, którzy mieli ochotę na numerek w loży dla VIP-ów, bawili się już na całego, a amatorzy tańców na rurce i picia dopiero się rozkręcali. Ruch wzrośnie znów około trzeciej.

Co jakiś czas zerkał w komórkę, czy Jankisz nie napisał. Nic, cisza. Nie było też wieści od człowieka Mora w sprawie odbioru towaru. To niepokoiło go nie mniej niż spalona akcja z sutenerem. Ruszył do auta i serio rozważał, czy nie wziąć zlecenia dostarczania żarcia abonentom „Jestem fit", bo i tak nie mógłby zasnąć.

Siedział już w samochodzie, kiedy z bocznego wyjścia klubu wytoczyła się chwiejnie para. Kobieta była ciężarna, a w mężczyźnie, który ją obejmował, Sobieski rozpoznał Wiktora Kowalczyka. Kiedy go mijali, Ines odwróciła się. Spojrzenie miała trzeźwe, taksujące, aż ciarki przeszły mu po plecach. Nie ruszył się, nie wykonał żadnego gestu, ale chciał, by prostytutka wiedziała, że poznaje faceta, którego holowała. Nawet gdyby Kowal był przytomniejszy, Sobieski wolałby z nim teraz nie rozmawiać. Nie miał mu nic do zameldowania.

Ines powiedziała coś do swojego towarzysza, na co ten wybuchnął gromkim śmiechem. Objęli się ciaśniej i pomaszerowali dalej. Sobieski patrzył, jak skręcają w Nowy Świat, i zastanawiał się, co o tym wszystkim myśleć, gdy nagle w okno zastukał Oziu.

– Widziałeś? – Sobieski rzucił do kumpla zamiast powitania.

– Cały wieczór oglądałem, jak się ślinią – narzekał Oziu. – Myślałem już, że nigdy nie skończą i nie zejdę ze stanowiska.

Obszedł dookoła samochód. Wgramolił się do środka.

– Laski mówią, że to jego brzuch.

Sobieski z trudem ukrył zaskoczenie.

– Piorunka wie?

– Jeśli tak, to udaje ślepą i głuchą. Powiem ci, że całkiem nieźle udaje. Ines to jej pupilka. Na czas ciąży zakazała jej pracować, kupiła ubezpieczenie zdrowotne, wciąż przynosi przysmaki, herbatki, szmaty na rosnący brzuch i nawet chodzą razem do ginekologa. Dała jej najspokojniejszy oddział do obsługi.

– Najspokojniejszy? – zdziwił się Sobieski. – Ponoć Tęczowy Zakątek trzeba było remontować po wyczynach sióstr Sapieg.

– To był tylko jeden wybryk. A Lea i Pola miały kosę z Ines właśnie z powodu jej lizusostwa. Niektórzy uważają, że Piorunka traktuje Ines jak córkę. Otwarcie ją faworyzuje. Tylko Danka, księgowa i osobista asystentka Edyty, ma większe względy. Ale te dwie łączy inna zależność. Z matką Danki Piorunka znała się w młodości i były gwiazdami pigalaka, zanim Ines przybyła na ten padół. Podobno kiedy Danka po gigantach i rozbojach wróciła do stolicy, nie miała się gdzie podziać. Jej matka pojechała na robotę do Włoch i więcej nikt jej nie widział. Wiadomo, że leży w jakimś piniowym lesie, a Piorunka zna nazwiska sprawców, ale nie opłaca jej się kruszyć o to kopii. Może i miała interes w tym, żeby tamta gryzła glebę. Dawne dzieje... Tak czy siak, Piorunka odkupuje swoje winy, opiekując się Daną. Trzęsie się nad nią i nie dopuszcza do kurewstwa, a Ines, jak się domyślasz, jest o Danę okrutnie zazdrosna. Chciałaby też nosić szary kostium, a nie spodenki do półdupków.

– Jeśli to prawda, że dziecko jest Kowala, musi to uwierać twoją szefową.

– Nie moja sprawa, co kogo uwiera. – Oziu wzruszył ramionami. – A może Ines tak tylko gada, żeby dziewczyny się jej nie czepiały? Wiktor sobie nie żałuje i korzysta z przywilejów bossa, ile się da. Wierz mi, gdyby każda kurwa, którą ruchał, zaciążyła, miałby na boisku kilka drużyn.

– Co robicie, kiedy zachodzą w ciążę?

– Nie zachodzą.

– A gdyby?

– Jest taka jedna doktorka. Ale w interesie dziewczyn jest, żeby się pilnować. To kłopot dla wszystkich. Debilki od razu przekierowujemy na pobocze. Degradacja na tirówkę to ściek. Kiedyś to głównie one ginęły bez śladu.

– Ines twierdzi, że to Piorunka namawiała ją na utrzymanie ciąży.

– Więc może i wie, czyj jest płód. Ciężko pojąć logikę kobiet – skwitował Oziu. Zawahał się. – Ustawiłem ci *meeting* z Morem.

Sobieski odwrócił głowę zaskoczony.

– Mówiłeś, że nie znasz gościa.

– Ale znam kogoś, kogo on zna i musi się z nią liczyć.

– Z nią? – powtórzył Sobieski.

Oziu pokiwał głową.

– Piorunka podnajmuje plac, na którym stoi fabryka Mora. – Zaśmiał się. – Chociaż Edyta podobno twierdzi, że nigdy faceta nie widziała i kontaktuje się z nią tak jak ty, przez kurierów. Głównym pośrednikiem miał być gość, którego sfotografowałeś. Zgarnęli go dzisiaj. Co za pech... Wychodzi na to, że Sylwester Jankisz to Moro. Kurwa, tyle dup z nim wyruchałem, tyle wódki wypiliśmy, a nic się nie przypucował... Tak że sorry, starałem się, ale twoja audiencja, Kubuś, się nie odbędzie.

Nagle wszystkie puzzle wskoczyły na swoje miejsce. Sobieski zrozumiał, dlaczego Jankisz nie przyszedł i jaki cel miała Piorunka, by wskazać go jako głównego dostawcę kryształu w mieście.

– Ta fabryka piko, której wszyscy szukają? – upewnił się. – Należy do Piorunki? Teraz mi mówisz?

– O nic więcej nie pytaj. Dla twojego dobra – uciął Oziu. – A jestem tu, żeby cię ostrzec.

– Przed czym?

– Piorunka próbowała dziś zabezpieczyć tyłek w razie zbliżających się przesłuchań. Bo będą. – Oziu wznowił wątek. – Szykuj się. Myślę, że i ciebie nasza znajoma wezwie. Taki lajf...

– Piorunka wystawiła Jankisza? – Sobieski się zmarszczył.

Myślał szybko. Skoro Edyta Piorun od początku znała personalia Mora, z jakiego powodu Kowal zlecił mu zbliżenie się do producenta piko i dostarczył nierejestrowane gnaty? Dlaczego sam nie pójdzie do fabryki kochanki i nie odzyska córki? Wietrzył zasadzkę.

– Ile razy jeszcze będziesz po mnie powtarzał? – zniecierpliwił się przyjaciel. – Puściła Dankę z kompromitującą taśmą do Mora, ale traf chciał, że gość został zatrzymany. Płyta zupełnie przypadkowo wpadła w ręce glin. Tylko czekać, aż obejrzą zawartość. Będzie się dymić nad Warszawą do zimy.

– Co jest na tej taśmie?

– Klasyk. Seks jakiegoś notabla z bezimienną kurwą. – Oziu ziewnął szeroko. – Znając jednak Piorunkę, dobrze się zastanowiła, zanim wybrała kandydata do kompromitacji. Musisz wiedzieć, że jak to wypalą, będzie smród medialny i wizerunkowy. Edyta słynęła z tego, że wszystko jest top secret. Tak więc to koniec Nany, wszystkich Tęczowych Zakątków, a może i Garsonier, Odlotów, a nawet Wybiegów.

– Sieciówki się ostaną – zauważył Sobieski.

– Interesy stacjonarne na bank wyzdychają. Będzie przetasowanie na rynku. Idą ciężkie czasy, chłopie. Gliny już robią naloty, legitymują klientów, a dziewczyny, które były na współpracy, sypią, kogo się da. To koniec pewnej ery. Piorunka strzeliła samobója.

– To jest ruch kontrolowany? – zdziwił się Sobieski. – Taśma miała wpaść w ręce policji? Po co? Co twoja szefowa chce w ten sposób osiągnąć?

– Wszyscy się nad tym głowimy. – Oziu wzruszył ramionami. – Danka twierdzi, że miała dostarczyć film do Jankisza, który robi nam konkurencję w linii prestiż. Jednocześnie miasto obiegła plota, że to on ścinał dziewczynom włosy. Czy to prawda, nie wiem – zastrzegł. – A dziś na komendę zgłosiła się prostytutka, która poprosiła o tarczę i go poznała. Nie wypuszczą go przez trzy miesiące. Ponoć szyją dla niego dowody pod zarzuty na Kosiarza.

– Kto go wydał? – zainteresował się Sobieski.

– Jakaś początkująca Jola. Ines wzięła ją na kilka dni do Tęczowego Zakątka, a Sabrina i Ruth twierdzą, że od razu wyglądała na kabla. To jeszcze nic. Ponoć Piorunka zwierzyła się Dance, że to Jankisz może więzić Becię.

– Film z VIP-em miał być okupem za córkę?

– Tak szepcze z dziewczynami Dana. Piorunka oczywiście udaje, że nie wie, o co chodzi. W każdym razie coś poszło nie tak i filmik mają teraz gliny. A jak oni to mają, to politycy się do nas wezmą, bo srają w gacie, kto będzie następny.

– To zależy, kto jest bohaterem nagrania.

– Niech tylko gościa przypucują, opozycja już go nie puści. – Uchylił drzwi i spojrzał na Sobieskiego, jakby się żegnał. – Tak więc przyszedłem cię ostrzec, Kubuś. Znajdź kryjówkę, zaszyj się. Może wróć na uberki i rozwożenie nocami dietetycznego jadła. Zapomnij o lokalach na Niepodległości, koniecznie ukryj hajs, klamki i towar. Skoro Jankisza zawinęli, a wychodzi na to, że to on był Morem, stolicę czeka posucha. Dobrze, że zachomikowałem sobie tę partię piko od Lei i Poli.

– Co? – Sobieski spojrzał na kumpla zaskoczony. – Mówiłeś, że to była lewizna. Że dałeś im koks na krechę i pogoniłeś z barterem. Kłamałeś?

Oziu podrapał się po głowie i potwierdził.

– Myliłem się – wyznał. – To najczystszy towar, jaki widziałem w życiu. Młode musiały go zrabować jakiemuś kurierowi. Komuś, kto był bardzo blisko Mora, albo jemu samemu. I trudno. Chuj z nimi. Teraz ja go mam. – Oziu rozpromienił się. – Za jakiś czas wrzucę na rynek i sprzedam najdrożej, jak zdołam. Będziesz chciał, to wezmę cię do spółki.

– Dzięki – mruknął Sobieski i zmarszczył brwi, układając w głowie nowe dane. – Ale na razie pasuję.

– Nie chcesz, to nie. A jakbyśmy się spotkali na pajacu, nie gadaj o mnie źle.

– Nic nie będę gadał.

– Jeszcze jedno. Pytałeś mnie o Abioli. Czy znały się z Beatą i czy tego wieczoru rozmawiały…

– Tak?

– Abioli nie chciała gadać. Opędzała się od Beci jak od natrętnej muchy. Wiedziała, że to córka Piorunki, i długo ją zwodziła. Za to Kiti obiecała się spotkać. Znała ponoć dziwkę, która widziała Kosiarza. Napisała o tym na jakimś forum. Nie sprawdzałem tego, bo nie była nasza. I nie wiem, czy ostatecznie dziewczyny się spotkały i gdzie.

– Chodziło może o Cleo?

Oziu przyjrzał się przyjacielowi i potwierdził skinieniem.

– Klementyna Jankisz to żona twojego znajomego w lustrzankach. Pobrali się niedawno, jak wynika z mediów społecznościowych.

– Nie wiem, czy to wiarygodne dane, Kubuś – żachnął się Oziu. – Ale widzę, że jesteś na bieżąco z tematem. Kolorowych snów. Nie kmiń dziś za dużo.

– Jeszcze jedno pytanie.

– Wal. Mam dobry humor, może odpowiem.

– To pewne, że Jankisz jest Morem?

– Tak uważa policja. Zapięli się na niego i przetrząsają mu wszystkie lokale, biura. Jak coś jest na rzeczy, z pewnością powiadomią media. To dla nich wielka rzecz: ujawnienie głównego narkotykowego bonza stolicy i jednocześnie Kosiarza.

– A ty jak uważasz?

– Rozumem czy sercem? – zaśmiał się Oziu.

– Najlepiej twardymi danymi.

– Takich nie uświadczysz, póki nie znajdą fabryki. Znam gościa od lat. Piłem z nim i ruchałem na jednym łóżku. To szczwany lis. Przystojny, fakt, ale Ted Bundy też nie był brzydki, a zakatrupił znacznie więcej kobiet.

– Pytam cię, czy Jankisz to Moro.

Tym razem Oziu się nie rozwijał.

– Nie zdziwiłbym się, gdyby gliny się nie myliły.

W ciągu pół godziny Sobieski był już na działkach, ale żony nie zastał.

Przyczepa była wysprzątana. Nie znalazł żadnych szpargałów Iwony, jej ubrań ani przedmiotów osobistych. Na stole pod przykryciem czekała na niego gumowata zapiekanka. O brytfannę oparto karteczkę:

„Jednak nie oddam mojego rydwanu. Nie dam skurwysynowi tej satysfakcji. Trzymaj kciuki za Nocną Furię. Wrócę z pucharem albo wcale".

***

Niko robił trzecie kółko wokół skweru Sue Ryder. Zatrzymał się przy ulicy Dantyszka i bezskutecznie wypatrywał w tłumie policji Ady albo Sobieskiego.

Kamienicę przy Rapackiego, w której mieszkała policjantka, kolejny raz otoczono taśmami policyjnymi. Tym razem media spekulowały, którą siostrę Kowalczyk odnaleziono nieżywą.

Do okna zastukał mundurowy. Wskazał tymczasowy znak, który Niko z rozmysłem zignorował.

– Tutaj nie wolno parkować.

Technik uchylił szybę. Zasalutował policjantowi.

– Kopę lat, Nikuś – ucieszył się funkcjonariusz, rozpoznając technika. – Tak krucho z kadrą, że emerytów wzywają na posiłki?

– Nawet tak nie żartuj – burknął Niko. – Mam tutaj prywatne zlecenie.

– Niby jakie?

Niko nie wiedział, czy ujawniać, z kim się spotyka, ale policjant pochylił się niżej i szepnął:

– Kazali mi wylegitymować i usunąć każdego cywila. Cały teren jest uznawany za miejsce zdarzenia. Ciało dziewczyny znaleziono w lokalu, ale do zabójstwa doszło przed klatką. Przeparkuj się na drugą stronę skweru. Może pod szkołę?

– Jasne. – Niko już odpalał silnik. – A kogo tym razem trafił Kosiarz?

– Ustalają personalia, ale to kolejna dzierlatka ze stajni Piorunki. Nosiła łańcuszek z napisem Sabrina i nawet jeśli to ksywa, do jutra będziemy wiedzieli, kim była. Nie tylko operacyjni wezmą wreszcie słynną burdelmamę na warsztat. Naczelnik Drabik zaciera ręce, że aż idą iskry.

– Nie siedzisz już w obyczajówce? – zainteresował się Niko. – Kiedy dali cię do prewencji?

– Dwa lata będą w styczniu. A zawezwali nas, bo wiesz, medialna sprawa i wszystkie ręce na pokład. – Funkcjonariusz posmutniał. – Czasami tęskno za adrenalinką, ale mam teraz dziecko, młodą żonę i kolejny brzuch w drodze. Nie chodziłem w kominiarce, to i musiałem zmienić wydział. Rodzina najważniejsza.

– Cześć, Niko!

Podbiegła do nich umundurowana kobieta w kamizelce kuloodpornej i hełmie na głowie.

– Hej – odparł Niko i spojrzał wymownie na kolegę.

Tamten odsunął się, ale przyglądał się policjantce nieufnie.

– Wszystko w porządku – zwróciła się do niego rozkazującym tonem. – Niko może tutaj stać.

– Kim pani jest?

– Zapytaj naczelnika kryminalnych – prychnęła, a potem wskazała komisarza Drabika. – Lepiej bądź miły, bo ktoś nie dopilnował taśm i szukają winnego.

Mundurowy niechętnie podążył w tamtą stronę.

Technik tymczasem wypakowywał już swój sprzęt. Kiedy otworzył bagażnik, wyskoczył z niego Winston. Potknął się o swoją chromą łapę, ale zaraz podniósł się z godnością. Na widok Ady zamachał apatycznie ogonem.

– Lubi mnie – szepnęła, a potem spojrzała na Nika oczyma pełnymi łez. – Znajdziemy ją, prawda? Sprawca zostawił otwarte drzwi balkonowe. Musiała wyjść przez taras. Wygonił ją. Nie chciał, żeby została sama z trupem. Może robiła hałas?

Z foliowej torby, którą przyniosła Ada, Niko wyjął kocyk i szczotkę. Podsunął artefakty swojemu psu pod nos, a do ręki wziął najmniejszą walizeczkę. Pozostałe ponownie schował do samochodu.

– Jeśli Grace jest w tym parku, Winston ją znajdzie – zapewnił.

***

Skwerek nie był duży, więc po półgodzinie obeszli większą jego część. Kiedy robili drugie kółko, pies złapał trop. Niko się zdziwił, ale zachęcił Winstona, by poszedł śladem. Pies długo krążył po polanie, aż wreszcie zanurkował w krzaki koło fontanny. Nie było go długi czas. Nie reagował na wołanie, nie dał się zachęcić smakołykiem. Wreszcie Niko zadecydował, że pójdzie w chaszcze za nim.

– Czekaj. Nie ruszaj się – rzucił do Ady.

Usiadła na ławce i w napięciu wpatrywała się w miejsce, gdzie zniknął Niko ze swoim tropicielem. Nie widziała w tym momencie niczego i nikogo, dlatego zaskoczył ją chrapliwy głos.

– Znów zgubiła pani pieska?

Podniosła głowę. Przed nią stał zasapany mężczyzna. W rękach miał kije do nordic walking, a na plecach niósł jutowy worek. Ciało miał tak powykręcane, że głowa patrzącego odwracała się sama. Ada poznała go bez trudu. To on ostatnim razem przyniósł jej Grace.

– Można tak powiedzieć – odrzekła. – Co pan tu robi?

– Spaceruję. A pani?

Przyjrzał się jej mundurowi. Przy pasie miała kaburę z bronią. Z drugiej strony majtała się pałka typu tonfa. Hełm zdjęła. Leżał teraz obok niej na ławce.

– Rozmyślam – prychnęła, ale zaraz ją olśniło: kiedy okrążali teren pierwszy raz, Winston nie złapał tropu.

Spojrzała na worek, który mężczyzna niósł na plecach. Wydawał się pusty.

Z rozmyślań wybił ją dzwonek telefonu. Spojrzała na wyświetlacz. Niko.

– Tak?

– Mam ją – odrzekł i urwał. – Wołałem, ale odeszłaś za daleko.

– Siedzę w tym samym miejscu. Może fontanna zgłuszyła twój głos? – odparła z wyrzutem, nie spuszczając wzroku z paralityka. – Jest cała i zdrowa?

– Nie – odparł Niko. – Zobacz.

Po chwili otrzymała zdjęcie. Grace leżała na boku przecięta na dwie części. Jej brzuch został wytrzewiony. Obok, niczym warkoczyk spływający z jej zdekapitowanej główki, ułożono kosmyk ludzkich włosów. Został finezyjnie przewiązany zieloną wstążką.

Drżącą ręką przyłożyła telefon do ucha.

– Zawiadom swoich – polecił jej Niko.

– Zrobię to, ale nie wezmą sprawy serio.

Z trudem panowała nad łamiącym się głosem.

– A te włosy, upozowana pozycja? To mi wygląda na ciąg dalszy dzieła Kosiarza. Niech przyślą magika od profilowania zabójstw. Zinterpretuje to jak na filmach.

– Już wiem, co usłyszę: to tylko pies. – Walczyła, by się nie rozpłakać. – Zresztą jeszcze nie skończyli u mnie. Możesz wstępnie zacząć. Pogadam zaraz z naczelnikiem o glejt.

– Okay, ale włosów nie ruszam. Procesowo mogą okazać się ważne. Adwokaci zaraz by się tego chwycili i dowód zostałby wykluczony z przyczyn formalnych.

– Masz rację – wyszeptała. – Rób jak należy.

– Wobec tego przynieś resztę mojego sprzętu. I zadbaj, żeby nikt się nie pałętał. Potraktujmy ten teren jako miejsce zbrodni.

– Zabezpieczę go prawidłowo.

Rozłączyła się. Spojrzała na mężczyznę z kijami.

– Przykro mi – rzekł i zaraz się zmitygował. – Rozumiem, że pani suczce stało się coś złego.

– Mieszka pan w okolicy?

– Zgadza się.

– I kolejny raz widzę pana, kiedy ginie mój pies?

– Przypadek? – Wzruszył ramionami.

– Mogę prosić o dokumenty?

Wyglądał na zaskoczonego.

– Ja tylko wyszedłem na spacer. Kiedy pani wychodzi z pieskiem, nie bierze pani ze sobą dowodu, prawda?

To się jej nie spodobało. Zmarszczyła brwi, nie spuszczała faceta z oka.

– Jak się pan nazywa? – powtórzyła twardo.

– Zabawna z pani kobieta. – Roześmiał się gromko i wyciągnął dłoń jak do powitania. – Jestem Damian. Widzę panią czasem kilka razy dziennie. To w pani domu znaleziono zwłoki?

– Proszę iść ze mną.

– Nie mogę. Muszę wracać do domu.

Facet zaczął nerwowo przestępować z nogi na nogę. Zawahał się, jakby szukał dobrego pretekstu, który przekona policjantkę do odejścia. Wreszcie powiedział:

– Zostawiłem w piecyku indyka. Za pół godziny muszę go wyjąć.

– Indyka? – Ada spojrzała na niego spod zmrużonych powiek.

Położyła dłoń na kaburze, a potem uniosła podbródek, sięgnęła po krótkofalówkę i złożyła krótki meldunek. Usłyszała, że ma czekać. Brakuje ludzi do oddelegowania. Mężczyzna słysząc to, nabrał pewności siebie. Świdrował ją lepkim spojrzeniem, wreszcie rzekł:

– Chyba mają sporo pracy.

– Wobec tego pójdziemy razem – zadecydowała. – Pan wyłączy sobie piekarnik, a przy okazji pogadamy.

***

Zatrzymali się przed malutkim zaniedbanym domkiem, który wyglądał niczym liliput z bajki wciśnięty między efektowne kamienice z początku dwudziestego wieku. Wejście zarastała stara winorośl, która opadała aż na chodnik.

Mężczyzna opierał się o swoje kije, lecz całą drogę poruszał się nadzwyczaj żwawo. Ada ledwie za nim nadążała. Kamizelka jej ciążyła, w hełmie ledwie mogła oddychać.

– Nie chcę robić kłopotu – krygował się przed wejściem, szukając po kieszeniach kluczy. – Gdyby mi pani zaufała, stawiłbym się na przesłuchanie, dokądkolwiek mnie wezwiecie. Wiem, że macie sporo roboty na oględzinach.

– Pan otwiera.

– Tym razem nikogo nie widziałem. Serio. Podszedłem tylko, bo panią poznałem. Myślałem, że potrzebna jest pomoc.

– W czym? – Spojrzała na niego zjeżona.

– Pani płakała.

Otworzył wreszcie furtkę. Weszli na werandę.

Kiedy odstawił kije w progu, zauważyła, że bez nich porusza się równie sprawnie. Rozejrzała się po obejściu. Żył samotnie, a remontu nie robił od lat. Choć było czysto, woń starych skarpet i pleśni była wyraźnie wyczuwalna. Przydałoby się tu przewietrzyć. Sprzęty stare, postpeerelowskie. Funkcjonalne fotele, meblościanka, wzorzysta wersalka w centralnej części salonu. Obok stała myjka jak w zakładzie fryzjerskim i rząd szczotek, nożyczek, akcesoriów do czesania włosów. Zapatrzyła się na ten sprzęt, a on złapał jej spojrzenie.

– Żona prowadziła salon – wyjaśnił. – A i ja lubię zajmować się włosami.

– Dokumenty. – Poczuła nagły niepokój.

– Już daję. Sprawdzę tylko, co z indykiem – oświadczył najspokojniej w świecie, jakby Ada gościła u niego z okazji niedzielnego obiadu, i w dwóch krokach zniknął w wąskim jak kiszka korytarzu, który wieńczyło nieoświetlone pomieszczenie.

Pociągnęła nosem i tknęło ją, że nie czuje zapachu pieczeniny.

Sięgnęła do kabury, odpięła zatrzask. Biegiem ruszyła za facetem.

Odwrócił się gwałtownie, aż odruchowo wykonała gest dłonią, jakby parowała cios. Uchylił się na czas i uśmiechnął szeroko, ukazując resztki zębów. Jego pokrzywiona twarz wyglądała w tym mroku makabrycznie.

– Pani chciała mnie wylegitymować? – Wyciągnął w jej kierunku dowód osobisty. – I niech się pani tak nie spina. Nie ma się czego bać.

– Gdzie ten indyk?

– Już wyłączyłem.

Wiedziała, że kłamie, zanim uśmiechnął się upiornie. Rzuciła okiem na dokument.

– Mam na imię Damian – powiedział, choć sama już odczytała. – Damian Chudaś.

Wręcz czuła, jak krew odpływa jej z twarzy.

– Zgadza się, jestem wujem Pati – potwierdził. – Piętnastolatki zamordowanej w Giżycach trzynaście lat temu.

Pstryknął światło i pomieszczenie okazało się warsztatem perukarskim. Na manekinach pyszniły się różne fryzury.

– Dorabiam sobie, odkąd żona nie prowadzi już swojego zakładu – oświadczył. – Planowałem to inaczej, ale skoro sama do mnie przyszłaś, coś ci pokażę.

Sięgnął do szuflady i wyjął drewniane pudełko po cygarach. Otworzył wieko. Wewnątrz leżały kosmyki różnorakich włosów. Wszystkie spięte zielonymi wstążkami. Identycznymi, jakie Ada widziała na miejscach zdarzeń.

– Gdzie trzymasz moją siostrę? – syknęła.

– Od początku chciałem tylko ciebie.

Za długo się wahała. Zamiast sięgnąć po broń, chwyciła krótkofalówkę. Zdążyła nacisnąć przycisk wywołujący, ale Chudaś wyrwał jej sprzęt z rąk. Do twarzy przyłożył gazę z chloroformem. Traciła przytomność w akompaniamencie dzwoniącej komórki i syren policyjnych.

Tymczasowe schronienie
28 września 2011,
okolice Giżyc, gmina Iłów

Samochód skacze na wertepach, kiedy Artur się budzi. Chwilę mu zajmuje, zanim orientuje się, gdzie jest. Widzi zarys głowy Ireny wtulonej w Sylwka, który co jakiś czas pociera oczy, tak jest zmęczony.

– Skręć w lewo. Przez las będzie szybciej – doradza. – Chcesz, to cię wymienię.

Sylwester kręci głową.

– Jesteś pewien, że to bezpieczna kryjówka?

– Chata od dawna stoi pusta. Nawet dzieciaki boją się wchodzić.

– Dobra – zgadza się Sylwester. – Przenocujemy, odpoczniemy, a jutro w nocy ruszymy do Warszawy.

– Do Warszawy? – dziwi się Artur. – Mówiłeś, że twój ojciec ma kasę i nam pomoże. Chce tylko, żebyś wrócił z giganta.

Sylwek długo milczy.

– Wypiął się na nas – mówi wreszcie. – Jak tylko się pojawię, zawiadomi gliny. Nie chciałem martwić Ireny.

Artur zaciska szczęki. To zmienia ich sytuację.

– Nie pękaj – pociesza go Sylwek. – Zadzwonię do Mora. Powiem, że znów mogę gotować dla niego metę. Będziesz mi pomagał.

– A Irena?

– Dla niej też coś się znajdzie. Moro kiedyś będzie królem ulicy. Poznasz go, zrozumiesz. Nigdy jeszcze nie był zatrzymany. Uwierzysz?

Jadą jeszcze kilka minut, aż wreszcie w ciemnościach majaczy kształt.

– Tam będą resztki ogrodzenia – ostrzega Artur. – Jak podjedziesz, wysiądę i przesunę bramę.

Sylwester zwalnia.

– Światła ma do chrzanu ta twoja ciotka.

– No – zgadza się Artur. – Nic nie widać.

Sylwester co jakiś czas zatrzymuje się, otwiera okno i wygląda na drogę.

– Szybciej byłoby na piechotę.

– Irena swoje waży – śmieje się Artur. – Może ją tutaj zostawimy? Jak się obudzi, posika się ze strachu.

Kumpel odwraca się i spogląda na niego wilkiem.

– Uważaj! Stój! – krzyczy Artur.

Przed nimi wyrasta brama. Artur wysiada i z trudem przesuwa ogrodzenie. Tylko kilka belek spada, ale w tej ciszy brzmi to jak huk armat. Zamiera, kiedy światło w jednym z pobliskich domów się zaświeca. Artur wie, że to dom policjanta. Łuchniak wychodzi czasem w nocy na spacer z psem, więc Artur truchtem wraca do auta i poleca Sylwkowi, by zgasił silnik, ale ten dodaje gazu i z piskiem przejeżdża ubity trakt. Zatrzymuje się dopiero przed wejściem do chaty. Z duszą na ramieniu obserwują dom Łuchniaka. Światło gaśnie, nikt nie wychodzi.

Siedzą w milczeniu. Obaj są przestraszeni.

Sylwester decyduje się obudzić Irenę. Dziewczyna podnosi głowę, ziewa. Obejmuje chłopaka ramieniem i znów zapada w sen. Sylwester przykrywa ją kocem.

– Rozejrzyjmy się – zarządza.

Wchodzą do domu. Artur oświetla drogę zapałkami. Jest tak, jak podejrzewał: wartościowe sprzęty rozkradziono, wszędzie poniewierają się nadpalone lub doszczętnie spalone przedmioty. W kącie przykryte brezentem leżą gromnice, dwa stare cmentarne krzyże, brewiarz wyglądający jakby został wyciągnięty z jakiegoś grobu, tablica dziesięciu przykazań w jidysz, kilkanaście wielkich metalowych śrub i wór zbutwiałych odświętnych ubrań. Odór siarki jest wszechobecny, jakby pożar szalał tu wczoraj.

– Tym chyba zabija się trumny? – Sylwester podnosi jedną ze śrub. – Mój pradziadek był grabarzem. Łaziłem podglądać, jak kopie doły dla zmarłych.

Artur wzrusza ramionami.

– Pewnie dzieciaki bawiły się w satanistów. Chyba się nie cykasz?

Sylwester niepewnie kręci głową.

– Nie możemy tu zostać dłużej, niż będzie konieczne – oświadcza.

– To tylko tymczasowe schronienie – odpowiada Artur.

W tym momencie z samochodu dobiega ich rozpaczliwy wrzask.

Chłopcy ruszają z powrotem na podjazd. Irena na ich widok wyskakuje z auta i rzuca się w ramiona Sylwka. On ją przytula. Dziewczyna trzęsie się jak osika.

– Ktoś zaglądał do wozu – szepcze. – Ktoś tu był.

***

Artur do rana nie jest w stanie zmrużyć oka. Myśli, kto nocami ukrywa się w chacie jego matki i dlaczego uciekał. Czy rzeczy, które znaleźli w kącie pod brezentem, należą do niego? Jest zdania, że powinni stąd wiać, nim wstanie słońce, ale nie honor mu się przyznać, że zwyczajnie się boi. Ostatecznie daje się Sylwkowi przekonać, że nie ma zagrożenia.

Patrzy na przyjaciół. Leżą sklejeni z Ireną, jakby nic nie zaszło. Dziewczyna śpi tak mocno, że aż pochrapuje.

Jest jeszcze ciemno, kiedy Artur postanawia przejść się po kurnikach, zdobyć coś do jedzenia. Ma swój naostrzony nóż i zamierza zrobić Irenie i Sylwkowi niespodziankę. Gdyby cicho zarżnął kurę albo małego świniaka, mogliby upiec mięso na ogniu. Nie jedli już kilkanaście godzin.

Idzie w ciemnościach, nie posiłkując się latarką. Wracają wspomnienia. Zna w tej wsi każdy kamień, a choć nie było go trzy lata, stwierdza, że niewiele się zmieniło. Zagajnik tylko zdaje się gęściejszy i poprawili nawierzchnię drogi dojazdowej do dworca. Przez głowę przelatują mu migawki pola słoneczników i pastwiska z krowami. Nie wie, jak zareaguje na te widoki, kiedy wstanie słońce. Czy powstrzyma się, by pójść na pole, gdzie stoi bydło?

Od pierwszego dnia obserwuje Irenę, ale jej nie chce robić krzywdy. Jest dla niego miła. Sylwek i ona go akceptują. Nie pytają o jego sprawy, chyba że sam chce opowiadać, więc kiedy siedzą w przydrożnych barach, podróżują po kraju, serwuje im bajeczki wymyślone na poczekaniu. Mówią ludziom, że są świeżo upieczonymi studentami. To ich ostatnie takie długie wakacje. A choć Artur jest młodszy, ludzie im wierzą. Za kościelne pieniądze dobrze się bawili i starczyło na wyprawę do Konstancina, do ojca Sylwka. Artur liczył, że Jankisz im pomoże. Sytuacja się zmieniła, ale jakoś sobie poradzą. Są drużyną.

Od tygodnia za kradzież kościelnej kasy szuka ich cała Polska, a im wciąż udaje się być niewidzialnymi. Może egzorcyzmy zadziałały i już jest zdrów, myśli. Ten nieokreślony gniew, który go dotąd trawił, minął. Wystarczy kilka piw, trochę zioła, by poczuć ulgę, pociesza się. To dlatego Irena jest bezpieczna. Wcale nie chce podrzynać jej gardła. Lubi ją. I wie, że z wzajemnością.

Wchodzi do pierwszego lepszego kurnika. Rżnie dwie kury, zanim pozostałe się rozgdakają, i pakuje je do plecaka Sylwka. Zarzuca go sobie na plecy.

W ogrodzie zbiera trochę pomidorów, dokłada ogórków i sałaty. Tyle, ile udaje mu się unieść, gdyby trzeba było uciekać. Potem włamuje się do spiżarki, sięga po słoik ze śmietaną. Gdy znajduje bochen chleba zawinięty w ręcznik, przykłada go do twarzy i napawa się jego zapachem. Jest świeżutki, upieczony ledwie kilka dni temu. Zaczyna go gryźć. Szarpie wielkie kęsy i przełyka łapczywie, aż się dławi.

W pierwszej chwili nie słyszy skrzypienia drzwi. Kuli się. Czeka, w każdej chwili gotów do zadania ciosu, choćby miał zabić. Ale to tylko kot wślizguje się, by podpić śmietany. Artur rzuca się na niego. Kocur jest jednak szybszy. Ucieka. Drzwi się chyboczą, stare zawiasy trzeszczą, metalowy rygiel uderza o ścianę. Dużo hałasu jak na jednego nietrafionego nożem kota, myśli, i z żalem oddala się marszowym krokiem, który po chwili, niemal automatycznie, przemienia się w bieg. To polowanie trochę go jednak podnieciło. Czuje się rześko, adrenalina uderza mu do głowy. Wie, że to zaraz minie i znów będzie czuł męczące napięcie, którego nie rozumie i nie potrafi rozładować. Ta niemoc go dołuje. Jakby był w pułapce. Truchta nawet wtedy, gdy na horyzoncie widzi już swoją rodzinną posesję i ma pewność, że nikt go nie goni, bo bieg go uspokaja.

Po zabójstwie Pati czuł ekscytację, euforię, stan rozkoszy wręcz, ale te doznania szybko zblakły. Długo jeszcze potrafił je wzniecać fantazjami. Zwijał i rozwijał kłębek zielonej tasiemki, bawił się włosami dziewczyny, które uciął na czubku głowy na pamiątkę. Wreszcie wrócił do zabijania zwierząt, ale ponieważ okolice Łukęcina to nie był teren rolniczy, trudno było o bydło. Polował na ptaki, ryby albo gryzonie, ale nie sprawiało mu to dawnej przyjemności, a jedynie utwierdzało ciotkę w przekonaniu, że jest opętany. Raz wyznał jej w chwili słabości, że chciałby poczuć zapach strachu dziewczyny, ale boi się zabić. To wtedy zaczęła go egzorcyzmować.

Słyszy skoczną muzykę z przenośnego głośnika, a zaraz potem gwizd nadjeżdżającego pociągu. Artur zatrzymuje się, rozgląda. Szosą w kierunku dworca zmierza dziewczyna. Poznaje ją. Stali obok siebie na pogrzebie Pati. To jej starsza siostra. Kasia Chudaś wyładniała i urosły jej piersi. W ręku ma torbę podróżną, na plecach dźwiga wielki pakunek ze stelażem. Torba w jej dłoni podryguje, urywa się jedna rączka. Artur ma déjà vu. Chowa nóż do rękawa, prostuje się, otrzepuje ubranie. Wolnym krokiem dociera do szosy i zagaja przymilnie:

– Może pomóc? Do dworca jeszcze kawał drogi.

Dziewczyna uśmiecha się w podziękowaniu. Nie pyta, kim jest, i z pewnością go nie rozpoznaje. Oddaje mu torbę, a zwolniona od ciężaru wyrywa do przodu. Artur czuje znajome uderzenie gorąca i przyjemne łaskotanie ekscytacji w piersiach.

Chwyta ją za ramię, zakrywa dłonią usta, ciągnie na stary wojskowy cmentarz.

Porzucony głośniczek zostaje na drodze. Adele jest w połowie *Rolling in the Deep*.

***

Budzi się i widzi rząd krzyży. Słońce odbija się w wypolerowanym nagrobku jak w zwierciadle. Zaciska dłoń i czuje, że na palcach ma sztywną skorupę z zakrzepłej krwi. Podnosi głowę, otrzepuje się jak pies, by wróciła świadomość. Nie wie, jak długo był nieprzytomny. Minutę, dwie, kwadrans? I nagle czuje błogość. Przypomina sobie, że znów mu się udało. Siada, ogląda zakrwawione ręce. Czyści nóż o trawę, chowa zieloną tasiemkę do kieszeni.

Ma ochotę ostatni raz podziwiać swoje dzieło. Podnosi się, rusza tam, gdzie zostawił ciało. I wtedy widzi, że Kasia nie jest sama.

Facet ma zdjęte spodnie. Pochyla się nad zwłokami dziewczyny i wykonuje rytmiczne ruchy. W pierwszej chwili Artur nie jest pewien, co się tu odbywa. Czuje jednak gniew, bo to jego ofiara. To tak, jakby facet kradł mu jego własność. Sięga po swój nóż i zamierza się na intruza. Tamten odwraca głowę. Wtedy Artur go poznaje.

– Ty zboczeńcu – syczy. – To przecież twoja bratanica.

Część 6

DEPRESJA

Wujek

sobota (5 czerwca)

Sobieski od kilku godzin czekał na swoje drugie przesłuchanie. Korytarz był przepełniony, a krzesełka obok zajmowali kolejno: Piorunka, Oziu, Ines i kilkanaście prostytutek, które Jakub znał z nagrań albo widział na korytarzu w Nanie. Nikt się nie odzywał. Można by pomyśleć, że wcale się nie znają. Piorunka czytała kryminał, dziewczyny miały oczy w telefonach, a Ines kończyła robić na drutach trzeci kaftanik. Sobieski wiedział, że w pokojach naprzeciwko maglują teraz ostro Sylwestra Jankisza i Danusię – księgową Piorunki.

To ona wyszła pierwsza. Wygładziła swój szary kostium. Porozumiała się wzrokiem z pryncypałką i wzniosła oczy do góry, na co ta tylko nieznacznie pokręciła głową. Danusia bez słowa pożegnania opuściła komendę.

– Jakub Sobieski. – Z pomieszczenia wychylił się barczysty pięćdziesięciolatek o kanciastej twarzy, którą kobiety z jakichś przyczyn uważały za pociągającą. Wykonał zapraszający gest dłonią.

Sobieski wstał, ruszył jak na ścięcie.

– Chyba nie spotkaliśmy się w stołecznej – zagaił z krzywym uśmieszkiem komisarz Zbigniew Drabik, kiedy drzwi pokoju zatrzasnęły się za świadkiem.

Sobieski obrzucił spojrzeniem plakietkę drugiego zastępcy naczelnika. To dlatego zwodzi Adę, pomyślał. Nie ma wystarczającego przełożenia kadrowego. A może nie chce mieć w wydziale dziewczyny, z którą sypia? Facet niebezpiecznie przypominał mu Cykora, adoratora jego żony. Pewny siebie, autorytarny typ, który wszystko ma najlepsze, robi najlepiej i nigdy nie dręczą go żadne wątpliwości. Dlaczego kobiety uważają takich dupków za atrakcyjnych?

– Pracowałem w podwarszawskim komisariacie – odparł. – Nie mogliśmy się przeciąć, bo u nas nie było zabójstw i tego typu spraw. Wyspecjalizowałem się w rozwiązywaniu zwykłych kradzieży i kradzieży z włamaniem z góry uznanych za niewykryte. Potem przesunęli mnie do dochodzeniówki. Do dwa tysiące dziewiętnastego roku byłem uznawany za najlepszego policjanta w powiecie...

– Wiem, wiem. Zostałeś nawet odznaczony – wszedł mu w słowo Drabik. – Oczywiście znam twoją sprawę. Dramat. – Westchnął teatralnie. – Każdy z nas mógłby być w tej sytuacji. Strasznie współczuję, stary.

Sobieski przyjrzał się facetowi. Zacisnął szczęki. Zdecydował się rzucić mu prawdę w twarz. I tak nie miał już nic do stracenia.

– Ada odkryła zwłoki swojego psa i zniknęła. Nie dziwi cię to? Zajmujesz się słuchaniem kurew i sutenerów zamiast jej szukać.

– To nie pierwszy raz, jak zniknęła. – Naczelnik zaśmiał się, szczerze ubawiony. – Dobrze, że nie poinformowaliśmy jeszcze o jej cudownym odnalezieniu. Ci dziennikarze to jednak dupy wołowe. Latała między nimi w mundurze polowym i hełmie, a żaden jej nie rozpoznał. Ot, Polska... Tak między nami, sądzę, że wróci. Popłacze po suczce, uspokoi się i wróci. To jedna z tych, które lubią cierpieć w samotności. Nie chce, żeby ktoś widział jej słabość.

– Tak dobrze ją znasz?

– Trochę. – Drabik machnął lekceważąco ręką. – No, chyba że ty lepiej...

Pogładził się po brzuchu. Sobieski z satysfakcją stwierdził, że tej oponki nad paskiem nie da się już zamaskować luźniejszą odzieżą.

– Pewnie upiła się z żałości i wstydzi się pokazać w robocie – dodał Drabik.

– Gdzie miała się upić? Jej dom jest miejscem zdarzenia – podkreślił Sobieski. – Zaginęła w parku. Niko twierdzi, że z kimś rozmawiała. I podała lokalizację, ale odmówiono jej wsparcia.

– O tym jeszcze pomówimy – przerwał mu Drabik. – O waszych nielegalnych działaniach w sprawie Kosiarza i czy nie kwalifikuje się to na zarzut mataczenia lub utrudniania pracy organom ścigania. – Zatrzymał się, spojrzał na Sobieskiego z wyższością. – Więc jeśli nie chcesz robić wujowi wilczego biletu w branży, lepiej nie wspominaj jego nazwiska w protokole. „Nie pamiętam" zawsze brzmi lepiej niż jakikolwiek konkret. Interesowałeś się przecież socjologią, badaniem ludzkiej osobowości i zapisałeś się na szkolenie z taktyk przesłuchań... Ale nie zdążyłeś ich odbyć, bo cię te chuje posunęli. W sumie mi przykro. To był naprawdę dobry warsztat.

Sobieski z trudem zachowywał spokój. Nie zamierzał być kumplem Drabika.

– Powiem, jak było, komisarzu. I możesz to nagrać, zapisać, jak tylko sobie życzysz... – wypalił. – Choćbym miał za tę prawdę zapłacić jak za tamto na komisariacie. Zresztą, co mi zrobisz? Sumienie mam czyste. W feralną noc Beata Kowalczyk wsiadła do mojej taksówki. Widziałem, jak znika w gronie dwóch zamordowanych później sióstr Rosołowskich i Sylwestra Jankisza. Był z nimi też mój kumpel – kapitan w spoczynku Tadeusz Orzechowski, ksywa Oziu. Następnego dnia rano poznałem Adę. Dostała cynk, że jakiś gość uprowadził jej siostrę taksówką podobną do tej, jaką ja jeżdżę. Nie miała podstaw, żeby mnie zgarnąć, ale pogadałem z nią. Zaczęliśmy razem pracować.

– Pracować? – parsknął Drabik. – Mówisz o wycieczkach na Mazowsze, gdzie byłeś bliski jej bzyknięcia?

Sobieski nie dał się sprowokować.

– Pojechaliśmy do Iłowa i Giżyc. Naszym zdaniem trop łączy się ze sprawą zabójstwa nastolatki Partycji Chudaś. Artur Szlachta nie był podejrzany, ale zarówno jego matka, jak i ojczym zmarli w niewyjaśnionych okolicznościach. On sam zniknął bez śladu. Sądzimy, że jest powiązany z zabójstwami dziewczyn Piorunki.

– Dość! – Drabik podniósł dłoń. – Znam wszystkie detale waszych wojaży i rozmów. Słyszałem też wątek o opętanym dziecku i ciotkach, które mają dar rozmawiania z duchami. To bzdury!

– Sprawdziłeś chociaż te tropy? Niedopałek, podatek, rower...

– Jakie tropy? Plotki, pomówienia czy opowieści z mchu i paproci? A może teoria skompromitowanego Łuchniaka, który pił na umór i omal nie postrzelił żony na komendzie, jak niosła mu bezy? Wiele was łączy. Może dlatego się zwąchaliście?

– Więc nigdy nie brałeś tego, co Ada znalazła, na serio?

– Co niby znalazła? Bo w materiale dowodowym jak na razie nie mam ani jednego konkretu. Chyba że chodzi ci o ciało niejakiej Sabriny, która pracowała jako prostytutka w Tęczowym Zakątku i jakimś cudem zasnęła w łóżku naszej wspólnej kumpeli! – Przerwał i świdrował Sobieskiego wzrokiem. – Co was z nią łączy? Znasz tę dziwkę?

– Nie. I nie sądzę, by Ada ją znała. Natomiast od początku uważałem, że Kosiarz się na nią zasadzi. Było wiele przesłanek. Uprowadzenie Beaty Kowalczyk, próba przejęcia jej psa... Ten facet z jakiegoś powodu atakuje siostry.

– Tym bardziej powinna była siedzieć w domu i czekać na rozkazy, a nie łazić po parkach i jeździć pekaesem nad morze!

– Pojechała, bo znalazła wątek do sprawdzenia.

– Praca w wydziale to nie miejsce dla indywidualistów. Pracujemy zespołowo i dobrze o tym wiesz!

– Nie zgłaszam się do ciebie do pracy – warknął Sobieski. – Mówię ci o tym wszystkim, bo zależy mi, żebyś coś zrobił. Ona nie poszła pić ani płakać! Jej siostra została uprowadzona jako pierwsza, a teraz wziął Adę. Ten facet już wcześniej próbował uprowadzić jej psa. To stalker.

– To Kosiarz. Sprawca seksualny. Dewiant, który poluje na prostytutki. Chyba że w życiu Ady jest wątek, którego nie znam?

– Nie ma takiego wątku.

Drabik rozparł się na krześle. Wyciągnął nogi przed siebie, zaparł się nimi, jakby hamował rozpędzone auto. Sobieski zrozumiał, że tak naprawdę martwi się o Adę, ale nie honor mu to przyznać.

– Nie jestem twoim rywalem. Nie musisz się tak wkurwiać – dorzucił łagodniej. – Jestem nikim. Masz w ogóle do mnie jakieś pytania czy tylko chciałeś mnie zobaczyć?

– Jedno.

– Słucham.

– Pracowałeś dla Piorunki, przyjaźnisz się z Oziem. Wiem, że woziłeś po mieście nie tylko pudełka „Jestem fit".

Sobieski już miał protestować, ale Drabik podniósł dłoń, by mu nie przerywał.

– Zastanów się nad odpowiedzią, bo od tego zależeć będzie, czy wyjdziesz stąd wolny, czy posadzę cię za arsenał nierejestrowanej broni w bagażniku.

– Jak brzmi to pytanie?

– Jesteś w stanie rozpoznać człowieka, którego dostarczyłeś na zdjęciu, jako Mora?

– Chodzi ci o zeznanie w sądzie? – upewnił się Sobieski. – Mam go wystawić? Na tym polega twój plan, by zbudować oskarżenie?

Drabik potwierdził.

– I ja mam być kozłem ofiarnym?

– Ktoś musi to powiedzieć. Wiesz o tym tak dobrze, jak ja. Podbiję twoje potwierdzenie zeznaniami dziwek, bo na to się z nimi dogadam. Oziu się zgodził, jeśli i ty będziesz współpracował. Wiesz, że na niego mamy cały pakiet materiałów. Ty w przeciwieństwie do niego masz wybór. Na razie.

Sobieski mu nie uwierzył.

– Oziu tego nie zrobi – rzekł, by utwierdzić siebie samego. – Nie widział Mora na oczy!

Drabik pomachał mu jakimś papierem. Wyglądał jak podpisany protokół.

– Potrzebujemy tylko twojego słowa.

– Nie – odparł stanowczo Sobieski. – Nie zeznam tego.

– Wolisz spędzić kilka lat w pierdlu? Nie skończy się na zawiasach, bo sprawa jest medialna, i zadbam, by w pace chłopcy mieli z tobą uciechę. To, że przez ciebie zmarł człowiek po przesłuchaniu, doda smaczku zabawie.

– To groźba. – Sobieski westchnął zrezygnowany.

– Propozycja nie do odrzucenia.

– I nie do przyjęcia. Gdybym gościa znał i był pewien, że człowiek ze zdjęcia to Moro, zeznałbym to i bez twoich ofert. Na tę chwilę mogę jedynie potwierdzić, że facet nazywa się Sylwester Jankisz i ma za żonę prostytutkę Cleo. Tak się też składa, że jest to jeden z trójcy zaginionych dzieciaków, o których opowiadała ci z pewnością Ada. Drugim z nich był Artur Szlachta, naszym zdaniem najmłodszy sprawca seksualny w tym kraju. Trzecią osobą jest Irena Kaźmierczak. Niestety także nie do namierzenia.

Drabik nie dał mu dokończyć.

– Irena wyszła za mąż i mieszka w Kanadzie. Jankisz zeznał, że jest z nią w kontakcie fejsbukowym. Wygląda na to, że wiedzie spokojne i szczęśliwe życie ekspatki. Tym samym wasza teoria jest z dupy.

– Staram się ci pomóc.

– To zacznij współpracować!

– Próbuję, człowieku! Ale ty nikogo nie słuchasz. – Sobieski wiedział, że brzmi jak wariat, ale nie miał wyjścia. Był zdecydowany powtarzać to tej zakutej pale, choćby miał pompować jego ego, byle tylko Drabik rzucił środki na poszukiwania Ady. – Zaparłeś się na tego Mora, kiedy pod bokiem jakiś Kosiarz morduje panienki niczym Kuba Rozpruwacz. Teraz znika twoja protegowana, a ty udajesz, że poszła sobie płakać. Kluczem jest Jankisz i macie tego gościa na warsztacie!

– Za chwilę go wypuszczam – przerwał mu Drabik. – Patolog potwierdził, że czas zgonu prostytutki o imieniu Sabrina wyklucza Jankisza z gry. Przebywał wtedy na naszym dołku.

– To dlatego jesteś taki wkurwiony? – Sobieski przyjrzał mu się. – I mnie chcesz w to wrobić?

Drabik nie odpowiedział. Pozostał nieprzenikniony. Sobieski nabrał powietrza w płuca i wypalił:

– Przysięgam, że gdy adwokat Jankisza zapyta mnie, czy poznaję tego człowieka, odpowiem, że tak, ale nie wiem, czy to jest Moro, główny producent piko w tym mieście. Nie sądzę, by taka wersja pomogła ci w jego skazaniu.

Drabik zachował spokój. Wstał, zaczął się przechadzać po pomieszczeniu. Sobieski czuł jego pot i wiedział, że naczelnik nie wychodził z komendy od wielu godzin. Może jest głodny, chciałby zapalić, a końca przesłuchań nie było widać. A jednak nie idzie, czynności wykonuje osobiście. Sobieski nie widział kamery zwyczajowo rejestrującej przesłuchanie ani stenotypistki.

– Widziałeś tę taśmę, która trafiła w nasze ręce? – zmienił nagle temat Drabik. – Ines, ulubienica Piorunki, twierdzi, że wsadzałeś nos w ich tajne nagrania.

– Owszem, obejrzałem jakieś cztery tysiące godzin niekończącego się serialu „W krainie ludzi", które Piorunka mi dostarczyła. Nie wiem, czy taśma, którą zabezpieczyliście, to jeden z odcinków tych właśnie produkcji. Ale od razu mogę ci powiedzieć, że nie było tam ministrów, posłów ani żadnej maści celebrytów.

– Na tej też ich ma.

– Słyszałem co innego. Ponoć jest wyjątkowo cenna.

– Jest – zapewnił komisarz. – A jeśli pokażę ci nagranie, zrozumiesz, że współpraca ze mną może odmienić twoje życie.

– Ostatnio słyszę to co kilka dni – parsknął Sobieski. – I nieważne: zgadzam się czy odmawiam, wpierdalam się w coraz większe kłopoty.

Drabik nie odpowiedział. Sięgnął po pilota i włączył wiszący na ścianie telewizor. Zanim sprzęt się załadował, pojawił się wielki napis: „Spierdalaj".

– Sorry, ale zwykle w tej sali robimy telekonferencje i narady – wyjaśnił z przekąsem Drabik. – To akurat pozdrowienie dla naszego aktualnego komendanta.

Sobieski mimowolnie się uśmiechnął. Zatęsknił na chwilę za pracą w strukturach.

A potem uśmiech zamarł mu na twarzy, bo na ekranie pojawił się starszy mężczyzna spółkujący z przeciętnej urody dziewczyną. Brał zamach i uderzał ją z całej siły w twarz. Bił coraz brutalniej, nie przestając gwałcić. Jego partnerka zdawała się doznawać ekstazy.

– Chyba starczy – rzekł Sobieski, odwracając głowę.

Drabik zatrzymał i powiększył obraz, fokusując ostrość na twarze uczestników aktu.

– Co to za ważniak? – Jakub nie rozumiał, po co Drabik mu to pokazuje. – Nie znam faceta. Nigdy go nie spotkałem. Jeśli potrzebujesz, mogę, choćby i przed sądem, zeznać, że akurat tego wideo u Piorunki nie widziałem. Gdyż jest to prawdą.

– On? – Policjant obejrzał się na odbiornik i przywrócił obraz do standardowych ustawień. – To jest nikt. Nieistotna osoba. Chodzi o nią.

Sobieski czekał.

– Nazywa się Marta Sobolewska i jest córką faceta, który między innymi przyczynił się do twojego zwolnienia. Kiedy powstał ten film, inspektor był komendantem głównym, a teraz, jak wiesz, jest pierwszym kandydatem na posadę rządową. Uważasz, że to wypłynęło przypadkiem w chwili, kiedy postanawiamy przymknąć jakiegoś drobnego sutenera?

– Mam to gdzieś. – Sobieski wstał. Skierował się do drzwi. – I ty też powinieneś. Skoro wystawiłeś na wabia swoją kobietę, a sprawca chwycił haczyk, pociągnij za wędkę i odłów go.

– To nie jest moja kobieta – burknął Drabik.
– Okay, więc podwładna.
– Ada nie pracuje w moim wydziale.
– To ustal sobie, kim dla ciebie jest ta dziewczyna, a ja zajmę się jej szukaniem.

Bardzo się starał nie trzasnąć drzwiami, gdy wychodził.

***

Wrócił do parku, gdzie ostatni raz widziana była Ada. Za plecami miał krzaki, w których znaleziono psa policjantki. Przed nim w fontannie oświetlonej na różne kolory taplały się dzieci. Matki obsiadły wszystkie nasłonecznione ławki. Ludzie spacerowali, grali w bule. Słyszał, jak zniżonymi głosami omawiają sprawę kryminalną, która rozegrała się kilka przecznic stąd, ale widać nie bali się, skoro przyszli tu odpoczywać.

Po wyjściu z komendy rozmówił się z Nikiem. Technik powiedział mu, że zostawił Adę na ławce, a kiedy zadzwonił, rozmawiała z nim i jednocześnie z jakimś przechodniem. W każdym razie wydawało mu się, że słyszy męski głos. Poprosił ją, by przyniosła resztę jego sprzętu z bagażnika, i potwierdziła, że to zrobi, ale więcej się nie pojawiła. Ostatecznie udał się do samochodu sam. Rozglądał się wtedy za nią, ale nie było jej w zasięgu wzroku.

Oficer zarządzający ekipą zabezpieczającą ślady na miejscu zabójstwa prostytutki słyszał prośbę aspirant Kowalczyk o wsparcie, ale nie miał kogo do niej wysłać. Zignorował jej wezwanie, a teraz tłumaczył, że nie nadała meldunkowi etykiety pilnej i więcej go nie wywołała. A ponieważ Ada już wcześniej była niesubordynowana i znikała bez słowa, nikogo to nie obchodziło. Ludzie z jej wydziału mieli dosyć krycia koleżanki i wyświadczania jej drobnych przysług. Woleli nie mieszać się do sprawy i uparcie unikali tematu.

Sobieski obrócił się wokół własnej osi, rozejrzał po alejkach i ocenił odległość do ulic. Porywacz musiał zaczaić się na Adę gdzieś w tym miejscu. Niko nie słyszał krzyków. Nie stwierdzono śladów walki.

Drabik zapewniał, że policjanci wylegitymowali każdego kierowcę, który parkował lub zatrzymywał się w okolicy, a wybrane losowo wozy zrewidowano. Przez całe wczorajsze popołudnie funkcjonariusze chodzili od drzwi do drzwi i rozmawiali z mieszkańcami okolicznych kamienic. Nikt niczego nie zauważył. Wydało się to Sobieskiemu podejrzane.

Czy po odkryciu zwłok we własnym łóżku i ujawnieniu ciała ukochanego psa Ada dobrowolnie wsiadłaby do samochodu jakiegoś przechodnia? Jakiego podstępu użył porywacz, by zwabić ją w pułapkę? Miała ze sobą telefon, krótkofalówkę i była uzbrojona. Dlaczego po ostatnim meldunku nie podała współrzędnych swojego pobytu? Czy mundur i kabura z bronią przytroczona do pasa dawały jej takie poczucie bezpieczeństwa, by sądziła, że nie zostanie zaatakowana? Jaki sprawca jest na tyle bezczelny, by uprowadzić w biały dzień uzbrojoną funkcjonariuszkę? Czyżby znała porywacza, a on znał ją?

Przypomniał sobie, co mówiła, kiedy w poniedziałek rano przyjechał do niej z pączkami. Ktoś próbował ukraść jej psa i odzyskała go dzięki pomocy uczynnego przechodnia, który mieszka w okolicy.

Sąsiad. Ktoś, kogo znasz z widzenia. Kto zna ciebie.

A jeśli wcale nie została uprowadzona autem i wciąż jest uwięziona w którymś z tych budynków?

Pukał metodycznie do wszystkich mieszkań w szeregu. Ruszył w boczne uliczki i doszedł aż do trasy szybkiego ruchu, ale nic nie wskórał. Ludzie kręcili głowami, rozkładali bezradnie ręce. W większości byli zniecierpliwieni, bo policjanci zawracali im głowę od wczoraj. Sobieski przemierzył park i wrócił do miejsca, z którego zaczynał. Nużące przepytania upewniły go jedynie, że Ada nie mogła wyjść z parku od tej strony. Możliwości zostały dwie: albo przeszła kładką na Pola Mokotowskie, albo powędrowała z nieznajomym mężczyzną wzdłuż Filtrów.

Przymknął oczy i postarał się uspokoić. Zniknęła w bardzo krótkim czasie. Sąsiad, przechodzień czy kimkolwiek był ten człowiek, z którym rozmawiała, mieszkał w niedużej odległości. Otworzył oczy.

Jego spojrzenie zatrzymało się na starej obrośniętej winoroślą willi, której tynk nie odpadał tylko na parterze. Frontowe okno zasłonięto wypłowiałym banerem atelier peruk. Jakość wydruku świadczyła, że zakład nie działał od lat. Furtka była uchylona. Sobieski nacisnął klamkę i ruszył do drzwi.

– Już u nas byliście. – Dobiegł go skrzekliwy głos. – Mam teraz telekonferencję z klientem. Dajcie nam pracować.

Rozejrzał się, by zlokalizować mężczyznę.

Stał na tarasie. W jednej dłoni trzymał zapalonego papierosa, a w drugiej – telefon na wysięgniku.

– Widział pan wczoraj kobietę w czarnym mundurze? Szczupła, prawie mojego wzrostu. – Pokazał. – Mogła mieć towarzystwo. Cywila.

– Po drugiej stronie parku znaleźli kolejną ofiarę Kosiarza. Wie pan, ile policjantek kręci się tutaj od tej pory?

– Domyślam się. Ale mnie chodzi o dziewczynę w mundurze polowym. Hełm, pełne uzbrojenie… Tam siedziała. Rozmawiała z kimś.

Facet odwrócił się, więc Sobieski wskazał miejsce przy fontannie.

– Często pan wychodzi na ten balkon zapalić? Z tego miejsca, gdzie pan stoi, musiała być widoczna jak na dłoni.

– Pan z prasy?

Sobieski zawahał się. Pokręcił głową.

– Zaginiona jest moją znajomą – wyznał.

Nie wiedział, czy gospodarz mu uwierzył, ale powiedział coś do telefonu i zaśmiał się sztucznie. Odłożył komórkę na stolik.

– Już mówiłem policjantom, że mogłem ją widzieć. Znam ją, bo mieszka w tamtej kamienicy, gdzie znaleźli ciało. Ma rasowego pieska w łaty. O nią chodzi?

Sobieski potwierdził.

– Szła ze starszym facetem. Wyglądał na Azjatę. Mieli ze sobą wiekowego psa. To był owczarek niemiecki użytkowy. Piękna rasa.

Sobieski z żalem gasił cień wzniecanej nadziei.

– Szli w stronę parku?

– Tak jest.

– I nie widział pan, żeby tędy wracała?

– Nie tym wyjściem ze skweru – zapewnił mężczyzna. – Wtedy też pracowałem zdalnie. Schowałem się, dopiero jak zaroiło się od glin. Robili taki hałas, że nie dało się rozmawiać.

– Dziękuję. – Sobieski skinął głową i zaczął odchodzić. – Bardzo mi pan pomógł.

– Nie ma sprawy. Powodzenia w poszukiwaniach.

Na plecach czuł świdrujący wzrok mężczyzny.

– Gdyby coś pan sobie przypomniał, podam do siebie kontakt.

Odwrócił się gwałtownie i ruszył wprost do furtki, a potem, nie czekając na odpowiedź, wdarł się na posesję.

⁂

Ada ocknęła się i stwierdziła, że jest związana oraz rozebrana od pasa w dół. Zamknęła oczy, zacisnęła zęby z gniewu. W głowie jej szumiało, żołądek podchodził do gardła, jakby znajdowała się na jachcie podczas sztormu. Nie była pewna, czy gdyby znajdowała się w pozycji pionowej, utrzymałaby równowagę, więc leżała bez ruchu, zbierając siły.

Plastikowe zaciski wpijały się jej w nadgarstki. Te na nogach były nieco luźniejsze, lecz kiedy zaczęła wierzgać, tylko się poraniła. Spróbowała się przekręcić, by rozejrzeć się po pomieszczeniu, i udało jej się położyć na boku. Stwierdziła, że nie znajduje się w pomieszczeniu z perukami. Sprawca przemieścił ją do kanciapy na tyłach dawnego atelier, które służyło mu za skład brudnych przedmiotów uwalanych ziemią.

W rogu dostrzegła podłużny kształt, jakby skrzynię zbitą z malowanych na czarno desek, ale dopiero kiedy się podniosła, zrozumiała, że to stara trumna. Satynowa wyściółka była spleśniała, zasypana ziemią i zabrudzona brunatną substancją. Ada nawet nie chciała myśleć, co Damian Chudaś w niej trzymał. Pod ścianą leżały krucyfiksy, sterta plastikowych kwiatów ozdobionych żałobnymi wstęgami i nowiutka, jeszcze zafoliowana paczka zniczy. Rozglądała się za czymś, czym mogłaby przeciąć więzy. Jej wzrok zatrzymał się na zapiaszczonej łopacie z ułamanym trzonkiem. Podczołgała się w tamtym kierunku i z impetem zabrała do pracy. Tarcie plastiku o pordzewiały metal szło opornie, ale nie ustawała w wysiłkach. Czuła, że ma niewiele czasu.

Nagle rozległ się głuchy trzask, jakby zamknięto z rozmachem drzwi, a potem dobiegły ją stłumione głosy. Ktoś wszedł do domu.

Jeszcze intensywniej piłowała zacisk. Kilka razy drasnęła się w dłoń, ale tylko zdwoiła wysiłki. Pierwszy plastik nareszcie pękł. Roztarła ręce i zajęła się kostkami. Poszło jej znacznie szybciej. Była wolna.

Wstała, ale zaraz upadła. W głowie jej wirowało. Nogi wciąż miała jak z waty. Zastanawiała się, co jej podał. Wtedy w kącie zobaczyła swoje rzeczy. Rzuciła się w tamtym kierunku, złapała spodnie i na siedząco je wciągnęła, ale broni ani pałki nie znalazła. Chwyciła jakiś drąg, ustawiła się przy drzwiach. Czekała na szmer, choćby delikatny odgłos stąpania. Zamiast tego usłyszała:

– Stój! Na ziemię! Ręce za głowę!

Dobiegł ją rumor i brzęk tłuczonego szkła, jakby przewrócono mebel z szybami.

Wychyliła się.

Zobaczyła Sobieskiego siedzącego okrakiem na facecie, który ją uprowadził. Nagle Chudaś wyciągnął jej glocka i wycelował prosto w czoło Jakuba. Skoczyła, by wyrwać mu broń, ale była zbyt słaba. Dosłownie w ostatniej chwili udało jej się uderzyć Chudasia drągiem. Ramię napastnika przesunęło się o kilka centymetrów. Broń wypadła mu z dłoni, ale strzał padł. Sobieski skulił się, zluzował chwyt. Chudaś poderwał się, zaczął uciekać. Ada zmobilizowała wszystkie siły. Skoczyła w tamtym kierunku, podniosła pistolet i krzycząc: „Stój, policja!", strzeliła raz w sufit, a potem drugi raz – w nogi mężczyzny. Nie trafiła. Wiedziała, że napastnik za chwilę zniknie na schodach. Przymierzyła się i ponownie nacisnęła spust. Znów pudło. Czuła jedynie paraliżujący ból od odrzutu. Muszka w szczerbinkę i znów spróbowała. Zdawało jej się, że i tym razem niecelnie, ale Chudaś zaplątał się o swoje stopy, wreszcie padł.

– Gdzie moje rzeczy? – warknęła, wciąż trzymając go na muszce.

– Tam, gdzie je zostawiłaś. – Popisowo zajęczał. – A było nam tak dobrze, kiedy spałaś.

– Wyślę cię do piekła. Tam będzie ci najlepiej.

Wymieniła spojrzenie z Sobieskim. Trzymał się za brzuch, z którego sączyła się krew, ale zdołał wykrzywić usta w grymas, który miał być uśmiechem. Przesunął po podłodze swoją komórkę. Ada wykręciła numer alarmowy, choć w okolicy wyły już syreny.

***

– Damian Chudaś, dwa lata filozofii, rok antropologii. Niegłupi facet, ale ostatecznie zarabiał jako ślusarz, specjalista od zamkniętych sejfów i zatrzaśniętych drzwi. Przed laty miał z żoną zarejestrowaną działalność gospodarczą. Prowadzili zakład fryzjerski. Kobieta opuściła go, gdy wykryła, że to z zamiłowania cmentarny wandal.

Komisarz Drabik położył na stole zdjęcie sygnalityczne podejrzanego. Ani Sobieski, ani Ada nie pochylili się, by przyjrzeć się fotografii. Napatrzyli się na niego podczas aresztowania i na konfrontacjach. Siedzieli teraz skuleni na krzesełkach w motelu Turkus, dokąd kilka dni temu Jakub podwoził Adę po powrocie z Giżyc.

– Włosy to jego fetysz – kontynuował komisarz. – Wykopywał trupy kobiet, ścinał im włosy i robił z nich peruki.

– Widziałam je. Było ich tyle, że musiał to robić latami.

– Dlaczego nie powiesz od razu, że to nekrofil? – odezwał się Sobieski.

Drabik wzruszył ramionami.

– Prokurator nie postawił mu jeszcze zarzutów. Zastanawiamy się, co z nim zrobić.

– Brewiarze, tablice cmentarne, łopata, szmaty umarłych i nawet dwie ludzkie czaszki – wzburzyła się Ada. – Mało ci?

– To, co odkryliśmy w jego domu, jest szokujące. Dowody nie wskazują jednak, by miał związek z zabójstwami prostytutek. Pewne jest tylko, że to hiena cmentarna – uciął Drabik. – I wiem, że jest wujem Patrycji Chudaś, dziewczynki zabitej w Giżycach trzynaście lat temu, ale wygląda na to, że nic go nie łączy z Kosiarzem. To samotnik.

– Prowadził pogotowie ślusarskie – rzuciła Ada. – Potrafi otworzyć każdy zamek. To by wyjaśniało, jak dostał się do mieszkania Beci i mojego.

– W żadnym z miejsc zbrodni nie było śladów włamania. Sprawca miał klucze – zaoponował komisarz.

– Mógł je dorobić.

– Nie zabezpieczyliśmy duplikatów. Wszystkie skrzynki z narzędziami dokładnie sprawdzono. Nie ma go też na monitoringu w hotelu Cosmos. Ale przeglądamy jeszcze miejskie nagrania. To potrwa.

– A skrzynka z kosmykami?

– Nie ma zgodności z fragmentami włosów zabezpieczonymi na miejscach zbrodni. No i niestety żadnego śladu, że Chudaś mógł mieć związek z uprowadzeniem Beaty Kowalczyk. Za to miał obsesję na twoim punkcie. Ale do tego jeszcze dojdziemy. Po kolei.

Ada wyszukała na stole fotografię poglądową z miejsca oględzin Abioli Rosołowskiej. Tę, na której technik uwiecznił ścianę ze zdjęciami kobiet.

– Może w swojej kolekcji ma włosy którejś z nich?

– Analizujemy to – zapewnił Drabik i zawahał się, nim dodał: – Przykro mi, Ada. Wygląda na to, że to tylko twój stalker.

– Tylko? – zacietrzewiła się. – A nie zboczeniec, psychopata i parafil?

– Jak chcesz, możesz zgłosić gwałt, ale jeśli do penetracji nie doszło, będzie kwalifikowane jako usiłowanie. Chudaś odmówił składania wyjaśnień w sprawie Kosiarza i konsekwentnie zaprzecza, że ma cokolwiek wspólnego z zabójstwami. Nie chciałbym cię rozdrażniać, ale na twoim miejscu zastanowiłbym się jeszcze z tym gwałtem, bo prawnik doradził mu zawalczenie o obronę konieczną. Podczas dzisiejszego przesłuchania stwierdził, że dobrowolnie udałaś się do jego mieszkania i od dawna uwodziłaś go na spacerach. – Odchrząknął. – A dziś w nocy wręcz domagałaś się seksu, dlatego musiał cię odizolować. I związać.

– Bezczelny skurwysyn! – syknęła Ada.

– Ty też możesz mieć kłopoty. – Drabik przeniósł spojrzenie na Sobieskiego. – Chudaś przekonuje, że wdarłeś się do jego domu z bronią i próbowałeś go zastrzelić.

– Jest to prawdą – zgodził się Sobieski. – I żałuję, że tego nie zrobiłem. Serio.

– Z zazdrości oczywiście – dokończył komisarz. Uśmiechnął się kwaśno. – A na dodatek potwierdzają to jego sąsiedzi. Słyszeli waszą rozmowę i twój wjazd na jego chatę.

– Co? – Sobieski parsknął oburzony. – To przecież śmieszne!

Drabik pokiwał współczująco głową.

– Oczywiście to tylko linia obrony, ale jeśli Chudaś będzie przy tym konsekwentnie obstawał, w sądzie może być cyrk.

Ada sięgnęła po kopie dowodów w koszulce. Zacytowała: „Dziś widziałem cię czterdziesty siódmy raz, odkąd się tutaj przeprowadziłaś, choć ty z pewnością nie liczysz naszych małych randek…”.

– Czytałeś to w ogóle?

Rzuciła zafoliowany brulion na stół przed naczelnikiem.

– Dalej pisze o zabijaniu. Pojawia się motyw ojca weterynarza, interwały, satysfakcja z mordowania... To właściwie przyznanie się do winy!

– Każdy może napisać i mieć w domu to, co chce. Papier wytrzyma wszystko – skwitował Drabik. – A może to twórczość literacka? Rodzaj książki? Przecież to niedoszły filozof. Kto wie, co siedzi w głowie sfrustrowanego intelektualisty? Kiedy zdawał na uniwersytet, z pewnością nie przypuszczał, że skończy jako ślusarz.

– Za to na widok martwego ciała mu staje. A ty masz to gdzieś – dopiekła mu Ada.

Drabik rozłożył ręce jak wyrozumiały ojciec.

– Słuchajcie, wiem, że przeżyliście wspólnie trudny moment, i jest mi z tego powodu ogromnie przykro – powtórzył kolejny raz komisarz. – Ale na tę chwilę nie mam nic, co mogłoby Chudasia powiązać ze sprawą zabójstw. Bądźcie jednak pewni, że tak tego nie zostawię.

– Byłbyś całkowitym idiotą! – Ada nie wytrzymała, a Drabik zgromił ją wściekłym spojrzeniem i zacisnął szczęki.

– Nie ma alibi na czas morderstw – zauważył Sobieski.

– Nie ma – zgodził się komisarz. – Mieszka sam. Z nikim się nie spotyka.

– Na ciele Lei jest jego DNA – dodała Ada. – Ma kosmyk Poli w skrzynce!

– Twierdzi, że ścinał włosy jednej z sióstr Sapieg, a w ramach zapłaty zaoferowała mu seks. Oralny.

– Jak się spotkali? Gdzie? – zaatakował Sobieski.

– Sprawdzamy to – uciął Drabik.

– Ten człowiek nie chce seksu z żywą kobietą – wychrypiała Ada. – Jego kręcą trupy! Był na miejscu zdarzenia i zabawiał się ciałem Lei. Chyba nie wierzysz, że młoda dziewczyna zgodziłaby się dobrowolnie obciągnąć takiemu Frankensteinowi.

– Nawet jeśli masz rację, to za mało, żeby go zamknąć za pięć zabójstw.

– Oczywiście, że mam rację. Zabawiał się mną, kiedy byłam uśpiona. To dewiant!

Udało jej się wreszcie wyprowadzić komisarza z równowagi.

– Nie wiesz, co się działo! Byłaś nieprzytomna! Swoją drogą to oburzające: dać się uwięzić w pełnym umundurowaniu. Licz się z kpinami przez lata i zapomnij o awansie. – Zatrzymał się i dorzucił, by ją ostatecznie dobić: – Módl się lepiej, żeby Chudaś nie wpadł na pomysł ze szpitalem. Nekrofilia to choroba. A jego wygląd to powikłania po wypadku, jakiemu uległ w młodości. Ma stwierdzoną niepełnosprawność trzeciego stopnia i chodzi o kulach.

– To fikcja! – zaprotestowała Ada. – Używa ich, by wzbudzać litość. W domu odstawił kije i nie zauważyłam różnicy w motoryce. A co do siły – zapewniam cię, że nie dałbyś mu rady.

– Rzuciliście się na inwalidę jak wściekłe drapieżniki – przerwał jej Drabik. – Nawet jeśli sąd uzna, że Chudaś jest poczytalny, dostanie dwa, może trzy lata w zawiasach za bezczeszczenie grobów. A i to głównie dlatego, że cię uwięził i posługiwał się twoją służbową klamką. Pod warunkiem że sąd da wiarę tobie, a nie rannemu inwalidzie, który być może nigdy nie będzie już chodził, bo odjebałaś mu oba kolana.

– Wiesz, cieszę się, że trafiłam go aż dwa razy, bo myślałam, że tylko raz – syknęła Ada. Wskazała Jakuba. – Widziałam, jak celował mu między oczy. Strzeliłby, gdybym nie wyswobodziła się z więzów. Powinieneś natychmiast wymienić prokuratora, który ocenia dowody, bo to było usiłowanie zabójstwa!

– Moja bohaterka!

Drabik zaczął składać papiery.

– Tak wygląda sytuacja, jak opisałem. Czy Chudaś trafi do więzienia, czy na obserwację, możesz odetchnąć i miło spędzać czas na urlopie, a my tymczasem zajmiemy się poszukiwaniem Kosiarza.

– On jest Kosiarzem – upierała się Ada. – Pozwól mi go przesłuchać.

– To koniec naszej współpracy – oświadczył Drabik. – Od jutra jesteś pod opieką psychologa i dopóki nie dostaniesz papieru, że nie masz PTSD, nie wracasz do komendy. Jasne? Może w ogóle się zastanów, czy nie wznowić studiów. Z twoim temperamentem bardziej się przydasz w sali sądowej, a i rodzice się ucieszą.

Ada z trudem łykała upokorzenie.

– Z pewnością lepiej oceniłabym dowody niż twój prokurator.

– Przykro mi. – Drabik wstał. Wycelował palec w Sobieskiego. – A ciebie też nie widzę w okolicy. Zostaniesz wezwany do wyjaśnienia na okoliczność postrzału. Pozostałe sprawy jakoś wyprostujemy.

Sobieski uśmiechnął się półgębkiem.

– Nie potrzebujesz mnie już, żeby ujawnić Mora albo ugotować komendanta? Nie mów, że straciłeś ochotę na nowy medal i premię.

Drabik zachował kamienną twarz.

– W chwili, kiedy opuściłeś moje biuro, klamka zapadła. „Nie” u mnie oznacza „nie”. I lepiej uważaj, komu o tym opowiadasz.

– To ma być groźba czy ostrzeżenie?

– Po prostu nie właźcie mi w oczy.

Porwał na drobne kawałki wydrukowane dokumenty poglądowe i wsypał je do kosza jak zużyte konfetti.

– Poinformuję recepcję, że zwalniamy pokój. Sprzątaczka czeka od godziny. Skończyła już dyżur.

– Ciekawe, skąd tak dobrze znasz jej harmonogram – parsknęła Ada, ale Drabik nawet na nią nie spojrzał.

– Nie próbuj numeru z mobbingiem, bo pożałujesz – syknął.

Wyszedł, nie zamykając za sobą drzwi.

***

Siedzieli w milczeniu, wpatrując się w opustoszały korytarz, ale kiedy do pokoju zaczęła się pakować kobieta w wózkiem wypełnionym detergentami, Sobieski zerwał się i zatrzasnął jej drzwi przed nosem. Chwycił kosz na śmieci, opróżnił go na stół. W skupieniu dopasowywał fragmenty zniszczonych dokumentów, by znów tworzyły całość.

– Zamierzasz teraz układać puzzle?

– Tak sobie myślę, czy jest gdzieś tutaj adres żony Chudasia – odparł, nie przerywając sortowania świstków. – Mówiłem ci, że w moim komisariacie wyspecjalizowałem się w rozwiązywaniu niewyjaśnionych spraw kradzieży z włamaniem?

– Tym jeszcze się nie chwaliłeś. Imponujące – mruknęła. – Planujesz kolejny napad czy chcesz się do kogoś włamać?

– Wiesz, że blisko dziewięćdziesiąt procent tego typu niewykrywalnych spraw jest zlecana przez rodzinę?

– Żadna tajemnica.

– Zaproszenie do domu ofiary przestępcy otrzymują od bliskich – ciągnął niezrażony Sobieski. – A włam robią zawodowcy.

– I?

– Przy zleceniu prawie zawsze chodzą we dwóch. Jest sprawca wiodący i pomocnik.

– I ten trzeci, który stoi na czatach – fuknęła Ada. – A raczej siedzi w aucie z zapalonym silnikiem.

Jakub się z nią zgodził. Kontynuował:

– Powodzenie włamu nie zależy od samej akcji plądrowania w lokalu. Każdy dureń jest w stanie znaleźć skrytki. Ludzie od wieków chowają kosztowności w tych samych miejscach. Najważniejsze jest niezauważone wejście i skuteczne odejście z miejsca zdarzenia. A to zależy od przygotowania, czyli wnikliwej obserwacji domowników przed akcją. Dane te umożliwia zleceniodawca, czyli zwykle ktoś z rodziny, kto często uważa, że jest poza wszelkim podejrzeniem.

– Do czego zmierzasz?

– Nasz Kosiarz jest wyjątkowo zorganizowanym typem, przyznasz? Nikt nie widział podejrzanej osoby na polance, gdzie znaleziono Leę i Polę. Nikogo nie zauważono w bloku Beci, a Abioli Rosołowska należała do kobiet rzucających się w oczy. Nie tylko ze względu na urodę. Jak to możliwe, że nikt nie spostrzegł Mulatki wchodzącej do bloku na Ursynowie?

– Może nie chciała być widziana z córką Piorunki?

– Bingo! – Sobieski spojrzał na Adę z uznaniem. – Ale dlaczego nie chciała być widziana?

– Nie wiemy, po co tam poszła – dorzuciła Ada i zamyśliła się. – Co tak naprawdę chciała ukryć?

– Twoi sąsiedzi też nie podali żadnych interesujących szczegółów na okoliczność kręcących się przed klatką ludzi, a masz tylko trzech sąsiadów – ciągnął. – Ciało Sabriny leżało w twoim łóżku, ale zginęła na ulicy, przed kamienicą. Obok jest park. Nieustannie ktoś kręci się tam z psem. Pełno dzieciaków podpalających papierosy albo zioło. Wieczorami bywają tam też dilerzy. Sam już nie pamiętam, ile razy tamtędy przejeżdżałem, żeby przekazać kilka porcji. – Zawahał się. – Czy sądzisz, że nikt z nich nie zauważyłby faceta o kulach i z twarzą, jakby na co dzień trzymał ją w wulkanie?

– Drabik wykluczył Chudasia – zaoponowała, a Sobieski podniósł dłonie w geście poddania się.

– Zgoda! Na razie zostawmy nekrofila w spokoju, tak samo jak wszystkich dotychczasowych kandydatów. Kosiarz nie ma jednak czapki niewidki. A jednak coś sprawia, że wydaje się niewidzialny. Spróbujmy od początku. Od ustalenia sposobu jego polowania. Może to nam powie, kim jest.

– Potrafi się wtopić w tłum – rzuciła Ada. – Żeby to zrobić, musi mieć informacje o dziewczynach. Sam jest z branży albo ma wspólnika sutenera. Druga opcja to klient.

– A jeśli to odwrócić? – zaproponował Sobieski. – Jeśli ofiary same zatroszczyły się o to, żeby nie było świadków spotkania?

– Co masz na myśli?

– Zastanawialiśmy się, dlaczego sprawca atakuje raz na łonie natury, innym razem w mieszkaniu. Brak śladów włamania może wynikać stąd, że to ofiary nalegały na spotkanie, nie on. Zaprosiły go – identycznie jak w przypadku zleconych włamań czyni rodzina. Tylko kilka miesięcy woziłem koks dla Ozia, ale wiem, że człowiek uzależniony stawi się po towar w każde miejsce. I zwykle nie chce, by ktokolwiek o tym wiedział. Wszystkie prostytutki wspomagają się alkoholem albo narkotykami. Siostry Sapiegi ćpały na całego. Abioli i Kiti też były stałymi klientkami Ozia. Dostarczał im koks i piko w zamian za opłaty w naturze. W torebce zabitej Abioli była kupa kasy. Akurat tyle, ile kosztowałby zapas piko, której w tamtym czasie na rynku brakowało. Wiem, bo Oziu się skarżył, że ma wiele zamówień, a kurierzy Mora jej nie dostarczali. – Przerwał, spotkał się spojrzeniem z Adą. – We krwi Sabriny również stwierdzono śladowe ilości substancji psychoaktywnych. Może akurat ona zginęła, zanim wzięła kolejną działkę?

Oczy Ady aż zalśniły.

– One były jego klientkami – powiedziała. – Kosiarz jest dilerem. Dostarcza dziewczynom Piorunki towar.

Siedzieli już drugą godzinę, składając wspólnie dokumenty komisarza Drabika. Zyskali sporo bezcennego materiału z akt. Kiedy sprzątaczka zaczęła się dobijać agresywniej i grozić wezwaniem ochrony, Sobieski wcisnął jej do ręki kilka banknotów. Od tamtej chwili mieli święty spokój. Ada zamówiła pizzę, zjedli ją, a potem palili na spółkę ostatniego papierosa Jakuba, wystawiając głowy za okno.

– To ma sens. – Ada uśmiechnęła się, kiedy nieco ochłonęli. – Nie możesz zamówić dziwki online. Jeśli dzwonisz, twój numer się wyświetla. One zawsze sprawdzają numer. Potem dziewczynę dowozi alfons, czeka na nią, aż skończy robotę, i odwozi na miejsce. Płacisz gotówką. Żadnych śladów.

– Ależ są ślady – zaprotestował Sobieski. – Dziewczyny cały czas są pod kontrolą. Chyba że mają czas wolny, wracają do domu lub są na prywacie. O tym wiedzą tylko osoby blisko związane z branżą.

– Poza Kiti żadna z zamordowanych dziewczyn nie była w pracy – zauważyła Ada.

– Oziu powiedział mi, że wyszły trzy. Wsiadły do uberów całe i zdrowe. To dlatego odjechali. Długo się zastanawiałem, czy i po co Kiti wróciła do hotelu. Z kim zamierzała się spotkać? Tymczasem na monitoringu nie ma jej przejścia przez hol. A przecież wyszły trzy. Oziowi rachunek się zgadzał.

– Może Oziu kłamie?

Sobieski pokręcił głową.

– Nie był sam i musiał odmeldować się Piorunce. Gdyby którejś brakowało, interweniowaliby. Taka jest procedura. Widzieli trzy dziewczyny i z poczuciem dobrze spełnionego obowiązku Oziu wrócił do domu się przespać. Ja mu wierzę.

Sobieski dołożył ostatnie fragmenty do swojej układanki. Na zdjęciu z monitoringu widać było trzy kobiety w płaszczach. Kadr był niedoświetlony, na dodatek wykonany z oddalenia.

– Spójrz na ich nogi. – Jakub postukał w fotografię. – Wszystkie są białe.

Ada pochyliła się i wyszeptała:

– Wyszły trzy, ale nie było z nimi Kiti. Ktoś ją zastąpił.

– Sprawca wiedział, że na dziewczyny czekają alfonsi. Rachunek musiał się zgadzać. Sabrina, prostytutka, którą Kiti zabrała do pary na robotę, została odnaleziona martwa w twoim mieszkaniu. Przy życiu została jeszcze trzecia uczestniczka zabawy w zabijanie myszy. Niejaka Jola, której personalia utajniono dla dobra śledztwa. Może widziała coś jeszcze, czego nie opowiedziała Drabikowi? A może nie ma świadomości, że dysponuje informacją, która może pogrążyć mordercę. Z pewnością rozpozna twarz osoby, z którą Kiti została w pokoju hotelowym. I wie też, kim jest jej dublerka. Moim zdaniem ta osoba to wspólniczka naszego zabójcy. Wcale nie jest powiedziane, że morderca z Kabat działa w pojedynkę.

– Uważasz, że to może być żona Chudasia? – głośno myślała Ada. – W historii były małżeństwa, które mordowały wspólnie.

Sobieski wzdrygnął się.

– Nie mam pojęcia. – Pokręcił głową. – Ale warto sprawdzić, jak kobieta wygląda, co robi. I spytać ją, bo przecież już ją przesłuchiwali, w jakich okolicznościach odkryła dewiacje małżonka i dlaczego od niego odeszła, lecz nigdy nie złożyła wniosku o rozwód. Może wiedziała, że facet jest w hotelu Cosmos, i co zrobi, więc chciała go ratować?

Siedzieli chwilę w milczeniu, trawiąc nowe dane.

– Jeszcze jedno mi się nasunęło – powiedziała Ada. – Skoro Kiti i Sabrina nie żyją, to życie Joli też jest w niebezpieczeństwie.

Sobieski nie zareagował. Dołożył trzy ostatnie fragmenty układanki protokołu przesłuchania pani Chudaś i dopiero wtedy wydał pomruk zadowolenia.

– Zobacz. Mam coś ciekawego.

Ada pochyliła się, odczytała. Wrzuciła adres w mapy Google.

– To jest w Miasteczku Wilanów – stwierdziła. – Niestety nic mi to nie mówi.

– A mnie owszem. I jeśli szczerze, wciąż mam tam swoje rzeczy.

Odchylił się na krześle, założył ręce na głowę.

– Wygląda na to, że wszystko zaczyna się i kończy właśnie w tym miejscu.

Danusia wyłączyła służbowy komputer i zaniosła do zlewu filiżankę po kawie.

– Będę szła, Piorunko – zwróciła się do zamyślonej szefowej, choć wiedziała, że to raczej otępienie z przepicia. – Potrzebujesz czegoś jeszcze? Coś byś zjadła?

– Nic nie słychać o taśmie – odezwała się zniechęcona pryncypałka. – Dostarczyłaś ją Jankiszowi, zanim go zatrzymali? To ważne.

– Oczywiście.

Danka usiadła na sofie półdupkiem. Ręce złożyła na kolanach.

– Masz do mnie żal?

– Nie twoja wina, że Sylwek się w coś wpakował.

– Naprawdę się śpieszyłam.

– Wiem.

– Martwisz się, że nie zdążył jej dobrze ukryć?

– Jestem wrakiem człowieka. Policja trzepie wszystkie lokale po kolei. Dziewczyny przestały przychodzić. Gdzieś znaleźli prochy, z powodu jakichś durnot aresztowano trzynastu moich ochroniarzy. To koniec Nany, Tęczowego Zakątka i Wybiegu. Chyba czas na emeryturę.

– Nie z takich kryzysów wychodziłaś.

– Wychodziłyśmy – poprawiła pracownicę Piorunka. – Jak tak dalej pójdzie, żniwo Kosiarza będzie większe niż wojny gangów w latach dziewięćdziesiątych i pandemiczny marazm razem wzięte. Mam nadzieję, że odłożyłaś coś na czarną godzinę.

– Niewiele.

– Jesteś ostatnia do zwolnienia, wiesz o tym? Jeśli będę musiała to zrobić, powiem ci wcześniej. I zarekomenduję u Mora. Nie będę miała żalu, jeśli już teraz odejdziesz... – Ukryła twarz w dłoniach.

– Powinnaś odpocząć – szepnęła Danka. – Wszystko się unormuje.

– Zostawiłabym ten cały szajs za jedną wiadomość. – Piorunka nagle się ożywiła.

– Gdzie jest Becia?

– Tak. I kto mnie chce zniszczyć. Mnie i Kowala.

– To już dwie wiadomości, a nawet trzy.

– Tak między nami, Wiktor wypiął się na nas – powiedziała z wyrzutem Edyta. – Podobno żona znalazła go w sypialni, jak próbował odstrzelić sobie łeb. Trzyma go teraz w zamknięciu i nie wypuszcza z domu, jakby miał pięć lat i przyniósł z przedszkola grypę.

– Mężczyźni są słabi – skwitowała Danka. – Ale ty się przecież nie złamiesz. Nawet jak wszystko stracisz, za jakiś czas odbudujesz imperium. Masz nieruchomości, kapitał i swoją kasę pancerną. Wierzę w ciebie.

Piorunka uśmiechnęła się smutno.

– Gdybyś miała te dane, pamiętaj, że ja zawsze płacę. A naszego cholernego imperium już nie ma i Wiktor dobrze o tym wie. Czeka go nędzna emerytura. – Zaśmiała się złośliwie. – Grunt, że ja wiem, że nie ma sensu na nią czekać.

Danusia przyglądała się pracodawczyni z niepokojem. Nie wiedziała, co odpowiedzieć. Na szczęście z opresji uratował ją dzwoniący telefon.

Przeprosiła Piorunkę, odebrała. Słuchała chwilę, a potem bez słowa się rozłączyła.

– Mąż ma kłopoty. – Uśmiechnęła się przepraszająco. – Z nim całe życie jak na bombie.

– Masz męża? – zdziwiła się pryncypałka. – Nigdy nie wspominałaś.

– Tylko pół roku żyliśmy razem – wyjaśniła Danusia. – Nie rozwiedliśmy się, ale kiedy już nie musimy się nawzajem oglądać, zostaliśmy przyjaciółmi. Tak jest lepiej.

– Co za bzdury opowiadasz? – obruszyła się Piorunka. – Zły mąż – przyjacielem? To dlatego wciąż biegasz do kościoła i połowę pensji oddajesz czarnym? Musi być z niego niezły gagatek, skoro wytrzymałaś aż pół roku... Odkupujesz jego grzechy? – Roześmiała się drwiąco.

– Chciałabym odkupić swoje – odparła najzupełniej poważnie Danka. – I wierzę, że kiedyś zdołam.

– Idź, ratuj go, jeśli jest tego wart. – Piorunka machnęła ręką na pożegnanie.

– Nie bardzo, ale jest mi potrzebny – odparła kobieta.

Ale tego już sutenerka nie słyszała. Upiła łyk wódki i pogrążyła się znów w bezruchu, wpatrzona w swój ulubiony obraz, za którym znajdował się sejf z jej polisą emerytalną. Aktualnie opróżniony z jej największego oręża.

***

Sobieski czekał z zapalonym silnikiem po drugiej stronie ulicy. Kiedy tylko Danusia wyszła z budynku, dał znak Adzie. Policjantka podeszła i pokazała odznakę.

– Usiądziemy gdzieś na kawę czy zaprosisz mnie do mieszkania?

Kobieta spłoszyła się.

– Wolałabyś, żeby nikt tej rozmowy nie słyszał – odgadła Ada. – I nie widział nas razem w mieście, prawda?

– Masz samochód? – odpowiedziała pytaniem Danusia. – Poznaję cię.

– To dobrze.

Ada skinęła na Kubę. Podjechał.

Zajęły tylne siedzenie. Danusia podała adres. Sobieski zarejestrował, że protegowana Piorunki mieszka na Ursynowie, ledwie kilka ulic dalej niż Alina Sapiega.

Przez całą drogę milczała. Nie odpowiadała na pytania, nie reagowała na uprzejmości. Wpatrywała się w głowę Sobieskiego, a kiedy wysiadła, trzasnęła ze złością drzwiami.

– Ja nic nie wiem – oświadczyła, ale zaprowadziła ich do maleńkiego mieszkania, niemal identycznego, jakie wynajmowała Beata. – Zresztą byłam już przesłuchiwana. A ty nie jesteś na służbie – prychnęła.

– Jesteśmy tu prywatnie – przyznał Sobieski i dodał: – Nikt o tym nie wie.

Danusia westchnęła ciężko, jakby na piersiach siedział jej słoń. Nie zaproponowała gościom niczego do picia. Nie zdjęła płaszcza ani butów. Przegoniła zniecierpliwiona łaszącego się kota. Był głodny i miauczał rozpaczliwie.

– O co chodzi? Dlaczego mnie nachodzicie?

– Zaloguj się do systemu i wydrukuj listę zamówień zamordowanych dziewczyn – zażądała Ada.

– Nie ma czegoś takiego! – oburzyła się.

– Oczywiście, że jest – zaoponował Sobieski. – Sporządzasz ją na zlecenie Piorunki. Ona też musi składać raporty Wiktorowi. To on rządzi w Nanie i wszystkich Tęczowych Zakątkach.

– To zwróćcie się do niej – burknęła płaczliwie. A potem nagle wystękała: – Wszystkie pliki są zaszyfrowane. Nie znam ich treści.

– Piorunka nam tego nie wyda. A pliki kopiujesz, by mieć na nią haka. Ona o tym wie, inaczej już dawno by się ciebie pozbyła.

– Nie muszę wam pomagać.

– Pomożesz sobie. Damian Chudaś ma poważne kłopoty. Pewnie czytałaś o tym w prasie?

Danusia zacisnęła usta.

– To nie moja sprawa.

– Jakie to uczucie dowiedzieć się, że kochałby cię, gdybyś była martwa?

– To było tak dawno, że nawet nie pamiętam. – Uśmiechnęła się krzywo do Ady. – Za to ty jesteś z tematem na świeżo. Mówią o tym w telewizorze. Stąd wiem, że jesteś zawieszona. Nie masz prawa mnie przesłuchiwać.

Ada nie dała się wyprowadzić z równowagi.

– W czasie wolnym mogę chodzić na herbatę, z kim chcę. Dokładnie jak dziewczyny, które zginęły. – Zatrzymała się i dodała: – Kto był ich dilerem? Bo nie brały towaru od Ozia. Ty dostarczałaś im piko? Od jak dawna pracujesz dla Mora?

Sobieski sięgnął po sklejony wydruk z kamer monitoringu. Widać było tylko zarys trzech damskich sylwetek w płaszczach. Wskazał jedną z nich.

– Co robiłaś w hotelu Cosmos w noc zamordowania Kiti Rosołowskiej? Bo to ty wyszłaś zamiast niej – zaatakował.

– Żyła jeszcze czy jej ciało leżało już w wannie? Widziałaś, jak twój mąż szlachtuje inne dziewczyny?

Danusia roześmiała się szyderczo. Długo nie mogła się uspokoić. Ada z Jakubem nie wiedzieli, co o tym sądzić.

– Możecie to pokazywać, komu chcecie – burknęła. – Nic mi nie udowodnicie.

– Jak chcesz. – Sobieski złożył papier i schował go do kieszeni. – Policja jeszcze o tym nic nie wie.

– Ale dojdą do tego. Nie martw się – dorzuciła Ada.

– Mylicie się – szepnęła Danusia.

Znów była poważna. Twarz miała zaczerwienioną, ręce jej lekko drżały.

– Wydrukuję wam te dane. – Nagle wstała. Podeszła do laptopa stojącego na stole w kuchni. – A potem możecie już iść.

– Nie martwisz się o byłego męża – zauważyła Ada. – Tylko o to, co zezna?

Kobieta zachowała spokój. Włączyła system i przeszukiwała raporty. Co jakiś czas odznaczała dokument i pobierała go na pulpit. Pracowała w pełnym skupieniu.

– Jesteś w tym biegła – zauważył Sobieski. – A jednak niektóre przelewy wolisz robić ręcznie. Chce ci się chodzić na pocztę?

Danusia zgarbiła się, jakby pragnęła schronić się przed nadciągającą wichurą. Na jej twarz wystąpiły czerwone plamy ze zdenerwowania.

– Bywało, że ci się nie chciało – dodał. – Na przykład te do Giżyc. Jeden z nich dałaś do uregulowania Ines. I to był błąd. Wójt ucieszy się, gdy mu powiem, kto tak sumiennie płaci podatki za Artura Szlachtę.

Podeszła Ada. Położyła dłoń na ramieniu kobiety. Danusia podniosła głowę, w oczach miała łzy.

– Kogo się boisz? Byłego męża czy Artura? Jeśli powiesz nam prawdę, nie będziesz musiała się więcej bać.

***

– Na chrzcie dali mi Irena Danuta. Nie zmieniłam imienia, po prostu zaczęłam używać drugiego – wyjaśniła i długo trzymała twarz ukrytą w dłoniach.

Zdecydowali, że dadzą jej czas.

Ada zaparzyła herbatę. W kredensie znalazły się ciastka i kandyzowane owoce, które Danka wystawiła na stół jako poczęstunek. Dopiero kiedy Sobieski w barku znalazł butelkę koniaku i podał Danusi napełnioną szklankę, złamała się i zaczęła opowiadać.

– Za Damiana wyszłam dla nazwiska. Od początku wiedziałam, że coś z nim nie tak. Coś bardzo nie tak – podkreśliła. – Ale po tym, co się wydarzyło, chciałam zniknąć. Kochałam kogoś innego i wydawało mi się, że powinnam go chronić.

Powiodła wzrokiem po gościach. Milczała, czekając na ich reakcję.

– Byłaś zakochana w Arturze? – upewniła się Ada. – Przed czym chciałaś ratować Szlachtę?

– To nie tak. – Danusia gwałtownie pokręciła głową. – Musicie wiedzieć, że miałam wtedy problem z narkotykami. Nie widziałam spraw jasno.

Ada spojrzała na Kubę, a on nieznacznie skinął głową.

– Jesteś Ireną Kaźmierczak. – Zdecydował się ośmielić Dankę. – Byłaś na obozie odwykowym w Łukęcinie w dwa tysiące jedenastym roku. Tam poznałaś Artura Szlachtę i Sylwestra Jankisza. Razem uciekliście.

– Ten odwyk to była lipa. Ćpaliśmy wszyscy troje i naszym największym problemem było zdobycie forsy na dragi – kontynuowała już odważniej. – Ukradliśmy pieniądze z mieszkania ciotki Artura i wzięliśmy jej auto. Włóczyliśmy się po kraju, aż pieniądze się skończyły, a potem pojechaliśmy do Giżyc. Sylwek jako jedyny miał kompletną rodzinę. Ja i Artur byliśmy praktycznie bezdomni. Nie mieliśmy nikogo, do kogo można by się zwrócić o wsparcie, więc Sylwek zadzwonił do ojca, a ten obiecał nam pomóc wyjść na prostą. Chłopaki tylko tak gadali, nie zamierzali trzeźwieć, ale ja naprawdę byłam zakochana w Sylwestrze i wierzyłam, że skończę szkołę, pobierzemy się. Może urodzę dziecko i będę miała kogoś do kochania? Ale wszystko poszło nie tak...

– Ojciec Sylwka odciął się od syna?

Danusia gwałtownie zaprzeczyła. Kiedy podjęła opowieść, głos lekko jej drżał.

– Jankisz nie miał ochoty ratować obcych dzieciaków. Zażądał, by Sylwek wrócił do domu sam, poszedł na odwyk i wznowił studia. Nie chciał dla niego narzeczonej narkomanki, a tym bardziej szemranego kumpla z obozu. Sylwek zapewniał, że jesteśmy drużyną. Nie wrócił. Zadzwonił do człowieka, dla którego kiedyś handlował narkotykami, i załatwił dla nas wszystkich pracę.

– Ten człowiek to Moro? – zgadywał Sobieski.

Danusia uśmiechnęła się smutno.

– Nie było jeszcze tego Mora, o którego złapaniu marzy dziś cała warszawska policja. Mieliśmy pracować dla twojego ojca. – Kobieta na chwilę umilkła. Spojrzała Adzie w oczy, a potem spuściła powieki. – Dla Kowala. Inspektor nadał sobie taką ksywę w półświatku, żeby odsunąć od siebie wszelkie podejrzenia.

Policjantka starała się nie dać po sobie poznać, jak informacja nią tąpnęła. Sobieski dolał Dance więcej koniaku. Sięgnął po biszkopt. Słychać było jedynie chrupanie, kiedy gryzł ciastko.

– Spotkanie rekrutacyjne przeprowadzała Piorunka – kontynuowała Danusia. – Stwierdziła, że pamięta moją matkę. Zdobyła się na litość i naprawdę byłam jej wdzięczna za tamte słowa otuchy. Pierwszy raz usłyszałam o mamie coś dobrego. Że była piękna, wrażliwa i najprawdopodobniej wyjechała do Włoch za facetem, w którym się zakochała, a który ją stręczył. Nie miałam dotąd żadnego jej zdjęcia. Nie wiedziałam, jak wyglądała, więc kiedy Piorunka mi ją pokazała, rozpłakałam się i postanowiłam, że będę jej wierna. Chciałam mieć taką matkę jak ona.

Nikt się nie poruszył. W pokoju panowała idealna cisza.

– Zrozumcie, byliśmy tylko zagubionymi dzieciakami – ciągnęła. – Nie wiedzieliśmy do końca, w co się pakujemy.

– W co dokładnie? – Ada nareszcie odzyskała głos.

– Że Kowal to ważny policjant, a Piorunka prowadzi regularny burdel – wyjaśniła kobieta. – Chłopcy mieli produkować i wozić towar, dla mnie przygotowano oczywisty scenariusz: miałam być dziwką. I tak oto nieoczekiwanie podzieliłam los swojej matki. Chłopak, którego kochałam, sprzedał mnie do burdelu. Sylwek zrobił to ze strachu. I sądził zapewne, że mi pomaga…

Przerwała, potarła oczy, ale na jej twarzy nie było śladu łez. Odgarnęła włosy z czoła, zacisnęła usta.

– Co wydarzyło się w Giżycach? – spytał Sobieski. – Dlaczego musiałaś zmienić nazwisko?

– Dokładnie nie wiem. Ale wiem, kto zaginął. I podejrzewam, że Artur był w to wmieszany, bo przyniósł mi w prezencie coś, co należało do tej osoby… Dowiedziałam się po fakcie. Tak nas zmanipulował, że pomogliśmy mu zakopać ciało, więc byliśmy w takich samych kłopotach jak on i jego wspólnik.

– Kto zginął? Co się wydarzyło? – Ada zarzuciła kobietę pytaniami.

– Może zacznij od początku – zaproponował Sobieski.

Danusia odetchnęła głębiej i zaczęła mówić.

– W noc po przyjeździe do Giżyc Artur wyszedł z chaty z nożem. Widziałam go u niego już wcześniej, bo na plaży w Łukęcinie dla zabawy szlachtował mewy. Nie było go kilka godzin i wrócił nie sam. Dużo starszy, szpetny mężczyzna pomagał mu nieść coś dużego, co ukryli w ziemiance pod podłogą. Przez kilka godzin słyszałam odgłos kopania. Nie zmrużyłam oka, bo Sylwka też nie było, a bałam się wyjść ze śpiwora, żeby sprawdzić, czy jest z nimi. Wreszcie nad ranem Sylwek przyszedł z prochami, wzięłam działkę i zmorzył mnie sen. Kiedy się obudziłam, na mojej poduszce leżał przenośny głośnik. Artur powiedział, że to prezent dla mnie. Sylwek był pobudzony, nienaturalnie wesoły. Obaj byli mocno zgrzani. Co wzięli, nie wiem... Sylwek od razu połączył urządzenie z telefonem i zaczął puszczać muzykę. Na chwilę zapomniałam o tym, co widziałam w nocy. Wmawiałam sobie nawet, że wszystko to zwid, narkotyczna wizja. Wtedy przestraszyłam się i podjęłam decyzję, że naprawdę pójdę na odwyk. Ale to jeszcze nie był mój czas... – Zawahała się. – Kiedy wyjeżdżaliśmy z Giżyc, wszystkie rogatki były obstawione przez patrole. Bałam się, że to nas szukają, ale mieliśmy dokumenty auta ciotki i przedostaliśmy się bez problemu. Chłopcy po ledwie kilku kilometrach wjechali w las i spalili auto. Do Warszawy dotarliśmy pociągiem. Nigdy nie zapomnę, jak się bałam, kiedy staliśmy na dworcu, a ludzie się nam przyglądali. Dużo później, z gazety wywieszonej na kiosku, dowiedziałam się, że tego dnia zaginęła Katarzyna Chudaś. Szła na dworzec i miała ze sobą przenośny głośniczek.

– Chcesz powiedzieć, że w chacie Szlachty zakopane są zwłoki? – upewniła się Ada.

– Ja nie wchodziłam do piwnicy. Od tamtej pory ani razu nie byłam w chacie – zapewniła pośpiesznie kobieta. – Ale po to płaciliśmy podatek. Żeby nie sprzedali posesji i nie zakwalifikowali jej do wyburzenia. Zła legenda tego miejsca bardzo nam pomagała. Ludzie starają się trzymać od czarnej chaty z daleka.

– Powiedziałaś płacimy... – wtrącił się Sobieski.

– Sylwek daje mi pieniądze, a ja robię przelewy. To ma mi przypominać, że powinnam o tym milczeć. Co zresztą robiłam przez lata... – Zawahała się. – Z tej samej przyczyny wydali mnie za Chudasia.

– Wydali cię korespondencyjnie? – prychnęła Ada, patrząc na Danusię podejrzliwie.

Kobieta wzruszyła ramionami.

– Wtedy mi to pasowało. Chciałam tylko zmienić nazwisko, odciąć się. Żeby nikt mnie nie znalazł. Myślałam, że zacznę nowe życie. Jakoś się ułoży. Sylwek któregoś dnia powiedział, że dogadał się z pewnym facetem, który wziął pieniądze. Przysięgam, że nie wiedziałam wtedy, kim będzie mój papierowy mąż. Mieliśmy spotkać się w urzędzie i miał to być nasz pierwszy i ostatni raz. Chyba żeby urzędnicy się czepiali. Dopiero kiedy Chudaś się pojawił, poznałam człowieka, który z Arturem ukrywał pakunek w piwnicy. Przeraziło mnie to. Zrozumiałam, że jestem w pułapce.

– Nie kupuję tego – zaprotestowała Ada. – Mogłaś po prostu wyjść, odciąć się od chłopaków, zacząć od początku. Trzeźwa... Wszystko byłoby lepsze niż uczestniczenie w tej unii. Mogłaś pójść na policję i powiedzieć, gdzie leży ciało tej dziewczyny. Jej rodzina od lat czeka na tę informację.

– Damian Chudaś należy do jej rodziny! – zakrzyknęła Danusia. – I nie wiem, jak zginęła, ale nie chciałam być następna. Bałam się. Nie rozumiesz?

Sobieski wyciągnął ramię, objął Dankę, by się uspokoiła.

– Już nie jesteś z tym sama – pocieszył ją.

– Nigdy nie byłam z tym sama. Na tym polega problem. Tak naprawdę dopiero po odkryciu unii Artura z Chudasiem zaczęłam się bać. Nie wiesz, jak to jest, kiedy ukochany sprzedaje cię zwyrodnialcom.

– Na czym polegała ta unia? Grozili ci, że pójdziesz siedzieć za współudział? – spytała łagodniej Ada. – Coś na ciebie mieli?

– Nigdy o tym nie rozmawialiśmy. Nie jestem pewna, czy wiedzą, że ich wtedy widziałam. Pewnie myślą, że jestem za głupia, żeby dodać dwa do dwóch... O głośniczku trąbiono we wszystkich mediach, bo na iłowskich wsiach to była nowinka. Nie każdy mógł sobie na coś takiego pozwolić. Podobno pod kątem rabunku przeszukano wszystkie domy i mógł być dowodem obciążającym, więc próbowałam się go pozbyć.

– Wyrzuciłaś go?

– Próbowałam – powtórzyła. – Artur to zauważył i bardzo się wściekł. Poszłam więc z Sylwkiem do tego kontenera. Znaleźliśmy go i przynieśliśmy z powrotem.

– Gdzie on teraz jest?

Danuta wzruszyła ramionami.

– Jeśli go wam dostarczę, pomożecie mi? Nie chcę iść do więzienia. Nic nie zrobiłam.

Goście wymienili spojrzenia.

– Nie mamy takich mocy – powiedział ostrożnie Sobieski. – Wiesz, że nawet nasza rozmowa jest nieoficjalna.

– Głośnik to za mało – włączyła się Ada. – Może sama zabiłaś Katarzynę Chudaś i próbujesz zrzucić winę na kogoś, kto jest nieuchwytny?

– To absurdalne! Powiedziałam wam wszystko, co wiem!

Ada przekrzywiła głowę.

– Skoro milczałaś tyle lat, dlaczego zdecydowałaś się nam o tym opowiedzieć? Nie wierzę, że ktokolwiek miałby siłę skrywać przez lata tego rodzaju sekret, jeśli nie brałby czynnego udziału w zbrodni. W twoim zachowaniu brak logiki!

– Zrozumcie, moja matka nie wróciła z zagranicy. Ojca nie znam. Babcia zmarła, a nikt z dalszej rodziny nie kwapił się, by mnie przygarnąć. Po prostu nie miałam dokąd wracać. Sylwek i Artur byli w tamtym czasie najbliższymi mi osobami. Chudaś ostatecznie okazał się niegroźny, poza jego chorą fascynacją zwłokami. Zawsze był wobec mnie w porządku. Żyliśmy osobno. Z oczywistych względów nigdy się do mnie nie dobierał, a zresztą kiedy za niego wychodziłam, wciąż byłam zakochana w Sylwku... Wstyd przyznać, ale kochałam Sylwestra, nawet kiedy umawiał mnie ze swoimi klientami.

– I to ma wyjaśniać, dlaczego zostałaś dziwką? – prychnęła Ada. – Z powodu zranionego serca?

– Kurwiłam się tylko cztery lata – zapewniła Danusia. – A potem się nawróciłam. Piorunka się mną zaopiekowała, dała mi normalną pracę. Nie zarabiam wiele, ale w kwestii swojej cnoty nie mam sobie nic do zarzucenia. Ona nie wie! – Danka uderzyła się w pierś. – Nigdy jej o tym nie mówiłam. Prędzej bym umarła.

– To teraz chyba będziesz musiała. Masz dowód zbrodni kolegi i chcesz go wystawić – zadrwiła Ada. – Tak przy okazji, on żyje? Czy jego fanty też gdzieś schowałaś?

– Nie wierzysz mi – zmartwiła się Danka. – Szkoda, bo liczyłam, że nam pomożecie. Sprawa wymyka się spod kontroli. Giną dziewczyny i to się nie skończy. On w tym zasmakował. A teraz już nawet boję się o siebie.

– Nam, my, wy... – zirytowała się policjantka. – Co to jest? Jakaś grupa wsparcia dla zabójców?

– Uwięziliśmy go – szepnęła Danusia. – To był jedyny sposób, żeby go zneutralizować. Ufał mnie i Sylwkowi. Wmówiliśmy mu, że zostanie legendarnym Morem. I nie jesteśmy zabójcami. Nie pomagałam Arturowi! Ani ja, ani Sylwek.

– To żart? – upewniła się Ada, a potem spojrzała na Sobieskiego. – Słyszałeś to, co ja?

Równie zszokowany pokiwał głową.

– Przez te wszystkie lata ukrywaliście Szlachtę? – wydusił. I zarzucił kobietę gradem pytań. – Gdzie go trzymacie? Kto dostarcza mu żywność i pilnuje, by nie uciekł? W jakim jest stanie?

– Nie jest skrępowany, a żywności mu nie brakuje. Odzież dostaje po Sylwku – są podobnej postury. W szafie ma mnóstwo garniturów i butów, których Sylwek już nie nosi.

– Nie zrobilibyście tego sami – zwrócił uwagę Sobieski.

– Piorunka zatrudniła Artura do pilnowania fabryki metamfetaminy, którą Sylwek stworzył na jej zlecenie. Przez lata w interesie wszystkich było chronienie personaliów Artura pod ksywą Moro, a z czasem on sam uwierzył w mit nieuchwytnego narkobossa. Sypiał z prostytutkami, praktycznie nie opuszczał posesji i sądziliśmy, że jest jako taki spokój. Do czasu, aż biznes rozwinął się na tyle, że dla każdego policjanta w tym mieście honorem było zatrzymanie legendarnego Mora. Sądzę, że Artur potraktował to jak zabawę, grę... Czytał każdy artykuł, jaki pojawiał się na temat Kosiarza, i głośno komentował zbrodnie. Brutalność mordercy poruszała najtwardsze serca naszych ludzi. Myślę, że to mu schlebiało. Artur nie wykazuje poczucia winy. To tak, jakbyście tłumaczyli tygrysowi, że rozszarpywanie zwierzyny jest złe. Dziś wiem, że popełniliśmy błąd. On zabijał już wcześniej, ale dopiero od niedawna przestał ukrywać ofiary.

– To wy uprowadziliście moją siostrę? – przerwała jej Ada.

Danusia wykonała nieokreślony ruch głową.

– Becia sama do nas dotarła. Trafiła na trop kryjówki Artura dzięki znajomości z Leą i Polą, którym on sprzedawał na boku towar. Twoja siostra była zafascynowana Morem i wiedziała naprawdę dużo. Była dla nas niebezpieczna.

– Zabiliście ją?

– O nie! – Danka zaprzeczyła gwałtownie. – Nawet nie jest zamknięta. Artur też zresztą nigdy nie był. Sylwek karmił go kłamstwami i pompował pochlebstwami. Wiedział, że jak tylko Artur poczuje, że jest uwięziony, ucieknie. Niestety nie przewidzieliśmy, że będzie się wymykał, żeby zabijać. To jest silniejsze od niego.

– Gdzie jest moja siostra?

– Z Arturem.

– Umieściliście ją w jednym domu z mordercą?!

– On nie zrobi jej krzywdy. Zna Becię i nawet lubi. – Danusia znów pokręciła głową. – Mnie też nigdy nie zaatakował. Poluje tylko na anonimowe ofiary.

***

Do nielegalnej wytwórni piko prowadziło wąskie wejście znajdujące się w kojcu dla psów. Suki rozpłodowe leżały w swoich klatkach, karmiąc liczne młode, i wyszczerzyły zęby, dopiero kiedy do pomieszczenia wdarła się ekipa antyterrorystów.

W pierwszym pomieszczeniu zbudowano specjalistyczny system produkcji piko oraz wentylacji i chłodzenia, w drugim – utworzono linię produkcyjną narkotyków syntetycznych. Zabezpieczono czterysta litrów różnych substancji chemicznych potrzebnych do wytwarzania narkotyków, a także sprzęt laboratoryjny, szkło i akcesoria. W szafie trzeciego pomieszczenia znajdował się zapas metamfetaminy, amfetaminy, marihuany i innych substancji psychoaktywnych – wszystko w eleganckich paczkach gotowych do sprzedaży. Na niższych półkach policjanci odkryli broń, amunicję, maczety i elementy wyposażenia policyjnego – kajdanki, sygnalizację czy pałki typu tonfa.

Aresztowano siedmiu podejrzanych, w tym dwóch chemików, byłego żołnierza kapitana Tadeusza Orzechowskiego i mężczyznę, który nie posiadał dokumentów, a kiedy go zapytano o personalia – przedstawił się jako Moro. Już po chwili leżał skuty na glebie.

Jedna ze ścian w zajmowanym przez niego pomieszczeniu pełniła funkcję tablicy poglądowej, do której przymocowano telefony komórkowe. Było ich trzydzieści siedem, a przy każdym z aparatów przymocowano kopertę, w której znajdowały się pukle włosów powiązane zieloną wstążką. Kłębek takiej właśnie tasiemki znajdował się w skrytce za lustrem wraz z kolekcją pokrwawionych majtek i fragmentów damskich ubrań. Między nimi leżał stary, zepsuty głośnik z wybebeszoną membraną, w której znaleziono kilka sztuk taniej biżuterii.

Historia wyszukiwania stron internetowych w komputerze mężczyzny wskazywała, że interesował się doniesieniami prasowymi w sprawie mordów Kosiarza. Założono, że w ten sposób Szlachta wyszukiwał prostytutki i z nimi korespondował. Z tego, co ustalono po pierwszym przeszukaniu, do końca roku podejrzany zamierzał dokonać jeszcze kilkunastu zbrodni. Każda kandydatka na ofiarę miała swoją zakładkę w folderze „Kosiarz".

W nielegalnej fabryce przebywała także młoda kobieta, która po wylegitymowaniu okazała się zaginioną Beatą Kowalczyk. Kiedy policja weszła do budynku, brała akurat kąpiel w pianie. Mimo protestów została zatrzymana. W komendzie policji zeznała, że znajdowała się na posesji dobrowolnie, a jej zadaniem była opieka nad szczeniącymi się sukami. Twierdziła także, że nie oglądała wiadomości i nie miała pojęcia, że jest poszukiwana, a kiedy ją przyciskali, doradziła funkcjonariuszom, by o wszystko zapytali jej matkę Edytę Piorun. Wtedy na jaw wyszło, że posesja, na której gotowano metę i produkowano inne narkotyki, prawnie należy do niej. Podobnie jak park aut podnajmowanych przez użytkowników aplikacji Uber i innych prywatnych taryf.

Beata Kowalczyk jako jedyna mieszkanka tego przybytku została zwolniona do domu bez zarzutów.

***

– Dlaczego się ze mną nie skontaktowałaś, córko?

Piorunka była trzeźwa, nieumalowana, a chociaż na sobie miała powyciągany i zapocony dres, wyglądała młodziej niż w zwyczajowym pełnym rynsztunku burdelmenedżerki. Ledwie przed godziną wypuszczono ją z aresztu za kaucją. Zeznała, że wynajmowała budynki gospodarcze Sylwestrowi Jankiszowi i była przekonana, że rozmnaża tam rasowe psy. Pierwsze, co zrobiła po opuszczeniu bram więzienia, to pobiegła do domu, by uściskać córkę, ale Beata na jej widok nawet nie wstała z łóżka.

– Po co miałabym to robić?

Matce opadły ręce.

– Martwiłam się. Postawiłam na nogi całe miasto. Twój tata schudł dwadzieścia kilo i całkiem posiwiał. Martwię się, czy się nie zastrzeli, a nie ma z nim Ozia, żeby go pilnował.

– Jeszcze nie zdecydowałam, czy chcę, żebyście dalej byli moimi rodzicami. – Beata przekręciła się na drugi bok. Ułożyła się na łokciu. – Pobyt w twoim zakładziku otworzył mi oczy na wiele spraw. Ty po prostu się na tacie zemściłaś. Ines jest z nim w ciąży, więc trzymasz ją blisko, żeby zabrać jej dziecko, a ją samą zwolnisz. Od dawna nie chcesz już być sutenerką. Zawsze pragnęłaś tylko respektu. Królowa narkostolicy brzmi dumniej niż przebrzmiała gwiazda pigalaka. Dlatego wymyśliłaś jakiegoś Mora, zbudowałaś swoją siatkę i zrobiłaś konkurencję ojcu. To, że Artur mordował twoje dziewczyny, wcale ci nie przeszkadzało. Nawet lepiej, gliny skupiały się na zbrodniach, a nie na twoim śniegu i kryształach.

– Znajdę ci najlepszego terapeutę w mieście – zapaliła się Piorunka. – Weźmiesz się w garść. Odbudujemy się!

– Spędziłam ponad tydzień z mordercą, którego sobie hodowałaś jak tresowanego tygrysa, i powiem ci, że był wobec mnie bardziej szczery niż ty kiedykolwiek, mamo.

– To syndrom sztokholmski.

– Raczej odświeżająca wiedza. Czuję się jak nowo narodzona. Nareszcie łuski spadły mi z oczu.

Beata wstała. Podeszła do swojego laptopa i go otworzyła.

– Prawda, bo o tym mówię. Artur nie zgwałcił mnie, nie stał nade mną z nożem. Po prostu rozmawialiśmy. Wyznał, że na początku chciał mnie zarżnąć, ale im dłużej tam siedziałam, tym bardziej stawaliśmy się sobie bliscy. I to mu przeszkadzało. Mnie wcale. Wiesz, jeśli prokurator zezwoli, odwiedzę go w więzieniu.

Piorunka przyłożyła dłoń do twarzy.

– Zakochałaś się w nim?

– Zaczęłam pisać o nim książkę.

Otworzyła plik i pokazała stronę tytułową.

– Od początku mnie fascynował – kontynuowała. – Nie przyznaje się, ale i tak dostanie dożywocie. W przeciwieństwie do jego pomocnika Chudasia nie boi się. Artur i tak jest uwięziony w swojej manii. Kiedy go zabierali, pochylił się do mnie i powiedział, że mu ulżyło, że go wreszcie złapali. Będzie pilnowany, nie będzie miał jak zabijać. Trochę sobie odpocznie... Chociaż ja myślę, że po prostu ma jakiś nowy plan. Był Morem, potem został Kosiarzem. W więzieniu przygotuje całkiem inny projekt. Jego kreatywność jest godna podziwu, przyznasz? W każdym miejscu na ziemi można mieć władzę nad ludźmi. Ty powinnaś wiedzieć o tym najlepiej.

– To, co mówisz, mnie przeraża – szepnęła Piorunka.

– I słusznie, bo jak już wydam tę książkę, wstąpię chyba do policji. Wiem, że na razie nic ci nie zrobią, bo puściłaś w obieg jedną ze swoich taśm, więc inspektor Sobolewski zadba, żebyś dostała zawiasy. Nie znajdą przeciwko tobie dowodów i wszystko przybiją Arturowi. Ale na każdego jest sposób. Sama wytropiłam Mora i znalazłam Kosiarza. Byłam bliska ujawnienia go, ale chciałam, żeby mi więcej powiedział o tym, jak działa jego umysł. Tak że bądź czujna, a najlepiej zaplanuj spokojną emeryturę – dokończyła Beata i odwróciła się do matki plecami. – Jak będziesz wychodziła, zgaś, proszę, światło.

***

Wieczór był piękny, a słońce nad działkami zachodziło na czerwono. Sobieski rzucił kluczyki samochodowe na stolik nakryty jak do kolacji. Pod pokrywką czekał na niego kurczak z rożna, purée z ziemniaków i prażona marchewka – jego ulubione danie. Zastawa składała się tylko z jednego nakrycia.

Przyniósł turystyczną lodówkę i wyjął z niej piwo. Usiadł, otworzył puszkę i zapatrzył się na puchar za zajęcie pierwszego miejsca w zawodach Kobra 21. Uśmiechnął się. A więc Nocna Furia znów zwyciężyła! Wyjął komórkę. Jeszcze raz przeczytał wiadomość. Iwona pisała, że dziś wieczorem ma transport, więc jeśli chce się z nią zobaczyć, powinien wrócić przed siedemnastą. Z rozmysłem jeździł po mieście, aż zapadł zmrok.

„Przemyśl to jeszcze. Ja się nie zmienię” – napisał jej, ale zaraz skasował.

Jakby czytała mu w myślach, a może po prostu wsiadała już do samolotu, bo w tym momencie otrzymał wiadomość.

„Kocham cię. Wrócę, jeśli chcesz”.

„Wygrałaś” – wstukał.

I choć wcale nie chciał, głowa mu eksplodowała gradem pytań: czy widziałaś się z kochankiem? Czy dla niego jedziesz teraz do jednostki? Czy dziecko, które nosisz w łonie, jest jego i czy zamierzasz donosić ciążę?

„Zostawiłam ci nagrodę, żebyś o mnie pamiętał".

„Pamiętam zawsze" – odpisał, ale i to skasował. Zamiast tego wysłał: „Ja też cię kocham, ale nie wracaj, jeśli się nie zmienisz. Bądź szczęśliwa".

Odłożył telefon na stolik, choć komórka niemal eksplodowała od wiadomości. Kiedy zaczęła dzwonić, wyciszył dźwięk. Odchylił się na krześle i napił się piwa. Patrzył na zachodzące słońce i zrozumiał, że tak jest dobrze. Nie potrzebuje niczego więcej.

– Romantycznie. – Za plecami usłyszał głos.

Obejrzał się. Na działkę wchodziła Ada, a za nią jak wzorowe małżeństwo kroczyli Kowal i jego żona Janina.

– Możemy? – Pani Kowalczyk podniosła do góry wino i rozejrzała się, jakby znajdowali się przynajmniej na tarasie hotelu Amber w Międzyzdrojach. – Przyjemnie tu.

– Nie mam jedzenia dla tylu osób – zastrzegł. – Za to jakieś szkło się znajdzie.

Wstał, postawił na stole musztardówkę i kilka szklanek po nutelli. Obok Kowala położył pakunek.

– Zwracam co do złotówki.

Janina wymieniła spojrzenia z mężem.

– Nie będę zeznawał – kontynuował Sobieski. – W sprawie Mora ani w żadnej starej. Inspektor Sobolewski też mnie nie interesuje. Broń zarekwirował Drabik, załatwcie to między sobą. Z tego, co wiem, jesteście w stałym kontakcie. My jesteśmy kwita, panie Kowalczyk.

– Szkoda – odezwała się Ada. – Bo Drabik wszczął postępowanie sprawdzające. Możliwe, że chcą cię przywrócić, a nawet awansować. Masz teraz dobry piar.

Sobieski zaśmiał się drwiąco.

– Nie zaciągną mnie wołami do tego bagna. Moja noga więcej w firmie nie postanie.

Uśmiechnęli się do siebie ze smutkiem.

– Chciałam ci podziękować – szepnęła. – I przeprosić.

Sobieski machnął ręką.

– Najważniejsze, że sprawa jest rozwiązana. W mediach huczy, że Szlachta się nie przyznaje, ale zarzuty dostał. Akt oskarżenia ma być na dniach.

– Dowody są mocne – potwierdziła Ada. – Świadczą przeciwko niemu Jankisz, Danusia vel Irena i kilka innych osób, w tym twój przyjaciel Oziu. Po zajęciu fabryki metamfetaminy mają interes, żeby skrócić własne wyroki, więc prześcigają się w zeznaniach jeden przez drugiego. Piorunka dostarczyła dane z ich systemu logowania, nagrania monitoringu i namówiła dziewczyny, żeby się zgłaszały. Najważniejsze są jednak teraz wyjaśnienia wspólnika Szlachty. Damian Chudaś twierdzi, że w ciągu trzynastu lat Artur zabił blisko czterdzieści kobiet. Włosy trzydziestu siedmiu, które zostały u niego znalezione, to były trofea Szlachty.

– Tylko czterdzieści? – Sobieski aż zdjął czapkę i podrapał się po głowie. Uśmiechnął się krzywo. – To wychodzi mniej niż trzy rocznie. Henry Lee Lucas i Ottis Toole w ciągu pięciu lat dopadli sześćset ofiar. A Chudaś tylko patrzył czy zajmował się też kopaniem dołów? Pewnie mówi, że został zastraszony przez młodszego o dekadę chłopaka?

– Bada go ekipa psychiatrów. Z przecieków wynika, że to nekrofil, ale bez skłonności do sadyzmu.

– Akurat. – Sobieski podniósł T-shirt i pokazał swój zabandażowany brzuch. – Owieczka w szponach drapieżnika. Jak bardzo mu współczuję...

– Podobno na tym polegał jego problem – odezwała się pierwszy raz Janina. Odchrząknęła. – Potrzebował zwłok, żeby poczuć spełnienie seksualne, ale sam nie potrafił ich sobie zorganizować. Wykopywał ciała na cmentarzach od lat. Rodzina twierdzi, że był taki od zawsze. Wstydzili się i ostatecznie wygnali go z tego powodu z wioski. To nie jest głupi facet. Mógł skończyć studia, robić coś ciekawego...

Ale nie do końca udawało mu się skrywać swoje ciągoty. Zawsze coś tam wychodziło i ludzie się od niego odwracali. Dlatego wypadł z uczelni, a potem z kolejnych posad. Policja zbiera teraz przeciwko niemu świadków. Ostatecznie ustatkował się dzięki pogotowiu ślusarskiemu. Nie musiał się przed nikim opowiadać, a klientom było wszystko jedno, jak majster wygląda i się zachowuje. Byle był skuteczny. I był. Nawet bardzo...

– Dlaczego jest taki odrażający? – zainteresował się Sobieski. – Co mu się przytrafiło? To jakaś choroba? Miał polio w dzieciństwie?

– Podczas uprawiania swoich praktyk wpadł ponoć do grobu i został zasypany żywcem – odrzekła Janina. – Nie chciał o tym mówić.

– Nic dziwnego, bo to braciaki go skatowały i wrzuciły do świeżej jamy. Damian nie miał nawet dziesięciu lat – włączył się Kowal. – Nie przyznają się do tego, ale Łuchniak mi opowiadał, że to lokalna tajemnica poliszynela. Tylko cudem się wylizał. Leżał w tym dole jak dogorywający pies, a i potem nie wezwali doktora, który by mu poskładał kości, bo Chudasie bali się, że sprawa wyjdzie na jaw i wszyscy pójdą siedzieć. I tak by było. Łuchniak miał problem, by wejść do stodoły, gdzie go potem trzymali, i obejrzeć chłopaka. Mówił, że zaropiała i poraniona skóra zgniła, zaczęła się psuć. Coś obrzydliwego. W każdym razie ponoć od tego zaczęła się jego chorobliwa fascynacja śmiercią. Nie wiadomo, czy to prawda, bo Łuchniak nie zdołał zebrać dowodów. Kiedy po latach zaczął się interesować Damianem, Chudasie doprowadzili do jego usunięcia z policji. Nie pasowało im, żeby nazwisko było splamione zboczeniami brata nekrofila. Najpierw chcieli się dogadać z komisarzem, ale ten tylko ciaśniej zagiął na nich parol. To obstawili jego dom, samochód i biuro pluskwami. Nagrywali go, podsłuchiwali, a potem szantażowali. Czym? Nie pytajcie, nie wiem. To sprawa między nimi. Wiecie, jak to jest: chcesz uderzyć psa, kij znajdziesz. Dlatego Łuchniak ostatecznie złożył raport o zwolnienie. Teraz pewnie będzie zrehabilitowany.

– Dlaczego Damian Chudaś pomagał Szlachcie zabijać? – przerwał mu Sobieski. – W prasie piszą, że był mu całkowicie podporządkowany.

– W jakimś stopniu go podziwiał, idealizował. A Szlachta o tym wiedział – odparł Kowal. – I tak się zrodził dwugłowy potwór. Jeden zabijał, drugi bawił się zwłokami, a im dłużej proceder trwał, tym bardziej byli ze sobą związani.

– Przecież to był wuj zabitej dziewczynki! – Sobieski nie krył zdumienia.

– Z jego wyjaśnień wynika, że na początku się nienawidzili. Szlachta nakrył Chudasia na zabawianiu się zwłokami siostrzenicy, zmusił do ukrycia ciała dziewczyny i tak zawiązała się ich unia. Jeden i drugi mógł się czuć bezpieczny w swojej parafilii. Znali wzajemnie swoje największe sekrety. W sumie taki morderczy duet to jeden z bliższych związków, jakie może stworzyć człowiek. Oczywiście toksyczny.

– Ale czterdzieści zamordowanych dziewczyn? – Sobieski kręcił głową w niedowierzaniu. – Nekrofil będzie miał w więzieniu nielekko. Może Chudaś tylko się popisuje?

– Sprawdzają podane przez niego miejsca i część ciał już wydobyto. Na razie nie chcą tego rozgłaszać, ale w tej ziemiance na terenie posesji matki Szlachty, o której mówiła Danusia vel Irena, jest istne cmentarzysko. Większość zwłok to stare szczątki. Ciało Katarzyny Chudaś zostało zidentyfikowane.

– Znaleziono też rower – wtrąciła się Ada. – Ten, który widział grzybiarz w dniu śmierci Pati.

– Dlaczego media nie informowały o zaginięciach? – zapytał Sobieski.

– To były dziwki, dziewczyny na ucieczkach z domów, giganciary, tirówki… Kobiety bez dokumentów, bez przyszłości. Nikt ich nie szukał, a może same nie chciały być znalezione, bo miały swoje grzeszki za uszami. Tylko takie wybierał Szlachta. Był blisko tego środowiska, najbliżej, jak tylko się da. Oferował im windę do nieba. Każdy rodzaj narkotyku, jaki sobie wymarzyły. Czy znasz lepsze warunki do tego, by ukatrupiać panny? Wyobraź sobie, że przez te wszystkie lata nikt go nie pilnował. Nigdy nie był zamknięty pod kluczem. Wychodził, mordował i wracał. Jankisz z Ireną vel Danusią dbali, by poza nimi z nikim się nie kontaktował. Twierdzą, że niczego nie podejrzewali. Ponieważ poszli na współpracę, prokurator pewnie da wiarę ich słowom.

– Dokąd miałby iść? – Sobieski zamyślił się. – Miał w tej kryjówce jak diabeł w raju.

– Zastanawiasz się pewnie, dlaczego Szlachta i Chudaś nagle zaczęli pokazywać zbrodnie, bawić się w kosmyki naprowadzające na nowe ciała i ogólnie sobie utrudniać?

– Wzmocnienie bodźców? Gra z policją? Za mało adrenaliny? – zgadywał.

Ada pokręciła głową, a potem ją pochyliła.

– Ja wprowadziłam się na Rapackiego.

– I Chudaś dostał kręćka?

– Pamiętasz zdjęcia na ścianie w mieszkaniu Beci? To nie były internetowe wydruki. Wszystkie te dziewczęta nie żyją. I jest ich więcej niż czterdzieści, do których zabójstwa przyznają się mordercy. – Urwała. – Do niedawna to Szlachta wybierał ofiary. Ale kiedy Chudaś zobaczył mnie, zapragnął widzieć mnie martwą. Marzył, by sam zabić. To, co pisał w listach, to jego fantazje. Nie Szlachty. Czy zrobiłby to? Nie wiem. Psychiatra, który go bada, twierdzi, że to jakiś szczególny rodzaj przejęcia osobowości idola. Jeśli to oczywiście nie jest gra na potrzeby procesu, by wyjść z tego jako niepoczytalny. A Artur był dla Damiana kimś w rodzaju idola. Stąd niewysłane listy, uprowadzenie i próba uwięzienia. Podczas przesłuchania zapewniał, że nie potrafiłby tego zrobić. Czekał, aż przyjedzie Artur i zarżnie mnie za niego. Byłabym czterdziesta pierwsza. Wygląda na to, że przyszedłeś w ostatniej chwili...

– Nie bez powodu mówią, że pięć osób, z którymi przestajesz, tworzy twój pełen obraz. Widać niektórym wystarczy jedna – skwitował Kowal i podniósł się, a zaraz po nim zerwała się Janina.

Sobieski przyglądał się im, nie mogąc uwierzyć, że po tym wszystkim, co zostało ujawnione, wciąż są razem. I nie wyglądało, by cokolwiek miało się w tym układzie zmienić. Odnosił wrażenie, że Ada także jest tym zdziwiona.

– Znalazłeś Becię, ujawniłeś Mora. – Kowal przesunął pakunek z pieniędzmi w kierunku Sobieskiego. – Nie kryguj się. Potrzebujesz ich.

– Nie znam nikogo, kto wzgardziłby taką gotówką – burknął Sobieski, ale przestał protestować, kiedy do rozmowy włączyła się Janina:

– Gdybyś był żołnierzem, dostawałbyś żołd. W policji pensja wpływałaby ci na konto. To wypłata, nie żadna łapówka. Uczciwie je zarobiłeś. Dziękujemy.

Sobieski zacisnął usta, pogładził się po podbródku. Milczał, bo miała rację.

– Co zamierzasz teraz robić? – zapytał Kowal.

Sobieski wzruszył ramionami.

– Pojeżdżę jeszcze kilka miesięcy na taryfie. Nocami będę rozwoził pudełka z jedzeniem. Może wezmę też przesyłki kurierskie? Półtorak obiecuje, że załatwi ten lokal. Do zimy muszę się stąd wynieść. Jak odłożę trochę grosza, zainwestuję w park samochodowy i sam będę wynajmował auta dla nędzników kursujących na uberach. A może zrobię licencję detektywa? – Urwał.

Przyjrzał się nagrodzie żony wciąż stojącej na stole.

– Gdyby mnie publicznie oczyścili, mógłbym to wykorzystać. Ludzie lubią, kiedy ich detektyw jest bohaterem w mediach. Sam jeszcze nie wiem... Z tego wszystkiego pewne jest tylko to, że będę miał dziecko.

Przeniósł wzrok na Adę.

– A ty? Oddali ci cześć? Dostałaś przeprosiny na piśmie?

Roześmiała się kpiąco.

– Wracam na aplikację – odparła. – Kiepska ze mnie policjantka. Piszą o tym nawet w internetach.

– Nie taka najgorsza, skoro skuteczna – pocieszył ją bez przekonania Jakub.

Podziękowała mu spojrzeniem.

– Ale pomyślałam, że gdyby ciebie przywrócili, spotkalibyśmy się na jakichś oględzinach. Za parę lat znów mogłabym się nad tobą pastwić. Już jako prokurator...

Jej ojciec parsknął, ale Janina chwyciła męża pod ramię, więc umilkł.

– Wprost nie mogę się doczekać – dokończyła Ada.

– Kuszące. Jeszcze się zastanowię. – Sobieski uśmiechnął się półgębkiem i dolał jej wina. – A skoro jeszcze nie wróciłaś na studia, mamy coś do zrobienia.

Ada zrobiła wielkie oczy. Wyglądała teraz jak kot ze Shreka.

– Obiecaliśmy pani Sapiedze, że powiemy jej, dlaczego zabójca wybrał jej córki. Może to ją ruszy i zapisze się na mityng AA.

– Wiesz co? – Ada wstała. – Wiem już, jaki jest twój największy problem.

– No? – Uśmiechnął się. – Jestem frajerem, nieudacznikiem oraz mieszkam na działkach? Już to słyszałem.

– Nie. – Pokręciła głową i spojrzała na niego z powagą. – Ty naprawdę jesteś ostatnim rycerzem i uważasz, że bez twojej pomocy sobie nie poradzimy. My, kobiety.

– Chodź już. Załatwimy tę sprawę, skoro obiecaliśmy, a po robocie napijemy się wina. Odstawię cię potem do domu.

– Przecież piłeś – zaoponowała.

– Wezwiemy jakiegoś ubera.

Warszawa, 24 września 2021

Książkę wydrukowano na papierze
Creamy HiBulk 2.4 53 g/m²
wyprodukowanym przez Stora Enso

www.storaenso.com

Warszawskie Wydawnictwo Literackie
MUZA SA
ul. Sienna 73, 00-833 Warszawa
tel. +4822 6211775
e-mail: info@muza.com.pl

Księgarnia internetowa: www.muza.com.pl

Skład i łamanie: MAGRAF s.c., Bydgoszcz
Druk i oprawa: Drukarnia Tinta, Działdowo